Y0-CBG-386

BIBLIOTHEK DER WELTLITERATUR

PHAIDON

Hans Sachs

Lieder
Gedichte
Spiele

Phaidon Verlag

Zusammengestellt
und mit einem Nachwort versehen
von Heinrich von Braun

Gesamtherstellung: SVS, Stuttgart
Satz: Typobauer Filmsatz GmbH, Ostfildern 3
ISBN 3-88851-040-6

Inhaltsverzeichnis

Lieder und Gedichte

Fastnachtsspiele

Komödie und Tragödie

Anhang

Lieder und Gedichte

Fabeln und Parabeln

Der untreu Frosch.

In der Froschweis Frauenlobs.

Ein Frosch der sach bei einem Bach
ein Maus, darzu er schmeichlend sprach:
„Willst du hinüber?“ Die Maus sach:
„Ich kann doch ie nit schwimmen.“
Auf Treu bot ihr der Frosch sein Hand,
sprach: „Ich führ dich an jenes Land.“
Die Maus sich an den Frosche band,
in Bach künnten sie klimmen.
Der Frosch unrein
schwamm mit hinein
und tät sich unterducken,
durch Untreu sein
das Mäuslein klein
tät er hinunterzucken,
die schrei zum Frosch gar klägelich:
„O Frosch, willt du ertränken mich?
Dir hab Bessers vertrauet ich.“
Der Frosch tät fürher gucken,

sprach zu dem Mäuslein an dem Ort
aus falschem Herzen: „Gute Wort
die haben dein Einfalt betort
und werden dich noch töten.“
Indem hoch in dem Lufte flug

ein Aaer, nach dem Raube zug,
der hätt auf diesen Bach sein Lug,
das Mäuslein sach in Nöten,
zog aus dem Bach
die Maus; darnach
daran sie beide hingen.
Als den Frosch sach
der Aaer, sprach:
„Wer bracht dich in die Schlingen?"
Der Frosch sprach: „Die groß Untreu mein,
darmit ich bracht die Maus hinein.
Des müss' wir beid dein Speise sein,
recht gschicht mir in den Dingen."

Ein Fabel: Der Aff mit der Schildkröten.

Im Buch der alten Weisen steht,
wie daß ein Aff sein Wohnung hätt
in einer Au, in grünem Klee
an einem gar fischreichen See,
da er fund gar mildreiche Weid.
Darin hätt er sein Wunn und Freud
sicher in einem weiten Raum,
sunderlich auf eim Feigenbaum
noß er der Frücht von seinen Zweigen.
Eins Tages entfiel ihm ein Feigen
in See, zu der ein Schildkröt schwamm
und die Feigen zu Speis annahm.
Dasselbig dieser Affe sach
und hätt des sunder Freud. Darnach
warf ihr mehr Feign in See hinab,
darnach stieg er vom Baum herab,
Gsellschaft mit der Schildkröten trieb,
die darnach oft lang bei ihm blieb
und alle Tag auch zu ihm schwamm.

Darob ward gar hässig und gram
dem Affen der Schildkröten Weib
und stellt ihm heimlich nach dem Leib,
hungert und mägert sich ein Zeit
und klagt sich hart einer Krankheit

falschlistig. Als die Schildkröt sach
sein Weib so machtlos, hellig, schwach,
fragt' er sein Weib, was ihr gebräch.
Das listig Weib sagt' in dem Gspräch:
„Ich leid einer Krankheit großen Schmerz.
Doch wenn ich hätt eins Affen Herz
zu essen, so würd ich der heil.
Wird aber mir das nit zuteil,
so muß ich gewiß der Krankheit sterben."
Tät schmeichelhaftig um ihn werben,
ihr eines Affen Herz zu schaffen.
Die Schildkröt dacht wohl an den Affen,
der ihm doch hätt viel Gutes ton,
sich lang ob dieser Sach besonn;
wann er hätt sie lieb alle beide,
vergunnt ihr keinem Herzenleide.
Doch des Weibes Lieb überwag,
und zu dem Affen schwimmen pflag
und sprach: „Mein Freund, iß heut mit mir,
da will ich auch anzeigen dir
mein Haus und all mein Hausgesind,
mein Weib und alle meine Kind."
Der Aff verstund nicht diese Tück,
sprang der Schildkröten auf den Rück
auf guten Glauben und Vertrauen,
sein Wohnung und Herberg zu schauen.
Die mit ihm auf dem See hinschwamm,
und als sie auf die Mitten kam,
gedacht ihr heimlich die Schildkröt:

wenn ich denn den Affen ertöt,
der mir vor ton hat alles Gut
und mir als Guten trauen tut,
wenn ich ihn denn ahn Schuld umbrächt
von meins Weibs wegn, wärs ie unrecht.
In den Gedanken sie stillstund.

Solliches der Aff merken kunnt,
sprach zu der Schildkröten in Güt:
„Was ist dir kummen in dein Gmüt,
darob du stillstehst sam entsetzt?“
Die Schildkröt antwort ihm zuletzt
und sprach: „Mein Weib das ist todkrank
und leidet bitter härten Zwang;
wo ihr nicht wird eins Affen Herz,
so muß sie leiden Todesschmerz.
Den Dingen hab ich nachgedacht.“
Der Aff hätt dieser Red gut acht,
merkt’ wohl seins Freundes Hintertück,
vor Angst bidmet’ ihm Herz und Rück,
merket’ gewiß seinen Tod zukünftig.
Jedoch ganz sinnreich und vernünftig
der Aff bei der Schildkröten sucht
heimlich durch Weisheit ein Ausflucht,
sprach: „Freund, wollst mir nit sagen das,
eh ich dort auf dein Rücken saß,
so hätt ich mein Herz mit mir gnummen,
wär deim Weib mit zu Hilfe kummen.“
Die Schildkröt sprach: „Hast du dein Herz

auch nit in deinem Leib inwärts?"
Der Aff sprach: „Nein, sunder wir Affen
sind von der Natur anderst gschaffen.
Wenn wir essen zu Gast auswärts,
so laß wir allmal unser Herz
daheim in Weil in unsrem Haus,
weil ganz rachselig überaus
seind unsre Herz, auf daß wir denn
nicht etwan ein Rachsal begehn
in einer fröhlichen Gastrei.
Du aber führ mich wieder frei
über den See zu meinem Haus,
so nehm ich denn mein Herz heraus
und bring es deim Weib über See,
daß End nehm ihrer Krankheit Weh."
Also kehret die Schildkröt um
und führt den Affen treu und frumm
wiederum über See an Land.
Der sprang von ihrem Rück zuhand
und eilend auf sein Baumen sprung,
sprach: „Deiner Freundschaft hab ich gnung,
weil du meim Leben nach tätst stellen.
Such dir ein andren Freund und Gsellen!
Ich kumm nit mehr auf deinen Rück.
Gott sag ich Dank und dem Gelück,
daß ich ietz von dir bin erledigt,
deinr Untreu blieben unbeschädigt."
So schied der Aff von der Schildkröten;
die schwamm dahin auch mit Schamröten.

Fabel der Löwin mit ihren Jungen.

Wer andern zufügt Ungemach,
den trifft zuletzt die Gottesrach,
als dieser Löwin auch geschach.

Ein Löwin hätt zwei Wölflein klein
im Wald in einem hohlen Stein.
Eins Tags loff sie aus nach ihr Speis.
Indem da kam ein Jäger leis,
da er die jungen Wölflein fund.
Er würgets und darnach sie schund.
Die Häut trug mit ihm hin der Jäger.
Da kam die Löwin zu dem Läger,
fand ihr Wölflein tot alle zwei.
Die Löwin tät ein kläglich Gschrei,
sie lauert, weinet für und für.
Das hört ein Fuchs, kam bald zu ihr,
sprach: „Schwester, wie tust also klagen?"
Die Löwin kunnt ihr Leid ihm sagen.
Bald der Fuchs ihren Schaden sach,
gar listiglich er zu ihr sprach:
„Sag an! wieviel Jahr bist du alt?"
Die Löwin sprach hinwider bald:
„Ich bin geleich alt hundert Jahr."
Der Fuchs sprach: „Sag mir an fürwahr,
von was Speis hast du dich genährt
so lang in diesem wilden Gfährd?"

Die Löwin sprach: „Mein Speis die was
allein das Fleisch der Tier, ich aß
alls Hasen, Füchs, Hirschen und Hinden
und was ich in dem Wald mocht finden."
Der Fuchs sprach: „Seind die Tier dein Futter,
sag, hant sie auch nit Vater, Mutter?
So hast auch ihr Mütter betrübet,
wann jedes Tier sein Kinder liebet
in aller Maß, als du die dein.
Wie oft hast du sie bracht in Pein,
wann du ihr Jungen hast gefressen.
Jetzt wird dir mit der Maß gemessen,
wie du den andern hast getan.
Daran sollt du kein Zweifel han.
Die Götter haben dir gelohnet,
gleich wie du niemand hast geschonet.
Also mußt du jetzt Schaden leiden.
Willst du der Götter Straf vermeiden,
so merk, was du nit geren hast,
daß dus ein anders auch erlaßt,
auf daß dir nimmer misseling
und dich aber ein Stärker zwing
und Maiezeit ihr Rosen bring!"

Der krank Esel.

In der Hohnweis Wolfran.

Ein Esel lag darnieder
in einem Wald sehr krank.
Ein Wolf der stellt sich bieder,
nahm für ihn seinen Gang,
tät ihm schmeichlend zusprechen:
„Leid ist mir dein Unfall.
Sag, wo ist dein Gebrechen?"
Begriff ihn überall.

Der Esel lag in Sorgen,
forcht des Wolfs Hinterlist,
sprach zum Wolf unverborgen:
„Wo du mich greisen bist,
ist am größten mein Schmerzen.
Ich bitt dich, geh von mir,
so wird Ruh meinem Herzen;
das fürchtet sich vor dir." –

Also wo los Gesellen
voll allerlei Bosheit
sich freundlich gen eim stellen,
der vertrau nit zuweit!
Sorgfältig sei einzogen,
fürcht seine böse Tück.

Kummt er ab unbetrogen,
so sag er von Gelück.

Fabel des Esels mit der Löwenhaut.

Niemand brech sich höher
dann seinem Stand gebührt,
er wird sunst zuschanden.

Avjanus schreib, der Poet,
wie ein Müllner ein Esel hätt,
der ging zu weiden und zu grasen
Vor einem Holz auf einem Wasen.
Allda fand er ein Löwenhaut.
Da ward sein Herz in Freuden laut.
Bald in die Löwenhaut er schloff,
mit Freuden ein gen Holz er loff.
Gedacht: „Nun bin ich wohl vertragen,
der Säck und auch der Mühl entschlagen."
In Hoffahrt gund im Holz umbirschen.
Ihn flohen Hasen, Hind und Hirschen,
meinten, wie er ein Löwe wär,
wann er verwarf sich hin und her,
verdrehet sich zu beiden Seiten.
Indem ersach ihn auch von weiten
der Müllner und gab bald die Flucht.
Sein Leben zu erretten sucht.
Als der Esel sach in den Dingen
den Müller vor ihm anhin springen,
vor Freuden hub er an zu schreien
mit seiner eslischen Schalmeien.

Der Müller kannt des Esels Stimm
und wendet sich bald gegen ihm,
erwischt den Esel bei den Ohren
und sprach zu ihm mit großem Zoren:
„Warum hast mich also geplagt
und als ein wilder Löw gejagt
und bist ein lauter Esel doch?“
Die Löwenhaut er ihm abzog,
tät ihm darnach sein Haut erbleuen,
daß ihn sein Hochmut wohl mocht reuen,
und tät ihn heim gen Mühle jagen,
daß er ihm wieder Säck mußt tragen.

Der Krug mit dem Wetter.

In dem Hofton Peter Zwingers.

Ein Hafner hätt gedreht ein Krug
mit seinen Künsten weis und klug.
Daß er mit Fug
im Ofen dächt zu brennen,
stellt er ihn an die Sunnen hin,
da sie gar heiß zu Abend schien,
zu trucknen ihn.
Die Wolken täten rennen,
gar ungestüm
war umadüm
ein Regenwetter schwere,
das den Krug fragt
und zu ihm sagt,
was für ein Ding er wäre?
Er sprach: „Ich bin ein Krug genannt,
ein Krug wird ich auch bleiben;
mich hat meins Meisters glehrte Hand
geformiert auf der Scheiben."

Das Wetter sprach mit Worten klug:
„Bisher gewesen bist ein Krug,
doch ohn Verzug
sollt wieder Leimen werden."
Mit großem Sturme auf ihn schoß

das Wetter, ihn gar übergoß,
daß er zerfloß,
sank nieder auf der Erden.
Da wurd wieder
zu Leimen er,
wie er vor war gewesen. –
Die Fabel wir
mit ihrer Zier
in Aviani lesen.
Der Krug geleichet einem Mann,
kunstlos und in Armute,
der sich doch allmal zeiget an
prächtig stolz in Hochmute,

Sam er ganz reich und mächtig sei,
und rühmt sich großer Ding darbei
und trutzet frei
die Leut zu aller Stunde.
Wenn dem zusteht ein kleiner Schad,
daß ihm geht übern Bauch ein Rad,
in dem Schweißbad
geht all sein Pracht zugrunde.
Alsbald man tut
sein Aremut
spüren an allen Orten;
sein Pracht, Reichtum,
Hoffahrt und Ruhm
sei nur gewest in Worten,
zerfleußt wie das Wasser hinweg.

Wahr sagt das Sprichwort alte:
Armer Leut Hoffahrt und Kalbsdreck
verriechen beide balde.

Der Fuchs mit dem Storchgast.

In dem Hoftone Jorg Schillers.

Ein Fuchs bat einen Storch zu Gast
in des grünen Maien Palast.
Als er zu Tisch war gsessen,
setzt er ihm für aus Betrügnus
auf eim Teller ein dünnes Mus
und hieß ihn fröhlich essen.
Der Storch sein nichts genießen kunnt;
sein Schnabel war zu spitzig.
Der Fuchs leckt das Maul wie ein Hund,
der Storch ganz hungerhitzig
ging von dem Mahl ohngessen und ohntrunken
und tät gar heimlich munken.
Das gfiel dem Fuchs gar wohl;
wann er stak Liste voll.

Den andern Tag der Storch auch lud
den Fuchsen und ihm briet und sud
viel kleiner guter Fische,
tät in ein Glas der Fischlein Meng,
war unten weit und oben eng,
trug sie dem Fuchs zu Tische
und sprach: „Gast, iß, hab guten Mut!"
Der Fuchs kunnt nicht hineine,
der Storch zwackt heraus die Fisch gut

frei mit dem Schnabel seine.
Der Fuchs auch von dem Mahl ungessen ginge.
Der Storch lacht dieser Dinge
und sprach: „Mit diesem Mahl
ich dein nächtigs bezahl." –

Esopus uns die Fabel schrieb,
daraus uns diese Lehr belieb:
Welch Mann einen tut äffen,
ihn überlist mit Wort und Weis,
daß er ihn führet auf ein Eis,
ihn mit Gespott tut treffen,
der muß gewarten wieder das,
wie er vor hat gemessen,
daß man ihm messe gleichermaß,
ihm auch versalz das Essen.
Man spricht: widergelten ist unverboten.
Auch sagt man von den Zoten:
Wer kuglen will, zu Buß
wieder aufsetzen muß.

Der karg Wolf.

In dem blühenden Ton Frauenlobs.

In dem Maien ein Jäger schoß
ein Reh in einem Walde groß,
das trug er heimwärts auf dem Rück
ein Holzweg ungebahnt.
In dem begegnet ihm ein Bär,
hungrig, brummend geloffen her,
diesem Jäger zu Ungelück.
Der bald sein Armbrost spannt.
Der Bär gar eilends auf ihn drung,
der Jäger ihm mit Not entsprung,
sein Armbrost fallen ließ,
gespannt mit aufgelegtem Strahl,
zucket das Weidmesser zu Stund,
den Bären überhart verwundt.
Der ihm hinwider gab viel Drück
und den Jäger umstieß,
zerriß ihn überall.

Nach dem der Bär in Zornes Grimm
riß weiter auf sein Wunden ihm,
daß von ihm floß das Blute rot,
bis ihm sein Seel ausging.
Indem da kam ein Wolf herbei
und fand die Körper alle drei,

Reh, Jäger und den Bären tot
liegen in einem Ring.
Froh war der Wolf und ihm gedacht:
Alls Gelück hat mich hieher bracht,
da will ich nähren mich.
Ich hab ein Vorrat auf viel Tag.
Jedoch ich ietz die drei Leichnam
in ein Höhl schleppen will zusamm,
bis daß es mir tu großer Not.
Die Ochsenadren ich
ietz von dem Armbrost nag.

Als er nun an zu nagen fing,
da ließ das Armbrost und abging
und schoß den Wolf durch seinen Bauch,
daß er verwundet starb. –
Bei diesem Wolf mag man verstahn
ein glückseligen, reichen Mann,
dem Gott geit große Reichtum auch,
die er doch nie erwarb
mit Arbeit und Mühseligkeit;
wann derselb reich Mann allezeit
ist gespärig und karg
und sorget stet, daß ihm zerrinn,
und ist ein rechter Nagenranft,
weil er doch wohl möcht leben sanft
in seim Haus nach gemeinem Brauch;
Der neust auch selb das Arg,
Stirbt von dem Guten hin.

Der Fuchs mit dem Hahn.

In der Kleeweis Balth. Wencken.

Ein hungriger Fuchs tät ausgahn
und fand bei einem Dorf ein Hahn
auf einem Zaun, den redt er an:
„Ein gute Stimm dein Vater hätt;
drum kumm ich her an diese Stätt,
ob ihm dein Stimm auch gleichen tät.“
Die Hoffahrt drang
den Hahn, der schwang
sein Flügel, hub laut an und sang
mit bschloßnen Augen, daß es klang.

Der Fuchs ergriff den Hahn im Sprung
und sich mit ihm gen Holze schwung,
ihm liefen nach alt unde jung,
schrien: „Der Fuchs trägt unsern Hahn.“
Der Hahn redt den Fuchs also an:
„Hör, wie die Bauren schreien ton.
Sprich: Ich trag mein
Hahn hie allein
und nicht der Bauren groß und klein.“
Den Fuchs ritt auch die Hoffahrt sein,

ließ aus dem Maul den gfangnen Hahn
und wollt die Bauren schreien an,
der Hahn ihm auf ein Baum entrann
und schrie: „Mein Fuchs, vernimm den Sinn!
Der Bauren Hahn ich wieder bin,
lauf nur dein Straß ungessen hin.“
Der Fuchs der schlug
sein Maul genug,
sprach: „Dein Gschwätz mich um den Hahn trug.
Wer schweigen kann, ist weis und klug.“

Fabel vom Neidigen und Geizigen.

Avjanus beschreib ein Fabel,
dem Menschen zu einer Parabel,
wie einmal der Gott Jupiter
schicket zu uns auf Erden her
den Gott Phebum, auf daß er recht
erforscht bei menschlichem Geschlecht
ihr Frummkeit und ihr wahre Güt,
wie darin stünd das ihr Gemüt.
Als nun Phebus auf Erden kam,
zween Männer er bald für sich nahm.
Der ein so gar fast geizig was,
der eine stak voller Neid und Haß.
Phebus der sprach: „Wes ihr begehrt,
des sollt ihr sein von mir gewährt,
und was der erst begehrt für Gaben,
das soll der ander zweifach haben."
Der Geizig war nit wünschen wollt,
da es ihm halbes werden sollt.
Den Wunsch wollt er seim Gsellen lassen.
Er zeiget seinen Geiz dermaßen.
Als nun der Neidig merken tät,
warum er nicht gewünschet hätt,
darin gesucht sein Eigennutz,
da günnet er ihm gar kein Guts.
Auf daß er sich an ihm möcht rächen,

wünscht er ein Aug ihm auszustechen,
auf daß der Geizig gar würd blind.

Als Phebus hört die bösen Kind,
daß jeglicher nur sucht das Sein
und fräß es geren gar allein
und sucht sein Vorteil unverschamt
in allen Dingen ungenamt,
fuhr er auf zu der Götter Thron,
dem Jupiter das saget an,
wie menschlich Natur wär so arg,
so übergeizig und so karg,
mit Recht und Unrecht, wie er möcht,
daß es nit gar zu sagen döcht,
darzu wär niemand mehr mitleidig,
darzu so wär der Mensch so neidig,
so mißtreu und so gar verrucht,
daß er in allen Dingen sucht,
sein Nebenmenschen gar zu hindern,
sein Ehr und Gut ihm zu vermindern,
und wie der Mensch so heftig nied,
daß er selb willig Schaden litt,
auf daß der Nächst auch hätt zu baden
und käm noch in ein größern Schaden,
ein Aug ganz williglich verlur,
daß sein Nächster gar blendet wur,
dardurch all Tugend unterging,
auf Erd und alls Unglück anfing.

Als Jupiter all Ding vernahm,
auf Erd er seither nimmer kam.

Das weise Urteil Künig Salomonis.

Als Salomon zu Grichte saß
und mit Weisheit begabet was,
da kamen zwo Frauen gemein
mit Klag für das Gericht; die ein
sprach: „O Herr Künig, ich und die
Frau wohnen beieinander hie
in einem Haus, und ich gelag
eins Kinds, darnach über drei Tag
gebar sie auch ein Knäbelein,
und wohnen gar einig allein
in unserm Haus. O Herr, nun schau!
In dieser Nacht so hat die Frau
erdrücket ihren jungen Suhn;
darnach sie in der Nacht auftun
und nahm mein Suhn von meinem Arm;
dieweil dein Magd noch schlief so warm,
legt sie mir ihren toten her,
als ob der mein gestorben wär.
Früh als ich meinen Suhn wollt säugen,
wollt sich kein Leben an ihm eigen,
wann er war tot und hätt kein Leben.
Bald es taget, schaut ich ihn eben.
Da war es nit mein Suhn (versteht!),
den ich leiblich geboren hätt."

Das ander Weib das sprach: „Bei Gott,
mein Suhn lebet, der dein ist tot."
Diese aber ihr widerstrebet,
sprach: „Dein Suhn ist tot, meiner lebet."
Und kriegeten beid unbescheiden.
Da sprach der Künig zu ihn' beiden:
„Jede sagt, ihr Suhn lebe noch,
keine will den gestorben' doch.
Langet mir her ein scharpfes Schwert,
darmit der Krieg geendet werd!"
Da man 's Schwert bracht, da sprach er: „Nun
teilet den lebendigen Suhn
und gebt iedem Weib ein halb Teil!"

Als man ihn teilen wollt zu Heil,
durchbrach das mütterliche Herz
mit Schrecken, Trübsal, Angst und Schmerz
und sprach: „Oh Herr, dein Urteil bleib!
Laß das lebendig Kind dem Weib,
auf daß es nicht getötet werd!"
Jene sprach wieder mit Gefährd:
„Laß es nur teilen uns gemein!
Das Kind sei weder mein noch dein!"
Darauf urteilt der Künig schwind:
„Gebet dieser Frauen das Kind
frei lebendig und töt' es nicht!
Sie ist sein Mutter." Dies Gericht
und Urteil von dem Küng erschall
in ganz Israel, überall

fürcht' ihn das Volk, erkennet gar,
daß Gottes Weisheit in ihm war,
Gericht zu halten. Den Text such
am drittn, im andern Künigbuch!

Wer den Wagen spannt hinten an, verdient Schand und Nachreu darvon.

Sie schau ein Ehvolk, Frau und Mann
zu ein'r Warnung den Wagen an!
Tut mit Fleiß eure Kinder ziehen,
alle Schand und Laster zu fliehen,
mit Mund und Hand in ihrer Jugend
auf Gottesforcht, Sitten und Tugend!
Ziecht beide, Töchter und die Suhn,
wenn sie einmal erwachsen tun,
daß ehrlich, tapfer Leut draus werden
mit Worten, Werken und Gebärden,
daß Vater und Mutter hab ihr Ehr,
die durch ihr fleißig Zucht und Lehr
haben ihr Kinder bracht darzu,
daß sie sich auch in stiller Ruh
nähren als ander Biederleut.
Das denn ihr Eltern hoch erfreut,
die sie führten die rechten Straß
in ihr Jugend ahn Unterlaß.
Da sie solchen ehrling Fuhrlohn
an ihren Kinden verdienet hon.
Wo aber Frauen oder Mann
den Wagen spannen hinten an,
ihr Kinder nicht ziehen noch lehren,
sunder ihr Zeit gottlos verzehren,
habn nit Lust zu Gottsforcht noch Tugend,

von den sicht nit viel Guts die Jugend,
noch wenger viel Guts von ihn lehren,
sunder das Hinter herfürkehren,
lassen den Kinden ihrn Mutwillen,
ihr Torheit nit strafen noch stillen,
sunder helfen ihn' selb darzu,
was Schalkheit iedes treiben tu
mit Naschn, Lügn und schambern Worten,
des lachen die Eltern an den Orten.
Wenn denn die Kinder kummen zu Jahren,
kein Zucht noch Lehr haben erfahren,
in eignem Willen auferzogen,
durch die Ruten nit sind gebogen;
denn lebens ahn Gottsforcht, Zucht, und tunt
wie grobes Tier, Wolf, Säu und Hund:
hoffärtig, stolz, prächtig und pränkisch,
ungehorsam, härtmäulet und zänkisch,
in Nachred, Neid und Hurerei,
in Spielsucht, Faulheit, Schlemmerei.
Aus diesen schändling Lastern allen
sie in Elend und Unglück fallen,
in Armut, Krankheit, Sünd und Schand,
oft endlich in des Henkers Hand.
Denn geht erst an der Eltern Reu,
daß sie aus väterlicher Treu
ihr Kinder jung nit baß zogen han,
den Wagen hinten gespannet an,
ihn' ihrn Mutwillen nit gewehret,
sunder Gottsforcht noch Zucht gelehret.

Die ihn' itz gebn verdienten Lohn,
wie man dergleich siecht täglich an,
was Herzleids bringn unzogne Kind.
Mit dem Wagen gewarnet sind
die Eltern solches Ungemachs.
Drum ziecht die Kind jung! redt Hans Sachs.

Der arm gemein Esel.

Wer hat ie größer Klag erhort?
der Tyrann mich erschröcklich sport,
dringt, zwingt, schätzt, raubt, brennt, darzu
mordt;
der Wuchrer treugt, schindt auf alle Ort;
iedoch mich tröstet Gottes Wort,
Gott wer' mich rächen hie und dort.

Geistliche Gleißnerei.

Ach, wie hat sich mein Glück verkehrt!
Mich hat verwundet und versehrt
das Wort Gottes, das scharpfe Schwert.
Ich lieg ganz trostlos auf der Erd.
Dem Esel bin ich ganz unwert,
der vor mein Stimm gar geren hört
und alles tät, was ich ihn lehrt,
der mich sanft trug und lieblich nährt
und mir mein Schatz ganz reichlich mehrt,
daß ich mein Zeit in Ruh verzehrt.
Itzund der Esel mich ausschert
und sein Futter vor mir zusperrt.

Menschliche Vernunft.

Esel, schau um, es leit im Schwang
Gleißnerei, die dir tät groß Drang.
Noch leidest du gar bitter Zwang
von Gwalt und Wucher ahne Wank;
sie haben dich an ihrem Strang
und reiten dich machtlos und krank,
und verdienst doch um sie kein Dank.
Was hilft des Wort Gottes Gesang?
Du bleibst beschwert wie im Anfang.
Darum schlag auf! Mach es nit lang,
ob du sie stürzest mit eim Rank,
dann würd gering dein schwerer Gang.

Tyrannischer Gewalt.

Esel, du bist darzu geborn,
da du sollt bauen Weiz und Korn
und du doch essen Disteldorn!
Darum geh hin ohn alles Morrn!
Willt nicht mit Lieb, so mußt mit Zorn;
wann ich sitz gwaltig auf dir vorn
und schlag dich tapfer um die Ohrn,
stupf dich darzu mit scharpfen Sporn.
Du bist mein eigen und geschworn,
du mußt tanzen nach meinem Horn;
Der Vernunft Rat ist gar verlorn.

Finanzischer Wucher.

O Esel, schon selb deiner Häut,
daß ich dich in das Fleisch nit schneid.
Ich schind und schab zu beider Seit,
darum wurd ich von Rom verjait.
Itz hast du mich tragen lang Zeit
geduldiglich ahn Widerstreit.
Sag, was dein Gumpen ietz bedeut.
Du wirst dardurch gar nit gefreit,
wie stark dir die Vernunft einschreit;
Gewalt mich über Rücken treit
und nimmt mit mir gleiche Beut.
Deshalb ich sicher auf dir reit.

Der arm gemein Esel.

Kein ärmer Tier auf Erd man findt:
ich muß arbeiten in Regen, Wind
und gewinnen, was all Welt verschlint,
des Haberstrohs man mir kaum günnt.
Es sitzen auf mir zwei böse Kind:
das voder schlägt mich um den Grind,
sein scharpfe Sporen ich entpfind;
der hinter mich lebendig schindt,
das Bluet täglich von mir rinnt.
Ach Gerechtigkeit, hilf mir geschwind,
eh ich in dem Jammer erblind,
schlag um mich und werd unbesinnt.

Natürliche Gerechtigkeit.

Ach, Esel, ich erbarm mich dein,
ich merk, dein Not die ist nit klein,
ich tät dir meiner Hilfe Schein,
so schneidt nimmer das Schwerte mein,
Darmit ich Tarquinium bracht Pein.
Jetz mutz ich selb gefangen sein
von Wucher, Tyrannei unrein.
Ihr Herz ist verhärt wie ein Stein,
ihn' darf gar niemand reden ein,
dein und mein Elend ich bewein.
Darum so klag es Gott allein;
der kann aus Not dir helfen fein.

Das Wort Gottes.

Esel, dich hat Vernunft verblendt,
daß du dem Gwalt willt widerstehnt,
den Gott zu Straf deiner Sünd hat gesendt.
Darum so sei nit widerspent,
trag dein selb Kreuz in dem Elend
und bleib geduldig bis ins End:
Wer überwindt, der wird gekrönt.
Halt du Gott still, bis er dir wendt
Wucher, tyrannisch Regiment;
laß ihm die Rach in seiner Händ;
Die Rach ist sein, die Schrift bekennt.

Die Gwältig er mit Kraft zutrennt:
Pharao stürzt er in Meeresgrund,
König Eglon wurd tödlichen wund,
König Achas Blut leckten die Hund,
da Israel ihr' ieder schund.
Also noch heut zu dieser Stund
errett Gott sein Volk aus dem Schlund
der Tyrannen, wie grausams tunt,
auch von des Wuchers schwinden Fund
macht Gott sein armes Volk gesund,
als auch der Gleißnerei geschwund,
bald sie Gott rühret durch sein Mund;
Gott hält getreulich seinen Bund.

Die ungleichen Kinder Evä.

In dem zarten Ton Frauenlobs.

Nachdem Eva viel Kinder hätt
gezeugt, versteht!
eins Tags der Herr wollt kummen, daß er mit ihr redt.
Ihr schönste Kinder sie aufmutzt,
sie badet, strählet, zaffet, zopfet, ziert und putzt
und stellen tät,
daß der Herr segnet sie.
Ihr ander Kinder ungestalt,
jung unde alt,
verstieß sie in das Heu und Stroh und sie fast schalt;
eins Teils schub sie ins Ofenloch.
So verbarg Eva sie, weil sie besorget hoch
des Herren Gwalt,
der würd verspotten die.
Als nun der Herr zu Eva kam eingangen
ward von den schönen Kindern er entpfangen,
sie gunden vor ihm prangen,
wie sie Eva hätt angelehrt.
Der Herr geehrt, sich zu ihn' kehrt
und segnet sie allhie.

Sprach zu eim: „du ein Künig sei!“
zu dem darbei:
„sei ein Fürst!“ und zum dritten: „du ein Grafe
frei!“
zum vierten: „sei ein Ritter schon!“
zum fünften sprach er: „und du sei ein Edel-
monn!“
zum sechsten: „ei,
du sei ein Burger reich!“
Als Eva hort des Segens Wort,
da loff sie fort,
holt ihre Kinder jegliches von seinem Ort
und stellet sie alle für Gott,
ein gstrobelt unlustig grindig und lausige Rott,
schwarz und verschmort,
fast den Zigeunern gleich.
Der Herr tät des rostigen Haufen lachen,
tät Bauren und Handwerker aus ihn' machen,
zum Mahlen und zum Bachen,
Schuster, Weber und Lederer,
Schmidt und Hafner, Waidleut, Fischer,
Fuhrleut und dergeleich.

Eva die sprach gar trotzigleich:
„O Herre, reich,
wie teilest du den Segen aus so ungeleich?
weil die Kinder sind allesame
geboren von mir und meinem Mann Adame,
dein Segen gleich

sollt über sie all gahn!“
Gott sprach: „Es steht in meiner Hand,
daß ich im Land
mit Leuten muß besetzen ein jeglichen Stand,
darzu ich dann Leut auserwähl
und jedem Stand seinesgleichen Leut zustell,
auf daß niemand
gebrech, was man soll han.“
Also durch diese Fabel wird bedeute,
daß man zu jedem Stand noch findet Leute;
darbei man spüret heute,
wie Gott so wunderbar regiert,
mit Weisheit ziert, er ordiniert
zu jedem Werk sein Mann.

Der einfältig Müller mit den Spitzbuben.

Vor kurzer Zeit ein Müller saß
in Sachsen, der einfältig was.
Auf einer Einöd lag sein Mühl,
an einem Bächlein frisch und kühl.
Der wohnt' auf dieser Mühl allein
selbander mit dem Weibe sein
und mahlet emsig Tag und Nacht;
ein ziemlich Barschaft zsammen bracht;
wann er das trieben hätt viel Jahr.
Des nahmen etlich Spitzbuben wahr,
welcher in Sachsen sind gar viel,
die sich allein mit falschem Spiel
und ander Abenteuer nährn,
die Einfältigen Mores lehrn.
Nun diese hätten ausgespächt,
daß gar hätt weder Maid noch Knecht
dieser alt Müller obgemeldt
und wär doch reich an barem Geld.
Ihr schlugen sich dreizehn zsammen,
ein seltsame Schalkheit fürnahmen.

Ihr vier schicktens bei Nacht hinaus
zu der Mühl, da war hinterm Haus
ein öder Keller, und darvor
war auch weder Tür oder Tor.

In den so legten diese vier
ein Tunnen gutes torgnisch Bier.
Nach dem schlichens hinter die Mühl,
da stund ein kleine Wasserhühl.
Darein warfen sie also frisch
ein Karpfen vier und ander Fisch.
Nach dem da schlichen sie darvon.
Früh rüsten sie sich auf die Bahn.
Die zwölf barhaupt und barfüß gingen,
in Mänteln und in allen Dingen
mit ganz demütigen Gebär'n,
als obs die zwölf Apostel wärn.
Der dreizehend, ein lang Person,
ein schonen braunen Rock hätt an,
sam ob er unser Herrgott wär.
In solcher geistlicher Gebär
traten sie zu der Mühl hinein,
darin der Müller war allein.
Der Herr grüßt ihn laut überaus
und sprach: „Der Fried sei diesem Haus!
Mein Müller, zu dir kehr ich ein
und die lieben zwölf Jünger mein,
mit dir zu essn und haben Ruh.
Darum richt uns zu essen zu!
Ich will dirs zahlen mildiglich,
durch mein Segen reich machen dich."
Der Müller sich der Red entsetzt,
fing doch ein Herz und sprach zuletzt:
„Mein Herr, ich hab nichts Guts zu essen."

Er antwort: „Das hab ich ermessen.
Petre, geh bald hinter die Mühl
zu seiner kleinen Wasserhühl
und greuf darein in meinem Namen
mit diesem großen Wasserhamen,
und ein gut Essen Fisch uns fach!"
Der Müller zu dem Herrgott sprach:
„O Herre, auf die Treue mein!
Es kam fürwahr kein Fisch nie drein.
Es sind nur lauter Frösch darin."
Der Herr sprach: „Petre, geh du hin!
Und du, Müller, geh auch mit!
Du glaubst doch sunst mein Worten nit."
So gingens zu der Hühl beidsammen.
Petrus schlug drein seinen Fischhamen,
Fing bald ein Karpfen oder drei
und dergleich ander Fisch darbei.
Den Müller hoch verwundert das
und weßt nit, wie den Dingen was,
nahm die Fisch und trug sie hinein,
hieß sie b'reiten die Frauen sein.
Die täts bald ab und sud die Fisch.

Der Müller setzet sie zu Tisch
und leget ihn' auf weißes Brot
und was sunst zu dem Tisch war not.
Der Herrgott sprach: „O Müller mein,
bring uns Bier aus dem Keller dein!"
Der Müller sprach: „O lieber Herr,

Wein und auch Bier das ist mir ferr:
In vierzig Jahrn, weil ich hie saß,
kein Trank im öden Keller was.
Allein bhalt ich in diese Grübn,
durch den Winter lang Kraut und Rübn."
Der Herrgott sprach: „Du glaubest nicht,
denn was dein Hand greuft, dein Aug sicht.
Geh hin in Keller in meim Namen!
Stich an dein Bier uns allensammen
und bring uns des her viel und gnug!"
Der Müller nahm bald einen Krug,
ging in den oden Keller schier.
Darin fand er ein Tunnen Bier,
entsetzt sich des; erst wundert er,
daß dieser unser Herrgott wär,
stach an das Bier und trug es auf.
Da aß und trank der Jünger Hauf.
Müller und Müllerin freut' sich fast,
daß unser Herrgott war ihr Gast
mit den zwölf lieben Jüngern sein,
sie trugen auf und schenkten ein,
waren gleich in Wunder verstürzt.

Nun (daß ich es mach auf das kürzt),
als sie nun das Mahl gessen hätten,
das Gratias sie beten täten.
Das Tischtuch man aufhub darnach.
Der Herrgott zu dem Müller sprach:
„Nun trag du deinen Schatz herein!

So will ich dir den Segen mein
darüber sprechen durch mein Ehr,
auf daß er sich driefaltig mehr,
daß du darbei gedenkest mein!“
Der Müller loff und bracht herein
zu dem Herrgott auf seinem Nack
dreihundert Gülden in eim Sack,
die schüttet er aus auf den Tisch,
er war gar freudenreich und frisch;
die Müllerin der Herrgott anredt,
ob sie nicht auch ein Schätzlein hätt,
daß sie dasselb auch brächt herein,
er wollt' ihr das auch segnen fein,
Daß sein auch wür noch dreimal mehr.
Die Müllerin mit Freuden sehr
sprach: „Wart mein Herr!“ und trollt hinaus
hinter die Mühl und grub da aus
ein Hafen voll guter Plapart,
die sie erkratzet und erspart
hinter dem alten Müller hätt.
Den sie auch hineintragen tät
und auf den Tisch ihn schütten war,
bei achtzig Gülden also bar.

Nach dem da stund der Herrgott auf
vom Tisch und auch der Jünger Hauf
und rüsten sich auf die Hinfahrt:
und der Herrgott sich stellen ward
zum Tisch, sam wollt er sprechn den Segn

über das Geld. Doch gar verwegn
Sankt Peter hielt auf den Mantel sein;
der Herrgott streift ihms Geld darein
und loff mit zu der Mühl hinaus.
Nach dem loffen auch alle aus,
die Jünger samt ihrem Herrgott.
Der Müller erdattert halb tot,
stund als ein Pfeifer an der Stätt,
der einen Tanz verderbet hätt,
schrei nach und auch die Müllerin:
„Wo wollt ihr mit unserm Geld hin?"
Der Herrgott schrei zu ihn': „Ihr Frummen,
harrt unser, bis wir wiederkummen!
Denn wird des Gelds dreimal so viel."
Also stunden sie beide still,
weßten nit, was sie sollten ton.
Die Schälk loffn mit dem Geld darvon.
Der Müller und die Müllerin
waren schier beraubt ihrer Sinn,
hätten zu dem Schaden den Spott,
meinten, sie hätt' beraten Gott;
da hätt der Teufel sie beschissen.

Bei der Geschicht so soll man wissen,
daß niemand so bald soll geläuben,
mit Fabelwerk sich laß betäuben
von fremden Leuten unerkannt,
denn soweit greufen mag sein Hand
und soweit sein Aug sehen tu.

Sunst schließ nur Haus und Beutel zu!
Das alt Sprichwort sagt wohl den Sinn,
der Trauwohl reit das Roß dahin.
Auch sagt das Sprichwort unerlogen:
Wer nit trau, der werd nit betrogen.
Daß ihm nit Spott zum Schaden wachs,
schau um und auf! So spricht Hans Sachs.

Schwänke

Schwank: Die Hausmaid im Pflug.

Einsmals ich am Aschermittwoch
ein Gschäft durchs Bayerlande zog,
in einer Stadt ich ohngefähr
sach auf dem Platz dort ziehen her
sechs schöner Hausmaid in eim Pflug,
die hätten sich beschleppt genug.
Ein jung Gesell vor ihn' hersappt
und fast mit einer Geißel schnappt.
Nebenher auch ein ander trieb
und mit der Geißel in sie hieb
und schrei, als ob er wär nit klug.
Zuhinterst einer hielt den Pflug.
Eins Teils Gesellen anderstwu
führten noch mehr Hausmaid herzu.
Bald fragt' ich einen Mann der Mär,
was für ein Ackerwerk das wär.
Der sprach: „Im Pflug werden getrieben
die Hausmaid, welch sind überblieben,
die Faßnacht nit hant Mann genummen."
Bald ich die Sach tät übersummen,
daß es war ein solch Faßnachtspiel,
und mir der Schwank auch wohl gefiel,
Stund ich hinfür auf ein Gemäur,
zu sehen recht die Abenteur.
Der vorderst Gsell zun Maiden sprach:
„Ihr lieben Maiden, ziecht hernach,

weil der Aschermittwoch ist kummen
und ihr nit habt Männer genummen!
Ihr habt das Jahr und die Faßnacht
uns junge Gsellen sehr veracht,
manchem ein Blöchlein angeschlagen,
die Narrenkappen mußt' wir tragen.
Ihr ließt uns über Nacht hofieren,
in Regen, Schnee und Wind erfrieren;
denn wart' wir lang auf guten Bscheid,
da schlugt ihr uns auf d' Haberweid,
wurft uns den Strohsack für die Tür,
nahmt euch ein Weil ein andern für.
Der zog denn auch am Narrenseil.
Dasselb wird euch jetzt auch zuteil.
Im Pflug ziecht ihr ein Stund fürwahr,
wir aber ziehen über Jahr
am Narrenseil hie auf und nieder.
Bis Jahr kumm euer keine wieder!
Sonder tut euch all Männer nehmen,
so dörft ihr euch des Pflugs nit schämen
und um das Narrenseil euch grämen."
Die erst sprach: „Seid mit mir geduldig!
In diesem Pflug zeuch ich unschuldig.
Ich hab ein' jungen Gsellen hold,
der mich auch geren nehmen wollt;
mein Mutter aber wills nit tan,
daß ich noch nehmen soll ein Mann,
und spricht, ich sei noch jung an Jahren,
hab noch kein Haushalten erfahren,

ich soll baß in der Küchen lehren,
daß ich ein Mann mög helfen nähren.
Derhalb ist doch die Schuld nit mein.
Ich wollt viel lieber ehlich sein."
Die ander sprach: „Ein jung Gesell
bringt mich in dieses Ungefäll,
der lang um mich gebuhlet hat,
brach mir das Maul auf früh und spat,
bis er mich um ein Hemd betrug,
darmit heimlich zum Tor auszug.
Do ward die Faßnacht an der Hand,
daß ich so bald kein' andern fand.
Billig züg der im Pflug, dann ich,
dieweil er hat verkürzet mich."
Die dritt sprach: „Ich bin unbekannt
in die Stadt erst kummen vom Land.
Daheim mein Hansel hätt mein acht
und mir schier fenstert alle Nacht
und juchzet, daß im Dorf erhall,
kauft mir der Kirchweih allemal.
Es reut mich noch zu heuting Tagen,
daß ichs ihm nicht hab dargeschlagen;
so dörft ich in dem Pflug nit ziehen.
Will zwar bald die Stadtnaschen fliehen."
Die viert die sprach gar ungemut:
„Ach weh! ich hab kein Heiratgut,
darzu so bin ich nit fast schon,
Des muß ich in dem Pflug auch gohn.
Kein jung Gsell will sich achten mein,

wann sie all mein spotten allein,
tun mir des Nachts für Tür hofieren,
daß ich mit Schauflen muß palieren.
Ob ich schon eim verheiß ein Kranz,
führt er mich doch nicht an den Tanz.
Des bin ich schabab und unwert
und zeuch im Pflug gleich heur als fert."
Die fünft die sprach: „Ein junger Held
hätt mich zum Buhlen auserwählt,
der dienet mir und hielt mich wert,
doch zu unehren mein begehrt.
Das schafft ein alte Kupplerin.
Die hat der Henker auch dahin.
Do ich das merkt, do ward ich fliehen,
will lieber in dem Pflug noch ziehen."
Die sechst die sprach: „Bei meinen Tagen
hab ich der Heirat viel verschlagen.
Die mich wollten, der wollt' ich nicht.
Also mir ietzund auch geschicht.
Des bin ich schier von Altenhausen.
Noch laß ich stets das Kätzlein mausen,
ob mich das Glück des noch ergetzt,
weil ich im Pflug nit bin der letzt.
Wann ich hab noch so viel Abenteur
in mancher Eh gesehen heur,
da nichts war dann schlagen und raufen
und wieder von einander laufen.
Derhalb bin ich gleich ledig blieben.
Was schadts, ob ich im Pflug wird trieben?"

Die gefangen Maid spricht:

„Ach, laßt mich gehn! mir gschicht unrecht;
wann ich habs nächten unsern Knecht
geschlagen dar, eim jungen Knaben,
bis Sunntag wöll' wir Hochzeit haben;
die Fasten irrt uns nichts daran,
wann ich nit länger dienen kann."

Hiebei secht an, ihr jungen Maid!
Nehmt von Heiraten den Bescheid!
Haushalten vor ein iede lehr,
bewahr mit Fleiß ihr Zucht und Ehr,
fliech alle Schmeichler früh und spat,
heirat nach ihrer Freunde Rat;
wann heimlich Eh tun selten gut:
sie stecken manche in Armut,
und wart zu rechter bequemer Zeit!
Wiewohl man ein alt Sprichwort seit:
Früh heiraten das ist wohl gut.
Weh aber der, die fehlen tut!
Der wird die Weil noch lang genug.
Viel leichter zug sie in dem Pflug.
Derhalb sech iede selber drauf;
heiraten ist ein langer Rauf.
Daß keiner Unrat daraus wachs!
Das rät in Treuen ihn' Hans Sachs.

Schwank von dem Lügenberg.

Als ich noch meim Handwerk nachzog,
kam ich zu eim Gebirge hoch,
der war der Lügenberg genannt.
Darum so stund da ungenannt
von allerlei Volkes die Meng,
unten an dem Berg mit Gedräng.
Indem da hört ich einen Mann,
der redet die Schar also an:
„Hieher, hieher zum Lügenberg,
er sei geleich Ries oder Zwerg,
Herr, Frau, Kinder, Magd oder Knecht,
reich und arm, listig und schlecht!
Wer viel redet und selten schweiget,
derselb sich liederlich versteiget
hier in des Lügenberges Wänden
nach Guckgu und nach blauen Enten,
nach Trappen oder nach Loröl,
das oben rinnt aus einer Höhl.
Schaut auf dem Berg die neun Gesellen,
die allzeit haben schwatzen wöllen,
das selten geht ahn Lügen ab.
Die ich allhie erwischet hab,
ieden auf eim besundern Ort!
Nun hört und merket ihre Wort,
wie sich ihr jeder hab verstiegen
nach seiner Art mit großen Lügen,

doch einer höher, denn der ander,
und sich beklagen allesander
ob diesem gefährlichen Stand!
Der Schwindel tut ihn' allen and,
jedoch ihn' niemand helfen mag:
Das ist ihr allergrößte Klag.
Nun höret, was ihr ieder sag!"

Indem sach ich zu unterst stahn
in eim Parfell ein Handwerksmann,
der schrei: „Helft mir nab, es ist spat,
und laßt mich heim in mein Werkstatt!
Ob ich gleich Lügen hab gepflegen,
hab ichs doch ton von Ehren wegen.
Wenn ich die Leut nicht fürdern kunnt,
manch kluge Lügen ich erfund.
Hätt auch mein Arbeit ein Gebrechen,
mit Lügen kunnt ichs bald versprechen.
Auch wenn ich etwan borgen wollt
oder ein Ziel bezahlen sollt,
wie bald hab ich ein Lüg gefunden!
Dergleich was Sachen mit zustunden,
die mir doch waren widerwärtig,
die kunnt ich verglossieren ärtig,
schoß doch oft zuweit von dem Ziel
und ließ mir sehen in das Spiel,
daß man oft über mich tät schnalzen.
Also tät ich den Berg aufwalzen,
daß ich darmit beschützt mein Ehr.

Darum verargt mich nit so sehr,
ob ich mich verstieg etwan mehr!“

Nach dem sah ich ein andern Mann
an dem Berg etwas höhers stahn,
der schrei: „Leicht mir ein Leitern her!
Ich hab gesagt viel neuer Mär
von Königen und großen Herrn,
von Kriegesläuften gar von fern,
hab den’ viel Pfefferkörnlin geben,
voraus, wo es sich reimet eben,
ohn die ich selber gar erdicht,
und ob man gleich oft zu mir spricht,
ich hab geton ein guten Schuß,
auf daß man mirs gelauben muß,
nenn ich ein tapfere Person,
von der ich es gehöret hon,
und schnell mich also in die Backen
und würf oft gar zu weit die Hacken,
daß ich ihr nit mehr holen mag.
Kein Meutlein ich auch darnach frag,
ob man gleich über mich tut pfeifen.
Wann man mich tut in Lüg ergreifen,
so wisch ichs Maul und geh darvon,
sprich: Ich gib euch, wie ich es hon.
Drum muß am Lügenberg ich stohn.“

Nach dem ich ein eisgraben Mann
noch höher sah am Berge stahn,
der schrei: „Der Schwindel tut mir weh.
Hoch auf eim scharpfen Fels ich steh.
Ich hab' gesagt von alten Gschichten
und kann fein artlich darzu dichten:
Ich hab' dieses und jenes gsehen;
bei mein' Zeiten ist das geschehen;
ich sei gewesen dort und da;
das tät ich hie, jens anderstwa;
ich denk, daß das nit also war;
vorzeiten waren andre Jahr.
Also leug ich durch alle Land,
weil mich lügstrafen darf niemand.
Das schafft, daß ich bin alt und grab,
der Land ich viel durchfahren hab.
Und wenn man mir genau merkt zu,
fehl ich oft um drei Baurenschuh.
Doch schweigt man still und schmutzt mich an,
und weil mir Recht läßt jedermann,
versteig ich mich täglichen sehr.
Wiewohl ich Lügens hab kein Ehr,
tröst ich mich doch, ihr sind viel mehr."

Nach dem sah ich noch höher stahn
am Berg sam einen losen Mann,
der schrei: „Laßt mich nab! ich steh hart.
Secht ihr nit? ich bin Hetzen Art:
Ich schwatz und klapper über Tag;

was mir einfällt, ich alles sag,
es sei geleich Bös oder Guts,
es bring mir Schaden oder Nutz,
es sei gelogen oder wahr.
Darauf hab ich kein Achtung gar,
wie es sich werd zusammenreimen,
tu oft zwo Lüg zusammenleimen.
Oft fächt man mich mit einem Possen,
spricht, ich hab' unter d' Tauben gschossen.
Ein Lüg ich oft verfechten tu
und mach aus einer Lügen zwu,
versteig mich denn damit noch weiter,
daß ich bedörft ein lange Leiter.
Oft gar nimmer zuländen kann,
daß mein denn lachet jedermann.
Jedoch kann ich in d' Läng nit schweigen
und sollt ich mich gleich gar versteigen,
jedermann Finger auf mich zeigen."

Nach dem ich an dem Berg ergutzt
einen Kerl, der war baß geputzt,
der schrei: „Ich hab' verstiegen mich
mit großem Ruhm hoffärtiglich,
von Kriegen groß bei meinen Tagen,
wie ich hab den und jen' geschlagen,
dergeleichen mit Buhlerei,
auch wie ich so geschicket sei
aller Kurzweil: fechten und springen,
dergleich mit Sprechen und mit Singen.

Auch wo man redt von großer Kunst,
mach ich darzu ein blauen Dunst
und es mit Lügen alls verblüm.
Sehr weiter Wanderschaft mich rühm.
Dergleichen auch mit dem Reichtum
geh ich nur mit dem Tausend um
und leug, sich möchten Balken biegen,
und hab mich oft so hart verstiegen,
daß ich gar nimmer zu kunnt länden.
Hie an des Lügenberges Wänden
leug ich eins auf, das ander ab.
Ein frische Lebern ich doch hab.
Ich bitt euch: Helfet mir hinab!“

Nach dem sah ich stehn höher ganz
ein Mann, derselb hätt ein Fuchsschwanz,
der schrei: „Kaum steh ich auf dem Fels
daraus doch rinnt so viel Loröls,
darmit ich kann den Falken streichen,
voraus bei Milden und den Reichen.
Den' kann ich gar wohl Krapfen bachen.
Ich heuchel ihn' in allen Sachen,
ich lob ihn', das nie löblich ward,
und schänd, das nie hätt schändlich Art,
und red, was der Mann höret gern.
So kann ich mit dem Fuchsschwanz schern
und bin, wie eim Schmeichler gebührt,
gleich Gauklers Würfel abgerührt.
Manchem flicht ich ein ströhen Bart

und lob ihn trogenhafter Art.
Vor Augen gut tu ich mich zeigen;
hinterrück weiß ich ihm die Feigen.
Wird ich an einer Lüg ergriffen,
so bin ich also naß geschliffen:
Wenn ich mich hab zuweit verschossen,
so zeuch ichs denn in einem Possen.
Des lacht man mein, daß man tut hossen."

Noch höher sah ich stehn ein' Mann,
den sah ich für ein Krämer an,
der schrei: „O helft! mir schwindelt sehr.
Mit Lügen, Trügen ich mich nähr,
wie es mir wird auf alle Art
mit Wort und Werken alle Fahrt.
Rund bin ich mit Zählen und Rechen,
mit Raufen, Verkaufen und Stechen.
Mein War die lobt ich auf das best;
ob ich gleich Mangel daran weßt,
so schwör ichs doch eim aus den Augen.
Geldschuld ich einem ab kann laugen.
Vor Recht brauch ich viel List und Ränk,
viel Auszug, Umschweif und Einklenk,
mit List und Lügen, wie ich kann,
verderb des manchen armen Mann.
Ich bin auch künstreich und gelehrt,
durch mich die Wahrheit wird verkehrt,
wo es mir tut ein Nutzung tragen.
Wers merkt, darf nichts hinwider sagen.

Die Logica ich brauchen kann.
Des steh ich gar hoch obenan,
obgleich auf mich zeigt iedermann."

Noch höher ward ich eins bericht,
der hätt gar ein tückisch Gesicht,
der schrei: „O helft! ich fall dahin,
wann ich gar hart verstiegen bin.
Alls, was ich hör an einem End,
ich alles zu dem ärgsten wend
und leug auch allmal mehr hinzu.
Darmit die Sach ich bessern tu,
dem Widerteil ich es zublas',
und red't er etwas wider das,
sag ichs dem ersten wieder an.
Also ich Frauen unde Mann,
Nachbauern, Knecht und Maid kann hetzen,
daß sie einander ab tun wetzen.
Denn zeuch ich den Kopf aus der Schlingen.
Dergleichen oft in großen Dingen.
kann ich einen heimlichen tragen,
der Herrschaft lügenhaft versagen,
daß ich bring manchen Mann in Not,
um Ehr, Gelimpf, in Schand und Spott.
Grob hab ich über d' Schnur gehaut.
Derhalb man mir auch nit mehr traut.
Vielleicht zahl ich noch mit der Haut."

Zuöberst sah ich auf dem Spitz
ein Mann, der hätt darauf sein Sitz,
schrei: „Über euch hab ich mit Lügen
mich also auf den Spitz verstiegen.
Was ihr acht lügen künnt gemein,
das kann alls lügen ich allein
auf alle Art gar meisterlich.
Ob man gleich läutet über mich,
des acht ich weder Schand noch Spott.
Ob keiner Lüg wird ich mehr rot.
Lügaufhebens hab ich gewohnt.
Ich hab den Lügenberg gebonnt,
durchstiegen alle Fels und Schroffen,
gleich wie ein Narr am Kachelofen,
durch auf und auf bis auf den Spitz.
Allda ich ietzund geruhglich sitz,
da mich die Wahrheit nicht mehr irrt.
Ich leug, sam sei mirs Maul geschmiert.
Wo ich einmal bin an eim Ort,
da glaubt man mir nachmals kein Wort.
Derhalb ich den Lügfahnen trag.
Vom Lügenberg ich nit mehr mag,
verzehren muß ich drauf mein Tag."

Indem hört ich ein groß Geschrei
unten von dem Volk mancherlei:
„Ach, was habt ihr euch all geziegen,
daß ihr euch habt so hart verstiegen
hie an des Lügenberges Wänden

nach Loröl und nach blauen Enten?
Nun steht ihr doben allesant
vor uns in Laster, Spott und Schand.
und müßt ins Ritten Namen schweigen,
mit Fingern auf euch lassen zeigen,
wiewohl es euch tut heimlich weh,
einem minder, dem andern meh.
Nun tut ihr uns allsannt angelfen,
daß wir euch sollen abher helfen.
Und wenn wir euch schon hülfen nieder,
so verstieget ihr euch doch wieder.
Besser ist, man euch doben laß,
daß man euch kenne dester baß
und sich hüte vor euerm Lügen,
auf daß ihr niemand künnt betrügen.
Doch laßt euch sein die Weil nit lang!
Der Berg hat ein großen Zugang
von Christen, Türken, Judn und Heiden,
von Herren, Knechten, Frauen, Maiden,
die all noch zu euch aufhin wöllen,
in Lügen sich zu euch gesellen,
mit euch die Lügenglocken schellen."

Aus dem allen ermißt man wohl,
weil die Welt steckt der Lügen voll
bei allem Volk unter der Sunnen,
daß die rein Wahrheit ist entrunnen.
Derhalb ist Glaub und Trau so klein,
Lügen und Trügen ist gemein,

daß die Lüg ietz durch Wort und Werk
gleich worden ist ein hoher Berg,
darauf das Volk hat sein Zuflucht,
sein Schalkheit mit zu decken sucht
und sich versteigt in Lügen scharf,
die doch langer Gedächtnus darf,
bleibt doch in d' Läng verborgen nicht.
Die Lüg kummt mit der Zeit ans Licht.
Mit der Lüg kummt man wohl durchs Land,
iedoch herwieder gar mit Schand,
Spott, Schaden und Feindseligkeit.
Aber die auserwählt Wahrheit
die kummet hin und wieder schlecht,
ist einfältig, treu und gerecht,
ehrlich, standhaftig und adelig,
bei Reichen und Armen untadelich.
Hiebei ein weiser Mann betracht,
daß er auf sich hab selber acht,
und halt sein Zungen wohl im Zaum,
laß ihr nit gar zu weiten Raum,
sunder tu's mit Vernunft regieren
und alle Wort zuvor probiern,
eh er sie geb heraus an Tag,
dardurch er sich verhüten mag
mit wenig Reden oder Schweigen,
daß er sich gar nicht tu versteigen
in die Höch oder in die Zwerch
auf diesem schändling Lügenberg.
So spricht Hans Sachs zu Nürenberg.

Das Schlauraffenland.

Ein Gegend heißt Schlauraffenland,
den faulen Leuten wohlbekannt.
Das liegt drei Meil hinter Weihnachten.
Und welcher darein wölle trachten,
der muß sich großer Ding vermessen
und durch ein Berg mit Hirsbrei essen,
der ist wohl dreier Meilen dick.
Alsdann ist er im Augenblick
in denselbing Schlauraffenland,
da aller Reichtum ist bekannt.
Da sind die Häuser deckt mit Fladen,
Leckkuchen die Haustür und Laden,
von Speckkuchen Dielen und Wänd,
die Dräm von Schweinenbraten send.
Um jedes Haus so ist ein Zaun
geflochten von Bratwürsten braun.
Von Malvasier so sind die Brunnen,
kommen eim selbs ins Maul gerunnen.
Auf den Tannen wachsen Krapfen,
wie hie zu Land die Tannzapfen.
Auf Fichten wachsen bachen Schnitten.
Eirplätz tut man von Birken schütten.
Wie Pfifferling wachsen die Flecken,
die Weintrauben in Dorenhecken.
Auf Weidenkoppen Semmel stehn,
darunter Bäch mit Milich gehn;

die fallen dann in' Bach herab,
das iedermann zu essen hab.
Auch gehen die Fisch in den Lachn
gesotten, braten, gsulzt und bachn
und gehn bei dem Gestad gar nahen,
lassen sich mit den Händen fahen.
Auch fliegen um (müget ihr glauben)
gebraten Hühner, Gäns und Tauben.
Wer sie nicht facht und ist so faul,
dem fliegen sie selbs in das Maul.
Die Säu all Jahr gar wohl geraten,
laufen im Land um, sind gebraten.
Jede ein Messer hat im Rück,
darmit ein jeder schneid ein Stück
und steckt das Messer wieder drein.
Die Kreuzkäs wachsen wie die Stein.
So wachsen Bauern auf den Baumen,
gleich wie in unserm Land die Pflaumen.
Wenns zeitig sind, so fallens ab,
ieder in ein Paar Stiefel rab.
Wer Pferd hat, wird ein reicher Meier,
wann sie legen ganz Körb voll Eier.
So schütt' man aus den Eseln Feign.
Nicht hoch darf man nach Kersen steign.
wie die Schwarzbeer sie wachsen tun.
Auch ist in dem Land ein Jungbrunn,
darin verjungen sich die Alten.
Viel Kurzweil man im Land ist halten.
So zu dem Ziel schießen die Gäst,

der weitst vom Blatt gewinnt das Best.
Im Laufen gwinnt der Letzt allein.
Das Polsterschlafen ist gemein.
Ihr Weidwerk ist mit Flöh und Läusen,
mit Wanzen, Ratzen und mit Mäusen.
Auch ist im Land gut Geld gewinnen.
Wer sehr faul ist und schläft darinnen,
dem gibt man von der Stund zween Pfennig,
er schlaf ihr gleich viel oder wenig.
Ein Furz gilt einen Binger Haller,
drei Grölzer einen Jochimstaler.
Und welcher da sein Geld verspielt,
zwiefach man ihm das wiedergilt.
Und welcher auch nicht geren zahlt,
wenn die Schuld wird eins Jahres alt,
so muß ihm jener darzu gebn.
Und welcher geren wohl ist lebn,
dem gibt man von dem Trunk ein Batzen.
Und welcher wohl die Leut kann fatzen,
dem gibt man ein Plappert zu Lohn.
Für ein groß Lüg geit man ein Kron.

Doch muß sich da hüten ein Mann,
aller Vernunft ganz müßig stahn.
Wer Sinn und Witz gebrauchen wollt,
dem würd kein Mensch im Lande hold,
und wer gern arbeit' mit der Hand,
dem verbeut mans Schlauraffenland.
Wer Zucht und Ehrbarkeit hätt lieb,

denselben man des Lands vertrieb,
Wer unnütz ist, will nichts nit lehren,
der kommt im Land zu großen Ehren,
wann wer der Faulest wird erkannt,
derselb ist König in dem Land.
Wer wüst, wild und unsinnig ist,
grob, unverstanden alle Frist,
aus dem macht man im Land ein Fürstn.
Wer geren ficht mit Leberwürsten,
aus dem ein Ritter wird gemacht.
Wer schlüchtisch ist und nichtsen acht,
dann essen, trinken und viel schlafen,
aus dem macht man im Land ein Grafen.
Wer tölpisch ist und nichtsen kann,
der ist im Land ein Edelmann.
Wer also lebt wie obgenannt,
der ist gut ins Schlauraffenland,
das von den Alten ist erdicht,
zu Straf der Jugend zugericht,
die gwöhnlich faul ist und gefräßig,
ungeschickt, heillos und nachlässig,
daß mans weis ins Land zu Schlauraffen,
damit ihr schlüchtisch Weis zu strafen,
daß sie haben auf Arbeit acht,
weil faule Weis nie Gutes bracht.

Ursprung der Affen.

Ein' Doktor fraget ich der Mär,
von wann die Affen kämen her,
weil sie ohn Vernunft Tierlein wild
sind, tragen doch sam menschlich Bild;
obs auch im Anfang wärn erschaffen?
Er antwort' mir her: „Von den Affen
hab ich von eim Zigeuner ghort
gar wunder- und seltsame Wort,
wie sie haben ihre Ursprüng.
Sagt: Weil Christus auf Erden ging,
kehrt er eins Tags mit Petro ein,
wolltn bei eim Schmied zu Herberg sein,
der nahms willig zu Herberg an.
Nun kam ein armer Bettelmann
hinein gangen an zweien Krücken
mit grauem Haar und bogem Rücken
und mit dem Alter hart beschwert,
das Almus von dem Schmied begehrt.
Des erbarmet sich Petrus sein
und sprach: ‚O Herr und Meister mein,
erbarm dich des uralten Mann,
heil ihm sein Plag, daß er mög gahn
und sein Brot selber mög gewinnen!'
Der Herr mit sänftmütigen Sinnen
durch sein Bitt erbarmet sich des
und sprach zum Schmied: ‚Leih mir dein Eß

und leg mir deiner Kohlen an,
daß ich den alten, kranken Mann
verjüngen mög zu dieser Zeit!'
Der Schmied ganz willig war bereit
und Kohlen in die Esse trug,
und Sankt Petrus die Blaßbälg zug.
Als nun auffunket das Kohlfeur
in der Eß groß und ungeheur,
da nahm der Herr das Männlein alt
und schub es in die Eß gar bald
hinein das flammend Feuer rot.
Drinn saß das Männlein, lobet Gott
und glühet wie ein Rosenstock.
Nach dem der Herr zu dem Löschtrog
das glühend Männlein hineinzug,
daß das Wasser ob ihm zsammschlug
und kühlet es fein sittlich ab.
Nach dem ihm seinen Segen gab.
Zuhand das Männlein heraussprung
schön, zart, gerad, gesund und jung,
ein Jüngeling bei zweinzig Jahrn.
Des sie alle verwundern warn.
Der Schmied die Ding gar eben sach
und lud sie zum Nachtmahl darnach.

Als man zu Tisch nun sitzen tät,
der Schmied ein alte Schwieger hätt,
bogrücket, hinket und halbblind,
die setzt sich zum Jüngling geschwind,

welchen der Herr verjünget hätt,
und ihn gar fleißig fragen tät,
ob ihn das Feuer hart hätt brennet.
Er aber ihr wahrhaft bekennet,
nie basser ihm gewesen wär
denn in dem Feuer, da wär er
gesessn, wie in eim kühlen Tau.
Das faßt' zu Ohren die alt Frau
und gar durchaus die ganzen Nacht
an das Verjüngen stets gedacht.
Früh zog der Herr wieder sein Straß,
Dem Schmied der Herberg danken was.
Der Schmied dacht: die Kunst ist nit schwer,
ich kann sie gleich als wohl als er,
ich will mein Schwieger auch verjüngen,
daß sie auch geht daher in Sprüngen,
wie ein Maidlein bei achtzehn Jahrn.
Nun wollt ers auch an ihr erfahrn,
sprach: ‚Schwieger, ich hab in der Nähen
die Kunst gelernet von dem Gsehen,
wie er mit dem Kohlfeur geschlacht
das alt Männlein hat jung gemacht.
Sag mir, ob du nit gern auf Erden
wollst auch also verjünget werden,
wollest auch in die Eß hinein?‘
Wann sie hätt vom Jüngling vernommen,
wie es ihn wär so sanft ankommen,
sam wär er in eim Tau gesessen.

Bald sie nun Suppen hätten gessen,
der Schmied ein große Glut aufbließ,
sein alte Schwieger dareinstieß.
Der Schmied gar schwind die Blaßbälg zug,
die Alt sich hin und wider bug
und schrier das Mord sehr grausamlich
und walzet aus dem Feuer sich.
Der Schmied der schrei: ‚Sitz darin still;
erst ich weidlich zublasen will.
Was schreist und tust hupfen und gumpen?‘
Da brunnen all ihr Haderlumpen,
erst schrier das Weib ohn alle Ruh.
Der Schmied dacht: ‚Kunst geht nit recht zu,‘
und sie heraus der Esse zog
und warf sie nein in den Löschtrog.
Noch schrier und kahrs laut überaus.
Das erhörten droben im Haus
die Schmiedin und ihr Schnur zanger,
die waren beide sehr groß schwanger
und loffen beid herab die Stiegen,
sahen die Alten im Löschtrog liegen,
die noch tät klagen, wein' und heuln,
zsammgschnürt, gerumpfen, tät sich mäuln.
Ihr Angsicht gleich sah einem Affen,
gerunzelt, gfalten und ungschaffen.
Darob die zwo entsetzet warn,
und beid dieselbig Nacht gebarn
zwei Junge, das waren zween Affen,
auch also murret und ungschaffen,

die bald naus in die Wildnus loffen;
von den' ander Affen ausschloffen.
Von den kommt her der Affen Gschlecht.
Weiß doch nicht, ob mir wahr und recht
der Zigeuner hat zugesagt,
weil iedermann sonst ob ihn' klagt,
wie all Zigeuner lügen gern.
Jedoch sollt dus annehmen wern
allein für einen guten Schwank."
Ich sagt dem Doktor Lob und Dank.

Der Narrenfresser.

Heut früh spaziert ich aus um drei
zu sehen, wie der lichte Mai
bekleidet hätt das weite Feld,
die Auen und die wüsten Wäld
mit Blumen, Laub und grünem Gras.
Das fand ich reichlich übermaß,
lustig mit rot und weißer Blüt;
des ward erfreuet mein Gemüt.
Bei einem Wald ich einrivieret,
darin der Vögel Schar quintieret.
Der ging ich nach und war sehr bald
weit hinein kummen in den Wald,
daß ich mich gleich selb verwundert das.
Indem da teilet sich die Straß
aus zu der Linken und der Rechten,
und als ich stund in den Getrechten,
welche Straßen ich sollt eingahn,
da ersach ich ein großen Mann,
grausam, tierisch, unfüg und wild,
ein sehr erschröcklich scheutzlich Bild.
Sein Länge bei vier Ellen was,
ganz ungeheuer von Gliedmaß,
ganz wimmret, knocket und ganz knorret,
sein Haut gefalten und verdorret,
sein Augen tief, sein Maul nicht klein;
bleich, tödlich war die Farbe sein.

Runzlet, henket waren sein Wangen,
sein Drüssel unter sich war hangen.
Sein Hals war dürr, haarig und rauch.
Ein war gerümpfet ihm der Bauch.
Dieser Mann saß an der Wegscheid.
Mein Herz das klopft in Herzenleid.
Da trabt ich gen der linken Hand
ein Holzweg ein, mir unbekannt,
dem greulichen Mann zu entrinnen.

Als ich floch mit forchtigen Sinnen,
sach ich ein Wagen gen mir gahn.
Darauf saß noch ein größer Mann,
sehr feist und groß über die Maß,
sein Bauch groß wie ein füdrig Faß.
Der hätt ein sehr groß blutig Maul
stark, breit Zähn wie ein Ackergaul,
sein Kopf feist, groß wie ein Salzscheiben.
Ich dacht: „Wo soll ich Armer bleiben?
So ich dem Dürren tu entgehn,
fall ich dem Feisten in die Zähn."
Ich floch zurück, tät mich verstecken
in einer dicken Dorenhecken.
Als ich umsah und mich versann,
stund die Heck bei dem dürren Mann
im Wald zuvörderst bei der Straß,
vor dem ich erst geflohen was.
Erst ward mein Herz in Ängsten schwer.

Mit dem da fuhr der Feist daher,
der hielt still bei dem dürren Mann
und sprenget den mit Worten an:
„Sag an, mein Freund, was dir gebrist,
daß du so dürr und mager bist?"
Er sprach: „Mein Herr, ich bin der Mann,
die Männer ich gefressen han,
die selber waren Herr im Haus
und gingen darin ein und aus
und die Weiber nicht fürchten täten
in Schlössern, Dörfern, Märk und Städten.
Darvon hab ich mich lang genährt.
Aber ietz hat es sich verkehrt.
Wo ich Hunriger ietz hingeh,
find ich der Männer wenig meh,
die herrschen in eim Haus allein.
Des muß ich lang ungessen sein.
Also ich umgezogen bin
in sehr viel Landen her und hin
und hab doch heuer dieses Jahr
noch kein' gefunden. Glaub fürwahr!
Derhalb bin ich so gar verschmorret,
verschmacht, verhungert und verdorret.
Wollt ietz auch in die Stadt hinein,
zu suchen auch die Nahrung mein.
Ich bitt: Laß fahren mich mit dir!
Vielleicht ein Beute geratet mir.
So teil ich dir mein Nahrung mit."
Der feist Mann sprach: „Ich darf sein nit;

ich hab selber ein guten Handel
genug, wo ich im Land umwandel!"
Der dürr Mann sprach: „Du werter Gast,
sag, was du für ein Nahrung hast,
von wann du kummst und wer du seist!"

Da sprach hinwiederum der Feist:
„So wiß! ich bin der Narrenfresser
und salz die ein in leere Fässer
eine große Summ, der ich nit mag,
ob etwan kämen böse Tag,
daß ich darnach zu essen hätt.
Wann wo ich kumm in Märk und Städt,
da find ich meines Wildbrets viel,
dick, feist und groß, wie ich nur will,
die friß ich all in meinem Rachen
und zeug also ein feisten Bachen
und fahr auch ietz hinein die Stadt,
darin man morgen Fastnacht hat.
Da will ich weidlich Narren hetzen
und mich ihrs Fleisch recht wohl ergetzen,
gesotten, braten und geschmalzen,
was ich nit mag, will ich einsalzen,
daß gar lang hab zu essen ich.
Doch ist mir sicher leid für dich.
Ich fürcht, du werdst ein Fehler schießen.
Du werdest kein Speis künnen nießen,
die dir sei dienstlich für dein Leib.
In der Stadt ist nur ein bös Weib,

die findst du fast in jedem Haus.
Darum ist all dein Hoffnung aus,
und wär dir schwachen Mann viel weger,
du schlügest etwan dein Geläger
auf einen unverschalkten Grund,
da mögst du füllen deinen Schlund:
auf die Einöd und kleinen Weiler,
auf die Mühl und Kohlenmeiler
und zu den Hirten in den Felden
und den Waldbrüdern in den Wälden."

Der dürr Mann sprach mit trutzing Worten:
„Und ob ich schon an solchen Orten
etwan erschnapp die Nahrung mein,
so ists doch nichts dann Haut und Bein
von alten Mannen, grob und knorret,
zäch, hautet, mager und verdorret,
der Fleisch ich dann nicht kann verdäuen.
Doch hoff ich, mich heut zu erfreuen
mit guter junger feister Speis
in dieser Stadt, auf dieser Reis.
Laß mich nur sitzen auf dein Wagen!
Ich will dir das Gleich nicht versagen."
Der Narrenfresser zu ihm jach:
„Sitz auf! so fahren wir gemach.
Wann wir nur bei der Sunnen Schein
Heint kummen in die Stadt hinein."

Der dürr Mann auf den Wagen saß,
und fuhren hin gemach ihr Straß
auf die Stadt zu; da stund ich auf
und bin also mit starkem Lauf
hereingeloffen stet abwegs.
Ich achtet weder Brück noch Stegs
und wut durch Moos, Bäch und Gewässer;
ich hätt stets Sorg, der Narrenfresser
würd mir verrennen Weg und Straß.
Des dürren Manns ich gar vergaß,
der doch die Männer frißt allein,
die Herr in ihrem Hause sein.
Nun bin ich kummen aus der Not,
bring euch allen das Botenbrot,
daß heint werden zu Abend spat
beid Männer kummen in die Stadt,
und wer dem Dürren wird entrinnen,
den wird der Narrenfresser sinnen.
Ihr lieben Gesellen, ratet zu,
wie man nur diesen Dingen tu!
Wär nur der Narrenfresser tot!
Um den andern hätt es kein Not;
fünd er schon einen oder zween,
müßt er darnach sein Straßen gehn,
das brächt dem Haufen nicht viel Schaden.
Hätt' wir des Narrenfressers Genaden!
der würgt uns wie die Hühner nieder
und kummt des Jahres oft herwieder.

Dies hab ich allen guten Gesellen
im besten nicht verhalten wöllen
und diese treue Warnung tan,
auf daß sie sich versech iedermann
mit Sicherheit in seim Gewahr.
Der Männerfresser ist hungrig gar
und brummet wie ein wilder Bär
und zeucht gleich vor dem Wald daher,
der Narrenfresser auch mit ihm
mit bluting Maul und Zornes Grimm.
Sie seind nun von der Stadt nit weit.
Wer ihm förcht, der fliech! es ist Zeit.

Das Narrenbad.

Nun höret, wie zu Mailand saß
ein Bürger, der ein Arzet was!
Gar hochberühmt zu seiner Zeit
was er in allen Landen weit.
Was Unsinnig ihm wurden bracht,
er wiederum freisinnig macht'
in kurzer Zeit, jung unde alt.
Nimm wahr sein Kunst, also gestalt'!

In einem Hof zu diesen Sachen
hätt er ein tief, stinkende Lachen,
darin er die Narren zumal
band jeglichen an einen Pfahl.
Welcher lebt ungestümig alls,
den band er hinein bis an Hals.
Welcher aber hatt mehr Verstand,
denselben er noch höher band,
daß ihm die Lach schlug an die Brust.
Etlicher bis an Gürtel mußt
stehn, etlicher bis an die Knie.
Also der Arzt kästiget sie
mit diesem Baden und dem Hunger,
es wär gleich Alter oder Junger,
bis er ganz wieder sinnig ward.

Nun hätt er ein' geleicher Art
gebadet, der im Hof umging,
jedoch also mit dem Geding,
daß er nicht käm hinaus fürs Tor,
bis er würd ganz vernünftig vor.
Eins Tags stund er unter der Tür
und sah ein Jüngling reiten für.
Der führt ein Sperber auf der Hand
und zween Hund an eim Rüdenband.
Den fragt der Töricht, was es wär,
vermeint Hund, Sperber und das Pfer'.
Der Jüngling ihm die Ding erzählt
und wie er damit beißen wöllt.
Der Töricht sprach: „Erzähl mir, was
kost dich ein Jahr zu halten das?"
Der sprach: „Ob hundert Gülden bar."
Der Töricht sprach: „Sag, was ein Jahr
du mit deim Beißen magst erobern."
Er sprach: „Was Vögel ich erkobern
mag, die iß ich heuer als fert;
sind etwa dreier Gülden wert."
Der Töricht sprach: „O Jüngling fleuch!
Mit deinem Weidwerk dich verkreuch!
Dann wo mein Arzet dich ergriff,
so setzt er dich in d' Lachen tief
an ein Pfahl bis über die Ohren
als den größten Narren und Toren,
der dreißigmal mehr Unkost verleußt,
dann die Nutzes daraus entspreußt!"

Bei dieser Schimpfred Poggii
ein jeder mag betrachten hie,
daß es wäre deutschem Land ahn Schad,
wann es hätt auch ein Narrenbad,
daß man darein setz die Gesellen,
die keiner Weisheit achten wöllen
und Narren seind mit ihrem Schaden,
ob man auch die möcht witzig baden.
Erstlich, wer übel zeucht sein Kinder,
läßt sie aufwachsen wie die Rinder
ohn Zucht und Straf, bös und mutwillig,
der säß im Narrenbad gar billig.
Dergleich wer grob ist, nichtsen kann,
will auch kein Straf nicht nehmen an,
sonder will ie ein Büffel bleiben,
den sollt man im Narrenbad reiben.
Dergleich wer Gutes tut verstahn
und ist dem Bösen doch nachgahn
und wird des Guten urderütz,
dem wär das Narrenbad gar nütz.
Dergleich wer faul ist, geren feiret,
täglichs als ein Stadtochs umleiret
und will seins Handels nit wahrnehmen,
der dörft sichs Narrenbad nit schämen.
Dergleichen wer ein Ehweib hat
und henkt sich sonst an ein Unflat,
des er doch hat Schand, Schad und Spott,
dem tät das Narrenbad gar not.

Nun secht, ob es nit wär ein Gnad,
so wir hätten ein Narrenbad,
daß die all witzig würden gar
mit den, der ich nit nennen dar,
dann würd es basser stehn auf Erd,
End würden nehmen viel Beschwerd.
Weil aber solche Torheit bleibt,
was man straft, lehret oder schreibt,
so ist es lauter alls verloren,
wann die Welt wimmelt voller Toren
in untern und in öbern Ständen,
in geistlich, weltlich Regimenten.
Derhalb geht es, wie es dann geht,
daß alle Sach baufällig steht
und alle Laster gehnt im Schwang.
Die Tugend leit unter der Bank,
weil die wahr Weißheit wird veracht
und jedermann auf Torheit tracht.
So geht es auch als lang es mag
und bleibet wahr der alten Sag:
weil jedem gfällt sein Weis so wohl,
so bleibt das Land der Narren voll.

Der Müllner verkauft sein Esel.

Vor kurzer Zeit ein Müllner was
im Frankenland, zu Bamberg saß,
der hätt ein gar versoffen Weib,
welche war dick und feist von Leib,
ganz ausgemästet wie ein Schwein.
Dergleichen trank auch geren Wein
der Müllner, war auch selten leer.
Das hätt er trieben auch bisher
mit seinem Weib, beid Tag und Nacht,
hätten das in ein Gwohnheit bracht,
daß sie stets waren beide voll.
Des stund ihr Mühlwerk nicht sehr wohl,
verwahrlost viel in dem Mühlbäu.
Darob hätten ein groß Abscheu
Bäcken und Bauren, zogen aus;
weil sie so übel hielten Haus,
nahmen sie an der Nahrung ab,
wiewohl ihn' vor gar reiche Hab
von beiden Eltern war herkommen.
Also aber merklich abnommen
durch ihre stete Füllerei,
runnen in große Schuld darbei.
Da legt sich ihr Freundschaft darein,
straftens gütlich: „Das soll nicht sein!
Ihr haltet gar unhäuslich Haus.
Wollt ihr also verschwenden aus,

so wird die Ratz das beste Viech.
Derhalb laßt ab, und werd häuslich,
auf daß ihr künnt bei Ehren bleiben.“
Solch Lehr tätens oft freundlich treiben,
auf daß sie bleiben bei Ehr und Gut,
wie noch ein treue Freundschaft tut.

Die zwei aber nichts darum gaben,
je länger mehr geschlemmet haben.
Endlich ihr beider Freundschaft hat
verklaget sie vor einem Rat
von wegen ihrer Schlemmerei
und ihr Unhäuslichkeit darbei,
auf daß ein Rat ihn' das sollt wehrn,
daß sie blieben bei Gut und Ehrn.
Darauf zuhand erfordert hat
zu Bamberg ein ehrbarer Rat
den Müllner und die Frauen sein
und verbot ihn' beiden den Wein
bei großer Straf, auf daß sie schier
fürbaß nur sollten trinken Bier.
Darob die Müllerin und ihr Mann
sahen schelch aneinander an.
Der Müller sprach: „Ihr Herrn, merkt auf!
Es kommt oft, daß ich Säu verkauf,
dergleich, daß ich tu Esel kaufen,
sollt ich denn Bier zum Leikauf saufen?
Das wär vor nie erhöret worn.
Wollt eh, daß ich nie wär geborn,

daß man solches sollt von mir sagen!
Sollt der Leikauf kein Wein nit tragen,
so wär es je gar müglich nit,
daß der Kauf glücklich wohl geriet.“
Des lacht ein Rat, daß diesem Mann
der Wein so streng und hart lag an,
und erlaubt ihm zu trinken Wein
zum Leikauf, wenn er verkauft Schwein
oder ein Esel kaufet hab.
Darmit so zog der Müllner ab
und Müllnerin, sehr hart betrübt
ob diesem streng schweren Gelübd,
und trunken Bier etliche Tag
mit Seufzen und mit schwerer Klag,
weil hin war ihres Herzen Trost.

Nachem nun kam der süßte Most
zu Herbsteszeit, lag auf ein Nacht
die Müllnerin, ein Sinn erdacht,
weckt den Müllner und sprach: „Mein Mann,
einen Sinn ich erfunden han,
auf daß wir mögen trinken Wein
und dennoch ungestrafet sein.“
Froh ward der Müllner und tät jehen:
„Mein Weib, wie künnt solches geschehen?“
Da antwort' die Müllnerin schier:
„Mein lieber Müllner, gib heut mir
unsern alten Esel zu kaufen,
so mög' wir Wein zum Leikauf saufen.“

Der Müllner sprach zu seinem Weib:
„Gelobet sei dein Seel und Leib,
der so ein guten Rat hat gefunden;
mit Weisheit hast mich überwunden.
Solch Klugheit hätt ich nie bedacht."
Zuhand ward ein Leikauf gemacht
um den Esel, und holten Wein,
darzu das Weib buch Küchlein fein,
und dieselbig Nacht Leikauf trunken,
daß sie beide zu Bett hin hunken,
und legten sich ganz stüdvoll nieder.
Als morgens sie aufstunden wieder,
gabs dem Müllner wieder zu kaufen
den Esel, und täten Leikauf saufen.
Das triebens darnach das ganz Jahr,
verkauften den Esel immerdar
und wurden all Tag zweimal voll.
Das daucht sie alls fein, gut und wohl,
bis sie endlich in Grund verdarbn,
vor Schuld entloffen, ganz blutarm,
welche im Anfang waren reich.

Also geht es noch täglich gleich:
wem wohl ist mit der Schlemmerei,
schaut auf sein Handel nicht darbei,
gibt auch um kein ehrlich Freundschaft,
die sie gütlich anweist und straft
sonder treibt daraus seinen Spott,
veracht' der Obrigkeit Gebot,

sucht seltsam Anschläg um und um,
auf daß sie nur zum Prassen kumm,
der muß endlich zugrund auch gohn,
wie denn sagt der weis' Salomon:
Wer Wein lieb hab, der wär nicht reich.
Wie man das auch sicht tägeleich:
Wo man treibt täglich Schlemmerei,
da wohnet selten Reichtum bei;
wann bei Säufern findt sich eben
ein unhäuslich, unor'nlich Leben,
daraus die bitter Armut wachs.
So sprichet zu Nürnberg Hans Sachs.

Der Mann floch sein bös Weib von Himmel bis in die Hell.

Einsmals ein hort frummer Mann war,
darzu schlecht und einfältig gar,
derselb hätt ein grundboses Weib,
die täglich peinigt' seinen Leib
mit Riffen, Zanken und mit Nagen,
und daß er kaum die Haut mocht tragen.
Weil er war frumm, einfältig, schlecht,
mußt er nur sein ihr Truppelknecht.
In Summa, was sie fingen an,
so war das Weib doch Herr und Mann.
Von ihr er gar verachtet ward.
Sein Handwerk, Arbeit, streng und hart,
was auch sunst war zu tun im Haus,
tät er alls willig überaus.
Er trug ihr Holz und Wasser ein,
er kehrt und spült der Frauen fein,
war gleich an einer Maide Statt.
Kein Maid langs Bleiben bei ihr hatt,
sie kunnt mit keiner sich vertragen.
Hätt sie gleich Maid bei ihren Tagen,
so lag sie stet mit ihn' im Streit.
Wenn denn der Mann durch sein Frummkeit
tät auch das Beste darzu reden,
wollt Fried machen zwischen ihn' beeden,

dem Weib die besten Wort oft gab,
so ließ das Weib von der Maid ab
und richtet sich denn an den Mann
mit scharpfen Worten: „Nun schau an!
Hab dir die Drus und das Herzleid!
Du verderbest mir all mein Maid,
du hilfst ihn' zu ihr Schalkheit wohl.
Weiß nit, was ich mir denken soll.
Glaub, du hast die Maid lieber, wenn mich."
Alsdenn mußt der Mann ducken sich
und war froh, daß er schweigen sollt.
Dergleich wenn er teidigen wollt,
so's mit den Nachtbaurn zanken tät,
mit den' sie stets zu hadern hätt.
Und auch wenn er sie gütlich straft,
wenn sie balget mit der Freundschaft;
wann sie mußt täglich habn zu hadern,
zu waschen, zanken und zu schnattern,
so schnarrt sie den Mann frevlich an:
„Halt nur dein Maul, du loser Mann!"
Und schneuzet ihm so tückisch aus.
So schwieg er stockstill, wie ein Maus,
und legt ein Finger auf den Mund,
kein Pfeil bei ihr aufbringen kunnt,
wann er mußt allmals unterliegen;
sie war ihm zu hurtig mit Kriegen.
Eh der gut Mann ein Wort geredt,
wohl siebne sie geredet hätt.
Wenns denn ihr Predig trieb zu lang,

so wur dem Mann im Herzen bang,
floch und versperrt sich in ein Kammer.

In solchem Gezänk, Not und Jammer
vertrieb er mit ihr vierzig Jahr.
Kein Besserung nie bei ihr war.
Derhalb bat er täglich zu Gott,
daß er doch schicken wollt den Tod
ihm oder seinem bosen Weib,
darmit erledigt würd sein Leib
von diesem alten Fegefeur,
das ihn peinigt so ungeheur.
Eins Tags ihn Gott erhoren tät
und schicket dem Weib an der Stätt
ein Fieber, daran sie verdarb
am Leib und in eim Monat starb.
Froh war der Mann und danket Gott,
daß er ihm hätt aus dieser Not
erlöst, ließ sie herrlich begraben
und ihr darnach ein Opfer haben,
wie zu der Zeit Gewohnheit was.
Doch hätt die Alt aus Neid und Haß
hinter dem Mann gemacht ein Gschäft,
hätt ihn um das halb Gut geäfft.
Der Mann sprach: „Ist das nit ein Spott?
Es peinigt mich noch also tot
das überboshaft Weibe mein.
Doch solls ihr alls verziegen sein,
auf daß sie nur nit wiederkumm.“

Nach dem hielt allein haus der Frumm
und fing erst ein gut Leben an.
Wiewohl der gute fromme Mann
nit lang lebt nach der Frauen sein
in so gutem Leben allein,
sunder starb noch im selben Jahr
und auf gen Himmel fahren war.
Als er kam für das Himmeltor,
da stunde St. Peter darvor,
fragt, wann er käm und wer er wär
und was auch wär das sein Begehr.
Der gut Mann alle Ding erzählt
und bat ihn freundlich, daß er söllt
die Himmelpforten ihm aufschließen
und söllte ihn lassen genießen,
daß er auf Erden vierzig Jahr
gelebt hätt an der Martrer Schar
mit einem überbösen Weib.
St. Peter sprach: „Wart und dableib!
Ich will hinein und sehen spat,
wo du magst haben Platz und Statt.
Will dirs bald wieder sagen an.“
St. Peter sperrt auf, tät eingahn
und kam bald zu ihm heraus wieder,
sprach: „Nun kumm herein! setz dich nieder!
Bei deinem Weib hast gleich ein Statt.“
Der Mann erschrak und antwort’ drat:
„Ist denn mein Weib im Himmel drinnen?
Ich hätt ihr nit gesucht darinnen,

sunder danieden in der Hell.“
St. Peter sprach: „Ja, lieber Gsell,
durch dein Fürbitt ist sie behalten.“
Er sprach: „Ihr müß der Jahrritt walten!
Soll denn mein Weib im Himmel sein,
so mag ich nit zu ihr hinein.
Sie hat mich gmartert vierzig Jahr.
Zeit und Weil mir bei ihr lang war.
Zu ihr ich nit mehr will noch mag;
ich hätt bei ihr kein guten Tag.
Sollt ich denn ewig bei ihr sein,
so hätt ich von ihr ewig Pein.
Nein, nein! ich hab genug der Birn.
Ich kenn zu wohl die alten Dirn.
Ich will eh fahren nab gen Hell.“
St. Peter sprach: „Nit, lieber Gsell!
In der Hell ist noch großer Pein,
kein Freud kummt ewig nit darein.
Dein Weib ist vielleicht frummer worn;
im Tod ist ihr ausgschwitzt der Zorn.
Drum folg mir, kumm zu ihr herein!“
Er sprach: „Ich mag nit bei ihr sein;
sie würd je länger ärger werdn.
Gleich wie sie unten tät auf Erdn,
so würds im Himmel mich anschnarren,
auch mit mir zanken, hadern und scharren.
Darum will ich eh nab gen Hell;
da sitzt auch mancher armer Gsell,
der auch auf Erdrich hat danieden

groß Marter, Sorg und Angst erlitten.
von seinem Weib bei seinen Tagen;
da wir unser Not einander klagen,
doch werd wir habn groß Freud allein,
daß wir nun frei und ledig sein
von unsern Fegteufeln auf Erden.
Wie mocht ein großer Freud uns werden,
ob wir gleich sunst kein Freud mehr han?"

Darmit ging hin der gute Mann
gen Hell, des Himmels sich verwag,
eh denn er fort wollt seine Tag
verzehren dort mit seinem Weib.
Bei diesem Schwank es also bleib,
der also scherzweis wird getrieben!
Sirach hat nit vergebens gschrieben,
ein zänkisch Weib bring Ungemach
dem Mann gleich wie ein triefends Dach.
Daß Fried und Freundlichkeit aufwachs
im ehling Stand, das wünscht Hans Sachs.

Der Teufel nahm ein alt Weib zu der Eh, die ihn vertrieb.

Eins Tags der Teufel kam auf Erden
und wollt je auch ein Ehmann werden,
und nahm zu der Eh ein alt Weib,
war reich, doch ungschaffen von Leib.
Alsbald und er kam in die Eh,
da erhub sich groß Angst und Weh.
Das alt Weib stets im Hader lag
mit Krohn' und Zanken über Tag;
zu Nacht ihn auch peinigen tät
Flöch, Läus und Wanzen in dem Bett.
Er dacht: Allhie kann ich nit bleiben.
Ich will fort eh mein Zeit vertreiben
in der Einöd und wildem Wald,
da ich mehr Ruh hab. Und fuhr bald
in Wald und auf ein Baumen saß
und sach dahergehn auf der Straß
ein Arzt, der ein Reitwetschger trug,
nach Arzenei im Land umzug.
Zu dem tät sich der Teufel gsellen
und sprach zu ihm: „Wir beide wöllen
mit Arznei die Leut machen heil,
doch alls auf ein geleichen Teil."
Der Arzet fragt' ihn, wer er wär.
Der Teufel sagt ihm wieder her,
er wär der Teufl und wie er meh

viel hätt erlitten in der Eh
von einem alten bösen Weib,
wie die ihm peinigt hätt sein Leib
mit herber unleidlicher Pein;
drum möcht er nit mehr bei ihr sein.
„Drum nehm mich auf zu einem Gselln!
Ehr und Gut wir gewinnen wölln."
Zeiget' darmit dem Arzet an,
warmit er ihm wohl Hilf künnt ton.
Kurz geredt, der Sach sie eins warn.

Der Teufel sprach: „Ich will gehn fahrn
in ein Bürger nächst in der Stadt,
der sehr viel Gelds erwuchert hat.
Den will ich peinigen gar hart.
So kumm du hernach auf der Fahrt
und tu zu dem Bürger einkehrn!
Tu mich mit eim Segen beschwörn!
Alsdenn ich williglich ausfahr.
So zahlt man dir denn also bar
gern ein zweinzig Gulden zu Lohn.
Denn gib mir den halb Teil darvon."
Die Sach war schlecht. Der Teufel spat
fuhr in den Bürger in der Stadt,
den peinigt' er die ganzen Nacht.
Früh sich der Arzt in d' Stadt auch macht
und nahm sich des Besessen an
und als ein künstenreicher Mann
den Teufel gwältiglich beschwur,

der alsobald von ihm ausfuhr
und wart' auf den Arzt in dem Wald.
Den Arzet man zu Dank bezahlt
und gab ihm dreißig Taler bar.
Der kam mit zu dem Teufel dar,
gab zehen Taler ihm darvon.
Die zweinzig bhielt er für sein Lohn,
sagt, man hätt ihm nur zweinzig geben.
Der Teufel merkt sein Diebstahl eben,
daß ihn der Arzt um fünf tät äffen,
schwieg doch; dacht: Ich will dich wohl treffen.

Und tät eben gar nichts dergleichen
und sprach zum Arzt: „Ich weiß ein reichen
Dumherren auf dem Stift dort aus,
der hält mit einer Köchin haus.
Dem will ich fahren in den Bauch
und will ihn weidlich reißen auch.
Zu dem so tu morgen einkehrn!
Tu denn mit Segen ihn beschwörn!
So überkumm' wir aber Geld.
Die Kunst ist gwiß und nicht mehr fehlt."
Die Sach war schlecht. Der Teufel fuhr
in Dumherrn, den hart quälen wur.
Der Arzt kam früh für den Dumhof;
die Köchin ihm entgegenloff,
fragt, ob er künnt den Teufel bschwörn,
mit zweinzig Gulden wollt man verehrn.
Der Arzt sagt ja. Und hinauf ging

und sein Beschwörung da anfing,
wie er vor hätt verbracht dergleichen.
Der Teufel aber wollt nit weichen,
wie vor, und im Dumpfaffen blieb
und sagt: „Der Arzet ist ein Dieb,
hat mir fünf Taler abgestohln.
Darum so sag ich unverhohln:
Kein Dieb der kann mich treiben aus,
ich weich keim Dieb aus diesem Haus."

Der Arzt in großen Angsten was,
weßt nit zu verantworten das,
loff vor Angst aus dem Saal hinab.
Da erdacht ein List der frumm Knab,
und eilend in Saal hinauf loff,
sprach: „Teufel, unten in dem Hof
do ist dein altes Weib herkummen,
hat ein Brief vom Chorgricht genummen,
spricht dich wieder an um die Eh.
Darum saum dich nit lang und geh!
Verantwort dich vor dem Chorgricht!"
Der Teufel gukzt herfür und spricht:
„Wie? ist denn mein alter Hellriegel
kummen und hat bracht Brief und Siegel,
daß ich zu ihr soll wiederum?
Mir nit! Zu ihr ich nit mehr kumm.
Ich will eh hinab fahrn gen Hell.
Allda hab ich, mein lieber Gsell,
mehr Ruh, denn in der Alten Haus."

Darmit fuhr er zum First hinaus
und ließ hinter ihm ein Gestank.

Sie versteht man bei diesem Schwank:
Wo Weib und Mann in dieser Frist
mit der Eh zsamm verbunden ist,
da nimmer ist Fried, Freud, noch Sonn,
die Eh mag man wohl nennen ton
ein teufelisch und hellisch Leben,
darvor uns Gott wöll bhüten eben,
und im Ehstand uns dieser Zeit
geben Fried, Sonn und Einigkeit,
dardurch sich mehre und aufwachs
ehliche Treu, das wünscht Hans Sachs.

Die drei Dieb auf dem Dach.

Es saget das Buch der Weisheit
der alten Weisen, wie vorzeit
drei Dieb eins Nachtes gingen aus
zu eines reichen Mannes Haus.
Dem stiegen sie hinauf sein Dach,
und schlichen darauf um gemach,
durch ein Dachfenster einzusteigen
und drin zu stehlen mit Stillschweigen.
Ob dem erwachet der reich Mann,
hört das und zeigt das heimlich an
seim Weib mit Worten gar gemach,
sprach: „Es sind Dieb auf unserm Dach,
die wolln uns stehlen unser Hab.
Daß wir ohn Schadn der kummen ab,
so tu, was ich dir sag (vernimm!)
und frag du mich mit lauter Stimm:
‚Mein lieber Mann, sag, woher kummen
dir dein Reichtum? Wo hast dus gnummen?
Mit was Hantierung? Tu mirs sagen!‘
Tu ich die Antwort dir abschlagen,
mit deiner Bitt doch nit ablaß,
bis ich dir offenbare das."

Die Frau mit lauter Stimm fing an:
„Ich bitt dich, herzenlieber Mann,
sag mir, wie hast du überkummen

dein großes Gut, im Anfang gnummen?
Weil du kein Kaufhandel hast trieben,
nit groß Erb von dein Eltern blieben?
Wann kummt dir denn so groß Vermügen?"
Der Mann sprach:: „Schweig, laß dich benügen
an dem, daß ich dich hab zuletzt
in Ehr und groß Reichtum gesetzt!
Da iß und trink, hab guten Mut,
und frag gar nit, wie ich mein Gut
gewunnen hab, groß oder klein,
weil die Ding nit zu sagen sein,
es mocht das innen werden schlecht
ein Mensch; das mir groß Schaden brächt."
Die Frau sprach: „Ich bitt, lieber Mann,
durch Lieb und Treu, die ich denn han
zu dir gehabt zu allen Stunden,
wie du denn täglich hast entpfunden.
Du weißt, daß ich verschwiegen bin,
so ist itz bei uns niemand hin,
der solichs hör, darum sag mir,
wannher solch Reichtum kummen dir?"
Der Herr sprach: „Es sagt der weis' Mann,
du sollt nicht offenbaren tun
dein heimlich verborgne Geschäft
der, die in deinen Armen schläft!
Jedoch tut mich dein Liebe neigen,
daß ich dir solichs an will zeigen,
jedoch tu das schweigend verhehln!
So wiß, daß ich allein mit Stehln

hab überkummen mein Reichtum."
Die Frau antwort' laut wiederum:
„Herzlieber Mann, wie hast dein Stehln
so lange Zeit künnen verhehln,
daß solichs ist blieben verschwiegen?
Daß dich des niemand hat geziegen?
Man hält dich für ehrlich und frumm."
Ihr antwort' der Mann wiederum:
„Ich hab gestohlen allezeit
mit künstlicher Fürsichtigkeit."
Die Frau sprach: „Wie hast ihm getan?"
Da antwort' wiederum der Mann:
„Bei Nacht so ging ich aus allein,
wann der Mond war in vollem Schein,
und stieg auf die Dächer der Häuser,
ganz stockstill, gleich einem Dockmäuser,
und nahm denn des Dachfensters wahr,
dadurch der Man schien hell und klar,
wie itz der Mond auch hat sein Schein
oben durch unser Dachfenster rein.
Zu dem schlich ich heimlich allwegen
und sprach denn siebenmal den Segen:
Sulem, sulem, sulem, sulem,
sulem, sulem, sulem! Nachdem
so umfing ich des Mones Schein,
ließ mich daran ins Haus hinein,
vom Dach im Haus herab an d' Erd
ohn all Bleidigung und Beschwerd.
Darnach mein Bschwörung wieder sprach,

so zeigt mir der Monschein das Gmach,
darin der Schatz lag, klein oder groß,
darzu aufgingen alle Schloß,
darvon stahl ich und fasset ein,
trat wieder zu des Mones Schein
und die Beschwörung wieder sprach,
und umfing den Monschein darnach,
an dem stieg ich aus diesem Haus
wieder zu dem Dachfenster naus.
Also verbracht ich mein Diebstahl,
darmit bekam groß Gut zumal."

Nach dem täten sie beide schweigen,
schnarchten, sich gleich schlafend erzeigen.
Nun die drei Dieb zuhorten das,
darvon ihr Herz erfreuet was,
daß sie die Kunst hättn überkummen
zu solch großmächtigen Reichtumen
ahn alle Sorg nach diesen Worten.
Als sie nun bedaucht an den Orten,
daß Mann und Weib entschlafen wärn,
wolltens die neuen Kunst bewährn,
hätten fleißig gemerkt die Ding.
Der ältst Dieb den Monschein umfing
und die Beschwörung darzu sprach,
und wollt sich am Monschein sehr gmach
hinablassen, da er mit Schallen
tät durch das Dachloch hinabfallen
mit schwerem Fall so ungefüg,

sam in das Haus der Donner schlüg,
zerfiel Kopf und Angsicht allsam.
Gar schwind zu ihm gelaufen kam
der Hausherr und ein Bengel trug
und dem Dieb sein Leib wohl durchschlug
und sprach: „Wer liegt an dieser Stätt?"
Der Dieb die Antwort geben tät:
„Es ist ein Mann, der bald glaubt hat
den Worten und versucht die Tat,
und ward betrogen in der Frist.
Drum dieser Streich wohl würdig ist."

Die zween Bachanten im Totenkerker mit dem Hämmel.

Zu Erfurt waren zween Bachanten
Ganz elend; als die Unbekannten
sungen sie alle beid nach Brot.
Zu stehlen trieb sie auch die Not.
Beid lagens in dem Totenkerker,
ein Schwab war, der ander ein Märker.
Eins Nachts machten sie ein Bescheid,
wie sie wollten stehlen all beid,
der Schwab ein Sack mit Nüssen wollt
stehlen, aber der Märker sollt
ein großen feisten Hämmel stehlen,
das im Kerker wollten verhehlen.
Der Schwab kam mit den Nüssen sein
und setzt sich auf die Totenbein,
klopft auf die Nüß, dieselben fraß
und seines Gsellen warten was.

Ohngfähr saßen in dem Wirtshaus
zween Bauren, lebten in dem Sauß,
der ein redt von grausamen Dingen,
was die Seel im Beinhaus begingen,
und machten oft ein groß Gerümpel,
in Totenbeinen ein Getümpel.
Der ander Bauer zu ihm sprach:
„Der Geist ich nie kein hört noch sach.

Willt du mich zu dem Kerker tragen
auf deinem Rück, so will ichs wagen."
Auf seinem Rück faßt er den Knollen,
ein Voller trug den andern Vollen,
und kamen zu dem Kerker dar.
Der Bachant nahm der zweier wahr,
meint, sein Gsell tät den Hämmel bringen,
und tät von Totenbeinen springen
und sprach: „Bringst du den Hämmel frech?
Würf nieder ihn, daß ich ihn stech!"
Groß Forcht durchging den vollen Baurn,
warf nieder vor des Kerkers Maurn
sein' Gsellen, wollt laufen darvon.
Nach ihm tappet der trunken Mann,
ergriff ihn bei dem Kittel wieder
und reiß ihn oben auf ihn nieder.
Der Bachant aus dem Kerker tappet,
auf daß den Hämmel er erschnappet
und schrei den an: „Halt fest! halt fest!
Ich will ihn stechen, ist das best."
Den Bauren wurd vor Angsten heiß,
daß jeder in die Hosen scheiß,
und fuhren beid auf von dem Haufen,
huben von Kräften an zu laufen.
Der Bachant meint, der Hämmel wär
entloffen ihm, ahn all Gefähr
loff er nach, schrier mit heller Stimm:
„Du bleibst, du bleibst! Halt, halt!" mit Grimm.
Erst ieder Bauer weidlich loff,

Geistlich-Christliches

Der fünft Psalm Davids

im Ton: Nun freut euch, ihr lieben etc.

Herr, hör mein Wort! merk auf mein Not!
Vernimm mein Red gar eben!
Mein Künig und mein starker Gott,
von dir hab ich das Leben;
drum will ich für dir beten recht,
früh wöllest hören deinen Knecht,
wenn er früh zu dir kummet!

Du hassest, Herr, was übel tut;
die Lügner wirst umbringen.
Was schalkhaft ist und dürst nach Blut,
den' wird vor dir mißlingen.
Ich aber will in dein Haus gehn,
mit Forcht gen deinem Tempel stehn,
auf dein Gnad, Herr, zu beten.

Herr, leit mich gar in deinem Wort
um meiner Feinde wille!
Richt deine Weg an alle Ort
und steck mir selb das Ziele!
Ihr Mund und Herz kein Rechts je gab,
ihr Rachen ist ein offens Grab,
ihr Schlund auch voller Gallen.

Laß freuen sich all, die auf dich
trauen und sich berühmen!
Beschirme sie, Herr, kräftiglich,
gleich wie die Summersblumen!
Die Grechten du gesegnest, Herr,
die deinen Namen lieben sehr;
du krönest sie mit Gnaden.

Die Hochzeit zu Cana in Galilea.

Johannes schreibt am vierten, daß
am dritten Tag ein Hochzeit was
zu Cana in Galilea.
Die Mutter Jesu war auch da.
Jesus war auch mit sein Genaden
mit sein' Jüngren darauf geladen.
Und als es nun an Wein gebrach,
die Mutter zu dem Herren sprach:
„Schau, Herr, sie haben keinen Wein!"
Jesus sprach zu der Mutter sein:
„Weib, was hab ich zu tun mit dir?
Mein Stund ist noch nit kummen schier."
Die Mutter zu den Dienern sprach:
„Was er euch heißt, das tut hernach!"

Es waren aber da zuletzt
sechs steine Wasserkrüg gesetzt
nach Reinigung der Juden Weis',
und es ging in ein Krug mit Fleiß
etwas auf zwo oder drei Maß.
Jesus der sprach zu ihn' fürbaß:
„Füllt diese Krüg mit Wasser an!"
Und sie fülltens bis oben nan.
Christus sprach: „Schenket ein fürwahr
und bringets dem Speismeister dar!"
Sie brachtens, alls sie schenkten ein.

Bald der Speismeister kost' den Wein,
des vor Wasser gewesen was,
und weßt' nit, wann er käme, das
aber die Diener wissen täten,
die das Wasser geschöpfet hätten, –
und der Speismeister ruft' mit Nam
und sprache zu dem Bräutigam:
„Jeder gibt erstlich guten Wein;
wenn die Leut trunken worden sein,
alsdenn so gibt er den geringen.
Du aber hast in diesen Dingen
den guten Wein bhalten bisher."

Dies ist das erst Zeichen, das der
Herr Christus tät, auf der Hochzeit
und offenbart' sein Herrlichkeit.

Aus der Geschicht nehm wir drei Lehr
dem ehling Stand zu Trost und Ehr.
Erstlich, daß Christus selbert war
mit seinr Mutter und Jünger Schar
auf die ehrlich Hochzeit geladen,
bedeut, daß er noch mit sein Gnaden
will wohnen im ehlichen Stand
als ein holdseliger Heiland.
Zum andren, daß er machet Wein
aus Wasser auf der Hochzeit fein,
bedeut, wo noch ist in der Eh
Mangl und Armut, dergleichen meh,

so tut doch Christus für uns sorgen,
gibt unser Nahrung uns verborgen.
Zum dritten, daß auch Christus hat
geton sein erste Wundertat
auf der Hochzeit, dasselb bedeut,
daß er noch täglich würket heut
groß Wunderwerk im ehling Stand,
ob dem er hält mit starker Hand
allzeit getreulich Schutz und Rück.
In Trübsal und in Ungelück,
in Schand und Widerwärtigkeit,
Anfechtung, Schmach und in Krankheit,
in Angst und Not, Leid und Unfall
schafft er ein Auskummen allmal;
auf daß sein Lob und Ehr erwachs
im ehling Stand; das wünscht Hans Sachs.

Ein Gespräch zwischen St. Peter und dem Herren, von der ietzigen Welt Lauf.

Die Alten haben uns ein Fabel
beschrieben zu einer Parabel,
die doch nit gar ahn Nutz abgeht,
wann man den Sinn darin versteht,
wie Petrus zu dem Herren trat,
ihn um ein freundlich Urlaub bat,
herabzufahren auf die Erd,
wie ihr hernach das hören werdt.

Petrus sprach: „Herr, durch all dein Güt
bitt ich dich mit Herz und Gemüt,
daß mir von dir erlaubet werd,
hinabzufahren auf die Erd,
mit meinen Freunden mich zu letzn,
all meins Unmuts mich zu ergetzn,
weil es ietzt gleich vor Faßnacht ist."
Der Herr sprach: „Acht Tag hab dir Frist!
Darinnen hab ein guten Mut,
wie man unten auf Erden tut!
Doch kumm zu gsetzter Zeit herwieder!"

Also schwang Petrus sich hernieder
auf Erd, zu seinen Freunden fuhr,
von den' er schön entpfangen wur,
und seine Freunde ingemein
die führten ihn dahin zum Wein.
Also Petrus herum tät wandren
von einem Freunde zu dem andren
und täglich fröhlich trank und aß,
darmit des Himmels gar vergaß,
blieb unten auf der Erden ring,
bis daß ein ganz Monat verging,
und an Himmel gedacht nit eh',
bis ihm eins Tags der Kopf tät weh
von der Füllerei Überfluß.
Erst fuhr auf gen Himmel Petrus.

Der Herre ihm entgegenging
und Petrum sehr freundlich entpfing.
„Wie kummst so langsam?" er ihn fragt'.
Petrus gab Antwort und ihm sagt':
„Ach Herr, wir hättn ein guten Mut.
Der Most was süß, wohlfeil und gut.
Auch aß mir Rotsäck und Schweinbraten.
Treid und all Ding war wohl geraten.
Darbei mir tanzten unde sprungen
und auch in die Sackpfeifen sungen.
Wir warn so fröhlich allerweis,
sam wärs das irdisch Paradeis.
Hätt mich schier gar bei ihn' versessen,

meins Wiederkummens gar vergessen."
Da sprach der Herr: „Petre, sag an!
War mir nit dankbar iedermann
bei solchem Prassen und Wohlleben,
weil ich aus milder Hand hätt geben
so überflüssig guten Most,
Fisch, Vögel, dergleich ander Kost?
Wurd solichs mir zu Lob erkannt?" –
„O Herr, wahrlich im ganzen Land
gedacht bei meim Eid kein Mensch dein,
denn nur ein altes Weib allein,
der war Haus unde Hof abbrunnen.
Die schrier zu dir so unbesunnen,
daß ihr gleich lachet iedermann."
Der Herr sprach: „Petre nun geh nan
wiederum zu der Himmel Tor
und hüt sein fleißig, gleich wie vor!"

Als nun wiederum kam das Jahr,
sprach der Herr: „Petre, willt, so fahr
wieder auf Erd zun Freunden dein!
Ein Monat magst du bei ihn' sein.
Hab ein guten Mut mit, wie fert!"
Petrus war froh und fuhr auf Erd
wieder zu seinen Freunden nieder,
dacht ihm: „So bald kumm ich nit wieder.
Ein Monat zwei will ich pursiern,
Mit meinen Freunden jubiliern."

Als er nun kam herab zu Land,
die Sach er gar viel anderst fand.
Da er sich ließ zun Freunden nieder,
kehrt er am dritten Tage wieder
gen Himmel und gar sauer sach.
Der Herr entpfinge ihn und sprach:
„Petre, Petre, wi kummst so bald?
Sag an! wie hat die Sach ein Gstalt?
Du kamest fert so bald nit wieder."
Petrus sprach: „Herr, es hat sich sider
ganz alle Ding verkehrt auf Erd.
Es ist nit kurzweilig, wie fert,
wann Wein und Treid ist gar verdorben,
das arm Volk ist schier Hungers gstorben.
Herum im Land durch alle Grenz
regieret auch die Pestilenz.
Darzu regiert auch in dem Land
der Krieg, Gfängnus, Raub, Mord und Brand.
Derhalb lebt man nicht mehr im Saus.
Jedermann traurig bleibt zu Haus,
ihr Zeit mit Wein' und Seufzn vertreibn.
Drum mocht ich nit mehr unten bleibn,
weil es so langweilig zugeht."

Der Herr Petrum wieder anredt:
„Sag, Petre! weil denn ganz und gar
das Volk so hart geplaget war
mit Pestilenz, Hunger und Schwert,
unten überall auf der Erd,

fraget noch niemand nit nach mir?“
Petrus sprach: „Lieber Herr, zu dir
seufzet und schreiet früh und spät
jung und alt mit gmeinem Gebet
und bekennen ihr Sünd und Schuld
und bitten um Genad und Huld,
du wöllest ihn’ genädig sein
und ablassen den Zoren dein.
Weil sie nun herzlich zu dir schreien,
mein Herr, was willt du sie dann zeihen?
Tu dein Angsicht bald zu ihn’ wenden,
solch schwere Plag mildern und enden!
Ich bitt dich selb, du wöllst das tan.“

Der Herr sprach: „Nun, Petre, schau an!
Wenn ich tu auf mein milde Hand
und schaff dem Volke in dem Land
gut Ruh und ein friedliche Zeit,
erhalt sie in guter Gsundheit
und gib ihn’ gut fruchtbare Jahr,
Wein und Treid überflüssig gar,
daß alle Ding seind ganz wohlfeil,
so wird das Volk nur frech und geil,
vergißt mein und meiner Wohltat,
von dem es doch alls Gutes hat,
ersäuft in Wollust, Geiz, Hoffahrt
und hält mir allzeit Widerpart
in unmenschlichen und argen Sünden;
und wo ich ihn’ gleich laß verkünden

mein Wort, das Evangelium,
so werden ihr' doch wenig frumm,
die sich von Sünden kehren ab,
und reichet ihn' mein milde Gab –
welche ich ihn' gab aus Genaden –
mir zu Unehr und ihn' zu Schaden.
Dieweil sie also bleiben klebn
dadurch in eim sündlichen Lebn,
auch dort zu ewigem Verdammen,
derhalb muß ich ihn' allensammen
solch milde Gab wiederum nehmen,
mit Hunger, Schwert und Sterben zähmen;
weil sie durch Wohltat von mir fliehen,
muß ich sie beim Haar zu mir ziehen,
sie plagn, kreuzigen und kränken,
auf daß sie auch an mich gedenken,
Buß tun und sich zu mir bekehren,
ihr Sünd bekennen und mich ehren
als das wahrhaftig höhest Gut,
das alle Ding zum besten tut.
Schau, Petre, da merkst du hiebei,
das solch Kreuz ist ein Arzenei,
das sündig Fleisch darmit zu dämpfn
und dem Geist darmit helfen kämpfn."

Daß Gottes Forcht in uns aufwachs
in wahrem Glauben, wünscht Hans Sachs.

Sankt Peter mit der Geiß.

Weil noch auf Erden ging Christus
und auch mit ihm wandert' Petrus,
eins Tags aus eim Dorf mit ihm ging,
bei einer Wegscheid Petrus anfing:
„O Herre Gott und Meister mein,
mich wundert sehr der Güte dein,
weil du doch Gott allmächtig bist,
läßt es doch gehn zu aller Frist
in aller Welt gleich wie es geht,
wie Habakuk sagt, der Prophet:
Frevel und Gewalt geht für Recht,
der Gottlos übervorteilt schlecht
mit Schalkheit den Grechten und Frummen.
Auch kann kein Recht zu Ende kummen.
Du läß gehn durcheinander sehr,
eben gleich wie die Fisch im Meer,
da immer einr den andern verschlindt,
der Bos den Guten überwindt.
Des steht es übl an allen Enden,
in öbern und in niedern Ständen;
da sichst du zu und schweigst nur still,
sam kümmer dich die Sach nit viel
und geh dich eben glatt nichts an.
Künnst doch alls Übel unterstohn,
wo du ernstlicher sächst darein.
O, sollt ich ein Jahr Herrgott sein

und sollt den Gwalt haben wie du,
ich wollt anderst schauen darzu,
führn viel ein besser Regiment
auf Erderich durch alle Stänď;
ich wollt steuren mit meiner Hand
Wucher, Betrug, Krieg, Raub und Brand,
ich wollt anrichten ein ruh'gs Leben."

Der Herr sprach: „Petre, sag mir eben:
Meinst, du wollst je basser regiern,
all Ding auf Erd baß ordiniern,
die Frummen schützn, die Bösen plagen?"
Sankt Peter tät hinwider sagen:
„Ja, es müßt in der Welt baß stehn,
nit also durcheinander gehn;
ich wollt wohl beßre Ordnung halten."
Der Herr sprach: „Nun, so mußt verwalten,
Petre, die gottlich Herrschaft mein,
heut den Tag sollt du Herrgott sein!
Schaff und gebeut alls, was du willt;
sei hart, streng, gütig oder mild;
gib auf Erd Fluch oder den Segen;
gib schön Wetter, Wind oder Regen;
du magst strafen oder belohnen;
plagen, schützen oder verschonen –
in Summa, mein ganz Regiment
sei heut den Tag in deiner Händ!"
Darmit reichet der Herr sein Stab
Petro, den in die Hände gab.

Petrus war des gar wohlgemut,
deucht sich der Herrlichkeit sehr gut.

Indem kam her ein armes Weib,
bleich und gar dürr, mager von Leib,
barfuß in eim zerrissen Kleid,
die trieb ihr Geiß hin auf die Weid.
Da sie nun auf die Wegscheid kam,
sprach sie: „Geh hin in Gottes Nam!
Gott bhüt und bschütz dich immerdar,
daß dir kein Übel widerfahr
von Wolfen oder Ungewitter;
wann ich kann wahrlich ie nit mit dir,
ich muß gehn arbeiten das Taglohn,
heint ich sunst nichts zu essen hon
daheim mit meinen kleinen Kinden;
nun geh hin, wo du Weid magst finden,
Gott der hüt dein mit seiner Händ!"
Mit dem die Frau wiederum wendt
ins Dorf. So ging die Geiß ihr Straß.

Der Herr zu Petro sagen was:
„Petre, hast das Gebet der Armen
gehört? Du mußt dich ihr' erbarmen!
Weil ja den Tag bist Herrgott du,
so stehet dir auch billig zu,
daß du die Geiß nehmst in dein Hut,
wie sie von Herzen bitten tut,
und behüt sie den ganzen Tag,

daß sie sich nit verirr im Hag,
nit fall, noch müg gestohlen wer'n,
noch sie zerreißen Wolf noch Bärn,
auf daß den Abend wiederum
die Geiß heim unbeschädigt kumm
der armen Frauen in ihr Haus.
Geh hin und richt die Sach wohl aus!"
Petrus nahm nach des Herren Wort
die Geiß in sein Hut an dem Ort
und trieb sie in die Weid hindann.
Sich fing Sankt Peters Unruh an:
Die Geiß war mutig, jung und frech
und bliebe gar nit in der Näch,
loff auf der Weide hin und wider,
stieg ein Berg auf, den andern nieder
und schloff hin und her durch die Stauden.
Petrus mit Ächzen, Blasn und Schnauden
mußt immer nachtrollen der Geiß,
barhaupt. Nun schien die Sunn gar heiß,
der Schweiß über sein Leib abronn.
Mit Unruh verzehrt der alt Mann
den Tag bis auf den Abend spat;
machtlos, helig, ganz müd und matt
die Geiß er wiederum heimbracht.

Der Herr sach Petrum an und lacht,
sprach: „Petre, willt mein Regiment
noch länger bhaltn in deiner Händ?"
Petrus sprach: „Lieber Herre mein,

nehm wieder hin den Stabe dein
und dein Gwalt; ich begehr mit nichten
forthin dein Amt mehr auszurichten.
Ich merk, daß mein Weisheit kaum tocht,
daß ich ein Geiß regieren mocht
mit großer Angst, Müh und Arbeit.
O Herr vergib mir mein Torheit.
Ich will fort der Regierung dein,
weil ich leb, nicht mehr reden ein."
Der Herr sprach: „Petre, dasselb tu,
so lebst du stet in stiller Ruh,
und vertrau mir in meine Händ
das allmächtige Regiment!"

Sankt Peter mit den Landsknechten im Himmel.

Neun armer Landsknecht zogen aus
und garteten von Haus zu Haus,
dieweil kein Krieg im Lande was.
Eins Morgens früh trug sie ihr Straß
hinauf bis für das Himmeltor.
Da klopften sie auch an darvor,
wollten auch in dem Himmel garten.
Sankt Peter tät der Pforten warten.
Als er die Landsknecht darvor sach,
wie bald er zu dem Herren sprach:
„Herr, daußen steht ein nackate Rott;
laß sie herein, es tut ihn' not.
Sie wollten geren hinnen garten."
Der Herr sprach: „Laß sie daußen warten!"
Als nun die Landsknecht mußtn harren,
fingens an zu fluchen und scharren:
„Marter, Leiden und Sakrament!"
Sankt Peter dieser Flüch nit kennt,
meint, sie redten von geistling Dingen.
Gedacht, in Himmel sie zu bringen,
und sprach: „O lieber Herre mein,
ich bitt dich, laß sie herein!
Nie frümmer Leut hab ich gesehen."
Da ward der Herr hinwider jehen:
„O Petre, du kennst ihr' nit recht.

Ich merk wohl, daß es sind Landsknecht;
sollten wohl mit mutwilling Sachen
den Himmel uns zu enge machen."
Sankt Peter der bat aber mehr:
„Herr, laß sie herein durch dein Ehr!"
Der Herr sprach: „Du magsts lassen rein;
du mußt mit ihn' behangen sein.
Schau, wie dus wieder bringst hinaus!"
Sankt Peter war froh überaus
und ließ die frummen Landsknecht ein.

Bald sie in Himmel kamen nein,
garten's herum bei aller Welt;
und bald sie zsamm brachten das Geld,
knockten sie zsammen auf ein Plan
und fingen zu umschanzen an;
und eh ein Viertelstund verging,
ein Hader sich bei ihn' anfing
von wegen einer Umbeschanz.
So wurden sie entrüstet ganz,
zuckten von Leder allesammen
und hauten da gar tapfer zsammen,
jagten einander hin und wider
in dem Himmel auf und auch nieder.
Sankt Peter diesen Strauß vernuhm,
kam, zahnt' die Landsknecht an darum,
sprach: „Wollt ihr in dem Himmel balgen?
Hebt euch hinaus an lichten Galgen!"
Die Landsknecht ihn tückisch ansahen

und täten auf Sankt Peter schlahen,
daß ihn' Sankt Peter mußt' entlaufn.
Zum Herren kam mit Blasn und Schnaufn
und klagt ihm über die Landsknecht.
Der Herr sprach: „Dir gschicht nit unrecht.
Hab ich dir nit gesaget heut,
Landsknecht sind frech, mutwillig Leut!?"
Sankt Peter sprach: „O Herr, der Ding
verstund ich nit. Hilf, daß ichs bring
hinaus! Soll mir ein Witzung sein,
daß ich kein Landsknecht laß herein,
weil sie sind so mutwillig Leut."
Der Herr sprach: „Eim Engel gebeut,
daß er ein Trummel nehme vor
und stell sich naus fürs Himmeltor
und allda einen Lerman schlag!"

Sankt Peter tät nach seiner Sag.
Bald der Engel den Lerman schlug,
loffen die Landsknecht ahn Verzug,
all hinaus für das Himmeltor,
meinten, ein Lerman wär darvor.
Sankt Peter bschloß der Himmelpfortn,
versperrt die Landsknecht an den Ortn,
daß seit keiner hinein ist kummen,
weil Sankt Peter mit ihn' tät brummen.
Daß aus dem Schwank kein Unrat wachs,
bitt und begehrt mit Fleiß Hans Sachs.

Sankt Peter mit dem Herrn und faulen Baurenknecht, ein kurz Gespräch.

Nun höret wunderseltsam Ding!
Weil der Herr noch auf Erden ging
mit Petro, kam an ein Wegscheid,
daß weßten sie nit alle beid,
weliches wär ihr rechte Straß.
Nun ein hoher Birenbaum was
bei der Wegscheid an einem Rain.
Darunter lag am Schattn allein
ein Baurenknecht, der nicht mocht dienen.
Der war stüdfaul und tät aufgienen.
Der Herr ihn fraget aller Ding,
welcher Weg gen Jericho ging.
Der faul Schlüffel, Lecker und Bub
das ein Bein in die Hoch aufhub,
zeigt ihn' mit auf ein odes Haus
im Feld: da müßtens gehn hinaus.
Nachdem der Faul sich dehnt' und streckt',
sein Haupt mit einem Reis zudeckt,
schlief und schnarcht wie ein alter Gaul,
wann er war nichts wert und stüdfaul.
Nach dem gingen sie hin beidsant
und wurden wieder irr im Land,
kamen vor eim Dorf in ein Acker.
Da schnitt ein Baurenmaid ganz wacker,
der Schweiß ihr übers Antlitz rann.

Der Herr redet sie freundlich an:
„Mein Tochter, gehnt wir recht also
hinein die Stadt gen Jericho?“
Die Maid die saget mit Verlangen:
„Ihr seid weit von dem Weg irr gangen.“
Und leget bald ihr Sichel nieder,
loff mit ihn' auf drei Feldwegs wieder
und führt sie auf die rechten Straß.
Nachdem sich wieder wenden was
und loff eilend, hurtig und wacker
wieder zu schneiden auf den Acker.
Sankt Peter sprach: „O Meister mein,
ich bitt dich durch die Güte dein:
Diese Guttat du wieder ehr
und der endlichen Maid bescher
ein endlichen und frummen Mann,
mit dem sie sich ernähren kann!“
Da tät der Herr zu Petro jehen:
„Den faulen Schelm, den du hast gsehen
unterm Baum liegn an der Wegscheid,
der wird zu teil der endling Maid.
Da muß ihr Zeit verzehren mit.“
Sankt Peter sprach: „Das wöll Gott nit!
O Herr, das wär ie immer schad.
Ich bitt dich, Herr! sie baß begnad!
Laß sie dieser Guttat genießen!“
Der Herr antwort' gleich mit Verdrießen:
„O Petre, du verstehst sein nicht,
warum solche Heirat geschicht.

Die Maid den Schlüffel muß ernährn,
auf daß er auch hinkumm mit Ehrn;
sunst würd' er dem Galgen zu teil.
Auch so würd sunst zu stolz und gail
die Maid bei eim endlichen Mann.
Drum henk ich ihr den Schlüffel an,
daß sie hat zu schwimmen und waten.
So tuts ihn beidn zugut geraten."

Die wittembergisch Nachtigall,
die man ietz höret überall.

Wacht auf! Es nahent gen dem Tag.
Ich hör singen im grünen Hag
ein wunnigliche Nachtigall.
Ihr Stimm durchklinget Berg und Tal.
Die Nacht neigt sich gen Occident,
der Tag geht auf von Orient.
Die rotbrünstige Morgenröt
her durch die trüben Wolken geht,
daraus die lichte Sunn tut blicken.
Des Mones Schein tut sie verdrücken.
Der ist ietz worden bleich und finster,
der vor mit seinem falschen Glinster
die ganzen Herd Schaf hat geblendt,
daß sie sich haben abgewendt
von ihrem Hirten und der Weid
und haben sie verlassen beid,
sind gangen nach des Mones Schein
in die Wildnus den Holzweg ein,
haben gehört des Leuen Stimm
und seind auch nachgefolget ihm,
der sie geführet hat mit Liste
ganz weit abwegs tief in die Wüste.
Da habens ihr süß Weid verloren,
hant gessen Unkraut, Distel, Doren.
Auch legt ihn' der Leu Strick verborgen,

darein die Schaf fielen mit Sorgen.
Da sie der Leu dann fand verstricket,
zuriß er sie, darnach verschlicket'.
Zu solcher Hut haben geholfen
ein ganzer Hauf reißender Wolfen.
Haben die elend Herd besessen
mit scheren, melken, schinden, fressen.
Auch lagen viel Schlangen im Gras,
sogen die Schaf ohn Unterlaß
durch all Gelied bis auf das Mark.
Des wurden die Schaf dürr und arg
durchaus und aus die lange Nacht
und sind auch allererst erwacht,
so die Nachtigall so hell singet
und des Tages Gelänz herdringet,
der den Leuen zu kennen geit,
die Wölf und auch ihr falsche Weid.
Des ist der grimmig Leu erwacht.
Er lauret und ist ungeschlacht
über der Nachtigall Gesang,
daß sie meldt der Sunnen Aufgang,
davon sein Künigreich End nimmt.
Des ist der grimmig Leu ergrimmt,
stellt der Nachtigall nach dem Leben
mit List vor ihr, hinten und neben.
Aber ihr kann er nit ergriefen.
Im Hag kann sie sich wohl verschliefen
und singet fröhlich für und für.
Nun hat der Leu viel wilder Tier,

die wider die Nachtigall blecken,
Waldesel, Schwein, Böck, Ratz und Schnecken.
Aber ihr Heulen ist alls fehl,
die Nachtigall singt ihn' zu hell
und tut sie all ernieder legen.
Auch tut das Schlangengzücht sich regen.
Es wispelt sehr und widerficht
und fürchtet sehr des Tages Licht.
Ihn' will entgehn die elend Herd,
darvon sie sich haben genährt
die lange Nacht und wohl gemäst,
loben, der Leu sei noch der best,
sein Weid die sei süß unde gut,
wünschen der Nachtigall die Glut.
Desgeleichen die Frösch auch quaken
hin und wider in ihren Lacken
über der Nachtigall Getön,
wann ihr Wasser will ihn' entgehn.
Die Wildgäns schreien auch gagag
wider den hellen lichten Tag
und schreien ingemeine all:
„Was singet Neu's die Nachtigall?
Verkündet uns des Tages Wunne,
sam macht allein fruchtbar die Sunne,
und verachtet des Mones Glest!
Sie schwieg wohl still in ihrem Nest,
macht' kein Aufruhr unter den Schafen.
Man sollte sie mit Feuer strafen."

Doch ist dies Mordgschrei alls umsunst.
Es leuchtet her des Tages Brunst
und singt die Nachtigall so klar,
und sehr viel Schaf an dieser Schar
kehren wieder aus dieser Wilde
zu ihrer Weid und Hirten Milde.
Etlich melden den Tag mit Schall
in Maß recht wie die Nachtigall,
gen den' die Wölf ihr Zähn tun blecken,
jagen sie ein die Dornhecken
und martern sie bis auf das Blut
und drohen ihn' bei Feuers Glut,
sie sollen von dem Tage schweigen.
So tunt sie in die Sunnen zeigen,
der' Schein niemand verbergen kann.

Nun daß ihr klärer mügt verstahn,
wer die lieblich Nachtigall sei,
die uns den hellen Tag ausschrei:
ist Doktor Martinus Luther,
zu Wittenberg Augustiner,
der uns aufwecket von der Nacht,
darein der Monschein uns hat bracht.
Der Monschein deut die Menschenlehre
der Sophisten hin unde here,
innerhalb der vierhundert Jahren.
Die seind nach ihr Vernunft gefahren
und hant uns abgeführet ferr
von der evangelischen Lehr

unseres Hirten Jesu Christ
hin zu dem Leuen in die Wüst.
Der Leo wird der Papst genennt,
die Wüst das geistlich Regiment,
darin er uns hat weit verführt
auf Menschenfünd, als man jetzt spürt,
darmit er uns geweidnet hat.
Deut' den Gottsdienst, der ietzund gaht
in vollem Schwang auf ganzer Erden
mit Münnich, Nonnen, Pfaffen werden,
mit Kutten tragen, Kopf bescheren,
Tag unde Nacht in Kirchen plärren,
Metten, Prim, Terz, Vesper, Komplet,
mit wachen, fasten, langen Bet,
mit Gerten hauen, kreuzweis liegen,
mit knien, neigen, bücken, biegen,
mit Glocken läuten, Orgel schlagen,
mit Heiltum, Kerzen, Fahnen tragen,
in Klöster schaffen Rent und Zinst.
Dies alles heißt der Papst Gottsdienst,
spricht, man verdient damit den Himmel
und löst mit ab der Sünden Schimmel.
Ist doch alls in der Schrift ungründt,
eitel Gedicht und Menschenfünd,
darin Gott kein Gefallen hat.
Matthäi am fünfzehnten staht:
Vergebenlich dienen sie mir
in den Menschengesetzen ihr;
auch so wird ein jegliche Pflanze

vertilgt und ausgereutet ganze,
die mein Vater nit pflanzet hat.
Hör zu, du ganz geistlicher Staat!
Wo bleibst mit dein' erdichten Werken?
Nun lat uns auf die Mordstrick merken!
Bedeuten uns des Papstes Netz,
sein Dekretal, Gebot, Gesetz,
damit er die Schaf Christi zwinget,
mit Bann er zu der Beicht uns dringet,
all Jahr zum Sakrament zu gahn,
verbeut das Blut Christi beim Bann,
gebeut bei dem Bann, alle Jahr
zu fasten vierzig Tag fürwahr.
Zu feiren viel Tag er gebeut,
verbeut etlich Tag die Hochzeit,
Gevatterschaft und etlich Grad.
Zu heiratn er verboten hat
Münnich und Pfaffen bei dem Bann;
doch mügen sie wohl Huren han,
frummen Leuten ihr Kinder letzen
und fremde Ehweiber einsetzen.
Unzahl hat der Papst solcher Bot,
der doch keins hat geboten Gott.
Jagt die Leut in Abgrund der Hell
zu dem Teufel mit Leib und Seel.
Paulus hat ihn gezeiget an
am vierten zu Timotheon
und spricht: der Geist saget deutlich,
daß zu den letzten Zeiten, sich,

etlich vom Glauben werden treten
und anhangen des Teufels Räten,
werden Leuten die Eh verbieten
und etlich Speis, die Gott durch Güten
beschaffen hat mit Danksagung.
Ich mein, das sei ie klar genung.
Nun lat uns schauen nach den Wolfen,
die dem Papst han darzu geholfen,
zu führen solche Tyrannei:
Bischof, Probst, Pfarrer und Abtei,
all Prälaten und Seelsorger,
die uns vorsagen Menschenlehr
und das Wort Gottes unterdrücken,
kummen mit vorgemeldten Stücken,
und wenn mans bei dem Licht besicht,
ist es alls auf das Geld gericht.
Man muß Geld geben von dem Taufen,
die Firmung muß man von ihn' kaufen,
zu beichten muß man geben Geld,
die Meß man auch um Geld bestellt,
das Sakrament muß man ihn' zahlen;
hat man Hochzeit, man geit in allen.
Stirbt eins, um Geld sie es besingen.
Wers nit will tun, den tunt sie zwingen,
also richt man dem armen Volke.
Das heißt die Schaf Christi gemolke.

Auch kommen Stationierer,
Antonie, Valentiner,
die sagen viel erlogner Wort,
das sei geschehen hie und dort,
bestreichen Frauen unde Mann
mit eim verguldten Eselszahn
und erschinden auch Geldes Kraft,
schreiben Leut in ihr Bruderschaft,
holen die Zinst all jährlich Jahr.
Darnach kummt ein ehrsame Schar,
heißt man zu deutsch die Romanisten,
mit großen Ablaßbullenkisten,
richten auf rote Kreuz mit Fahnen
und schreien zu Frauen und Mannen:
„Legt ein! gebt euer Hilf und Steuer
und löst die Seel aus dem Fegfeuer!
Bald der Gulden im Kasten klinget,
die Seel sich auf gen Himmel schwinget.“
Wer unrecht Gut hat in seim Gwalt,
dem helfen sie es ab gar bald.
Auch gebens Brief für Schuld und Pein.
Da legt man ihn' zu Gulden ein.
Der Schalkstrick sein so mancherlei.
Das heißt mir römisch Schinderei.

Auch führen Bischof Krieg mit Trutz,
vergießen viel christliches Bluts,
machen elend Witwen und Waisen,
Dörfer verbrennen, Städt zureißen,

die Leut verderben, schatzen, pressen.
Ich mein das heiß die Schaf gefressen.

Christus solch Wolf verkündet hat
(Matthei am siebenten es staht):
Secht euch für vor falschen Propheten,
die in Schafkleidern hereintreten!
Inwendig reißend Wolf ers nennet.
An ihren Früchten sie erkennet.
Marci am zwölften ers erklärt'en,
spricht: Habt acht auf die Schriftgelehrten,
die gern gehn in langen Kleidern
und lassen sich auch grüßen gern
am Mark und Gassen, wo sie stahn,
und sitzen geren obenan
in Schulen und auch ob dem Essen!
Den Witwen sie ihr Häuser fressen
Und wenden für lange Gebet.

Darum so werden sie (versteht!)
dester mehr in Verdammnus fallen.
O wie tut hie Christus abmalen
unser Geistlicher gottlos Wesen,
sam wär er ietz bei ihn' gewesen!
Darbei kennt man sie unter Augen.
Die Schlangen, so die Schäflin saugen,
sind Münnich, Nunnen, der faul Haufen,
die ihre gute Werk verkaufen
um Geld, Käs, Eier, Licht und Schmalz,
um Hühner, Fleisch, Wein, Koren, Salz,

damit sie in dem Vollen leben
und sammlen auch groß Schätz darneben.
Viel neuer Fünd sie stet erdichten,
viel Bet und Bruderschaft aufrichten,
viel Träum, Gesicht und kindisch Fät,
das ihn' der Papst dann alls bestet,
nimmt Geld und geit Ablaß darzu.
Das schreiens dann aus spat und fruh.
Mit solcher Fabel und Abweis
hant sie uns geführt auf das Eis,
daß wir das Wort Gottes verließen
und nur täten, was sie uns hießen,
viel Werk, der Gott doch keins begehrt,
hant uns den Glauben nie erklärt
in Christo, der uns selig macht.

Dieser Mangel bedeut die Nacht,
darin wir alle irr seind gangen.
Also hant uns die Wolf und Schlangen
bis in das vierthalbhundert Jahr
behalten in ihr Hut fürwahr
und mit des Papsts Gewalt umtrieben,
bis Doctor Martin hat geschrieben
wider der Geistlichen Mißbrauch
und wiederum aufdecket auch
das Wort Gottes, die heilig Schrift
er mündlich und schriftlich ausrüft
in vier Jahren bei hundert Stucken
in deutscher Sprach und lat sie drucken.

Daß man versteh, was er tu lehren,
will ich kürzlich ein weng erklären.
Gottes Gesetz und die Propheten
bedeuten uns die Morgenröten.
Darin zeigt Luther, daß wir all
Miterben seind an Adams Fall
in böser Begier und Neigung.
Deshalb kein Mensch dem Gsetz tut gnung.
Halt' wirs schon auswendig im Schein,
so ist doch unser Herz unrein
und zu allen Sünden geneiget,
das Moses ganz klärlich anzeiget.
Nun seit das Herz dann ist vermailet
und Gott nach dem Herzen urteilet,
so sei wir all Kinder des Zoren,
verflucht, verdammet und verloren.
Wer solches im Herzen empfindt,
den nagen und beißen sein Sünd
mit Trauren, Angst, Forcht, Schrecken, Leid,
und erkennt sein Unmüglichkeit.
Dann wird der Mensch demütig ganz.
So dringet her des Tages Glanz,
bedeut das Evangelium,
das zeiget dem Menschen Christum,
den eingebornen Gottes Sohn,
der alle Ding für uns hat ton,
das Gsetz erfüllt mit eignem Gewalt,
den Fluch vertilgt, die Sünd bezahlt
und den ewign Tod überwunden,

die Hell zerstört, den Teufel bunden
und uns bei Gott erworben Gnad,
als Johannes gezeiget hat
und Christum ein Lamm Gotts verkündt,
das hinnimmt aller Welte Sünd
durch den Gelauben in Christum.

Dies ist die Lehr kurz in der Summ,
die Luther hat an Tag gebracht.
Des ist Leo, der Papst, erwacht
und schmecket gar bald diesen Braten,
forcht', ihm entgingen die Annaten
und würd ihm das Papstmonet lahm,
darin er zeucht die Pfründ gen Rom,
auch würd man sein Ablaß nimm' kaufen,
auch niemand gen Rom Wallfahrt laufen,
würd nimmer können schatzen Geld,
würd auch nimm' sein ein Herr der Welt,
man würd nimm' halten sein Gebot,
sein Regiment würd ab und tot,
so man die rechten Wahrheit wüßt.
Darum brauchet er schwinder List,
hätt die Wahrheit geren verdrücket
und bald zu Herzog Friedrich schicket,
daß er die Bücher brennt mit Nam
und ihm den Luther schickt gen Rom.
Jedoch sein kurfürstlich Genad
christlich ob ihm gehalten hat,
zu beschützen das Gottes Wort,

das er dann merket, prüft und hort.
Da dem Papst dieser Griff was fehl,
schickt er nach im gen Augsburg schnell.
Der Kardinal bot ihm zu schweigen
und kunnt ihm doch mit Schrift nit zeigen
klärlich, daß Luther hätt geirrt.
Da dem Papst dies auch nit ging fürt,
tät er den Luther in den Bann
und alle, die ihm hingen an,
ohn all Verhör, Schrift und Probier.
Doch schrieb Luther nur für und für
und ließ sich diese Bull nit irren.
Erst tät ihn der Kaiser citieren
auf den Reichstag hinab gen Worms.
Da erlitt Luther viel des Sturms.
Kurzum er sollt nun revocieren,
und wollt doch niemand disputieren
mit ihm und ihn zum Ketzer machen.
Des blieb er bständig in sein Sachen
und gar kein Wort nit widerrüft,
wann es war ie all sein Geschrift
evangelisch, apostolisch.
Des schied er ab fröhlich und frisch
und ließ sich kein Mandat abschrecken.

Das wilde Schwein deut Doctor Ecken,
der vor zu Leipzig wider ihn facht
und viel grober Säu davonbracht.
Der Bock bedeutet den Emser,

der ist aller Nunnen Tröster.
So bedeutet die Ratz den Murner,
des Papstes Mauser, Wachter, Turner,
der Waldesel den Barfüßer
zu Leipzig, den groben Lesmeister.
So deut der Schneck den Cochleum.
Die fünf und sonst viel in der Summ
Hant lang wider Lutherum gschrieben.
Die hat er alle von ihm trieben,
wann ihr Schreiben hätt keinen Grund,
nur auf langer Gewohnheit stund
und kunnten nichts mit Schrift probieren.
So tät Luther stets Schrift einführen,
daß es ein Bauer merken möcht,
daß Luthers Lehr sei gut und recht.

Des wurden sieglos und unsinnig
nun die Schlangen, Nunnen und Münnich,
wöllen ihr Menschenfünd verteiding
und schreien laut an ihren Preding:
„Luther sagt, 's Evangelium;
Hat er auch Brief und Siegel drum,
daß 's Evangelium wahr sei?
Luther richt auf neu Ketzerei.
O liebs Volk, lat euch nit verführen!
Die römisch Kirch die kann nit irren.
Tut gute Werk! Halt päpstlich Bot!
Stift und opfert! Es gefällt Gott.
Lat Meß lesen! Es kommt zu Steur

den armen Seeln in dem Fegfeur.
Dient den Heiling und ruft sie an!
Tut fleißig gen Vesper, Komplet gahn!
Die Zeit ist kurz; ein iedes merke,
macht euch teilhaftig unser' Werke!
Wir singen, schreien oft mit Kraft,
so ihr daheimen liegt und schlaft."
Des wahren Gottsdienst tunt sie schweigen,
tanzen nach ihrer alten Geigen
und tunt sich schmeichlen um die Laien.
Ihr Weinkeller will ihn' verseihen,
ihr Korenböden werden leer,
man will ihn'nimmer tragen her;
haben doch willig Armut globt!
Jetz sicht man, wie ihr Haufen tobt,
so ihn' abgeht in ihren Kuchen,
wie sie den Luther schmähen, fluchen
ein Erzketzer, Schalk und Böswicht.
Geit sich doch keiner an das Licht!

Die Frösch quaken in ihren Hulen,
bedeuten etlich hohe Schulen,
die auch wider Lutherum plärren
und das ohn all Geschrift bewähren.
Das Evangeli tut ihn' weh.
Ihr heidnisch Kunst gilt nit als eh,
damit all Doctor sind gelehrt,
die uns die Schrift haben verkehrt
mit ihrer heidenischen Kunst.

Auch tragen dem Luther Ungunst
die Wildgäns, deuten uns die Laien,
die ihn verfluchen und verspeien:
„Was will der Münnich Neues lehren
und die ganz Christenheit verkehren?
Unser gut Werk tut er verhühnen.
Will, man soll den Heiinng nit dienen.
Zu Gott allein sollen wir gelfen,
kein Kreatur müg uns gehelfen.
Unser Wallfahrt er auch abstellt.
Von Fasten, Feirn er nit viel hält,
wie wirs lang hant gehabt im Brauch,
desgleich von Kirchen stiften auch.
Die Orden heißt er Menschensünd.
Auch schreibt Luther, es sei kein Sünd,
dann was uns hab verboten Gott;
Veracht damit des Papsts Gebot.
Römischen Ablaß auch veracht;
Spricht, Christus hab uns selig gmacht.
Wer das gelaubt und der hab gnug.
Ich mein, der Münnich, sei nit klug.
Denkt nit, es sein vor Leut gewesen,
die auch haben die Schrift gelesen.
Unser Eltern, die vor uns waren,
sind je auch nit gewesen Narren,
die solche Ding uns han gelehrt.
Hat etlich hundert Jahr gewährt.
Sollten die alle han geirret
und uns mitsamt ihn' han verführet?

Das wöll Gott nit! Das will ich treiben
und in meim alten Glauben bleiben.
Luther schreibt seltsam Abenteuer.
Man sollt ihn werfen in ein Feuer,
ihn und all sein Anhang vertreiben.“
Dies hört man viel von alten Weiben,
von Zopfnunnen und alten Mannen,
die das Evangeli anzahnen,
verachten es in tollem Sinn,
und steht doch unser Heil darin!

Doch hilft alls Widerbellen nicht.
Die Wahrheit ist kommen ans Licht.
Deshalb die Christen wieder kehren
zu den evangelischen Lehren
unseres Hirten Jesu Christ,
der unser aller Löser ist,
des Glaub allein uns selig macht.
Des seint all Menschensünd veracht
und die päpstling Gebot vernicht
Für Lügen und Menschengedicht,
und hangen nur an Gottes Wort,
das man ietz hört an manchem Ort
von manchem christenlichen Mann.
Nun nehmen sich die Bischof an
mitsamt etlich weltlichen Fürsten,
die auch nach Christenblut ist dürsten,
lassen sollich Prediger sahen,
in Gefängnus und Eisen schlahen

und sie zu widerrufen dringen,
ihn' auch ein Lied vom Feuer singen,
daß sie möchten an Gott verzagen.
Das heißt die Schaf in d' Hecken jagen.

Der tut man viel heimlich verlieren,
so sie gleich ihre Lehr probieren.
Einsteils bleiben im eisen Band,
Einsteils verjagt man aus dem Land.
Luthers Geschrift man auch verbrennt
und verbeut sie an manchem End
bei Leib und Gut und bei dem Kopf.
Wen man ergreift, der läßt den Schopf,
oder jagt ihn von Weib und Kind.
Das ist des Entchrists Hofgesind.

Ihr Christen, merkt die trostling Wort!
So man euch fächt hie oder dort,
Lat euch kein Tyrannei abtreiben!
Tut bei dem Wort Gottes beleiben!
Verlasset eh Leib unde Gut!
Es wird noch schreien Abels Blut
über Cain am jüngsten Tag.
Lat morden, was nur morden mag!
Es wird doch kommen an das End
des wahrn Entechrists Regiment.

Daniel an dem neunten meldt
und alle Wahrzeichen erzählt,
daß man ganz klärlich mag verstohn,
das Papsttum deut das Babylon,
von dem Johannes hat geseit.
Darum, ihr Christen, wu ihr seid,
kehrt wider aus des Papstes Wüste
zu unserm Hirten Jesu Christe!
Derselbig ist ein guter Hirt,
hat sein Lieb mit dem Tod probiert.
Durch den wir alle sein erlost.
Der ist unser einiger Trost
und unser einige Hoffnung,
Gerechtigkeit und Seligung
all, die glauben in seinen Namen.
Wer des begehrt, der spreche: Amen!

Ein Epitaphium oder Klagred ob der Leich D. Martini Luthers.

Als man zählt fünfzehnhundert Jahr
und sechsundvierzig, gleich als war
der siebenzehent im Hornung,
Schwermütigkeit mein Herz durchdrung,
und weßt doch selb nit, was mir was.
Gleich traurig auf mir selber saß,
legt mich in den Gedanken tief
und gleich im Unmut groß entschlief.
Mich daucht, ich wär in einem Tempel,
erbaut nach sächsischem Exempel,
der war mit Kerzen hell beleucht,
mit edlem Räuchwerk wohl durchräucht.
Mitten da stund bedecket gar
mit schwarzem Tuch ein Totenbahr.
Ob dieser Bahr da hing ein Schild,
darin ein Rosen war gebildt.
Mitten dardurch so ging ein Kreuz.
Ich dacht mir: „Ach Gott, was bedeut's?"
Erseufzet darob traurigleich.
Gedacht: „Wie wenn die Totenleich
Doctor Martinus Luther wär?"

Indem trat aus dem Chor daher
ein Weib in schneeweißem Gewand,
Theologia hoch genannt.

Die stund hin zu der Totenbahr.
Sie wand ihr Händ und rauft' ihr Haar,
gar kläglich mit Weinen durchbrach.
Mit Seufzen sie anfing und sprach:
„Ach, daß es müß erbarmen Gott!
Liegst du denn ietz hie und bist tot?
O du treuer und kühner Held,
von Gott, dem Herren, selb erwählt,
für mich so ritterlich zu kämpfn,
mit Gottes Wort mein Feind zu dämpfn,
mit disputiern, schreibn und predigen,
darmit du mich denn tätst erledigen
aus meiner Trübsal und Gezwängnus,
meiner babylonischen Gfängnus,
darin ich lag so lange Zeit
bis schier in die Vergessenheit
von mein' Feinden in Herzenleid,
von den mir mein schneeweißes Kleid
vermailicht wurd schwarz und besudelt,
zerrissen und scheutzlich zerhudelt,
die mich auch hin und wider zogen,
zerkrüppelten, krümmten und bogen!
Ich wurd geradbrecht, zwickt und zwagt,
verwundt, gemartert und geplagt
durch ihr gottlose Menschenlehr,
daß man mich kaum kunnt kennen mehr.
Ich galt endlich gar nichts bei ihn',
bis ich durch dich erledigt bin,
du teurer Held, aus Gottes Gnadn,

da du mich waschen tätst und badn
und mir wieder reinigst mein Wat
von ihren Lügen und Unflat.
Mich tätst du auch heilen und salben,
daß ich gesund steh allenthalben,
ganz hell und rein, wie im Anfang.
Darin hast mich bemühet lang,
mit schwerer Arbeit hart geplagt,
dein Leben oft darob gewagt,
weil Papst, Bischöf, Künig und Fürsten
gar sehr nach deinem Blut was dürsten,
dir hintertückisch nachgestellt.
Noch bist du als ein Gottesheld
blieben wahrhaft, treu und beständig,
durch kein Gefahr worden abwendig
von wegen Gottes und auch mein.
Wer wird nun mein Verfechter sein,
weil du genummen hast ein End?
Wie wird ich werden so elend?
Verlassen in der Feinde Mitt?"

Ich sprach zu ihr: „O fürcht dir nit,
du Heilige! sei wohlgemut!
Gott hat dich selbs in seiner Hut,
der dir hat überflüssig geben
viel trefflich Männer, so noch leben.
Die werden dich handhaben fein
samt der ganz christlichen Gemein;
der du bist worden klar bekannt

schier durchaus in ganz deutschem Land.
Die all werden dich nicht verlassen,
dich rein behalten allermaßen
ohn Menschenlehr, wie du ietz bist.
Darwider hilft kein Gwalt noch List.
Dich sollen die Pforten der Hellen
nicht überwältigen noch fällen.
Darum so laß dein Trauren sein,
daß Doctor Martinus allein
als ein Überwinder und Sieger,
ein recht apostolischer Krieger,
der seinen Kampf hie hat verbracht
und brochen deiner Feinde Macht
und jetz aus aller Angst und Not
durch den mild barmherzigen Gott
gefordert zu ewiger Ruh!
Da helf uns Christus allen zu,
da ewig Freud uns auferwachs
nach dem Elend! das wünscht Hans Sachs."

Inhalt zweierlei Predig, iede in einer kurzen Summ begriffen.

Summa des evangelischen Predigers.

Ihr Kinder Christi, merkt und hort
fleißig das heilsam Gotteswort!
Der Mensch von einem Weib geborn
ist fleischlich unter Gottes Zorn,
kann nicht halten Gottes Gebot.
Wenn er denn erkennt solche Not,
so wird er denn elend, trostlos,
nimmt an das Evangeli, bloß
Christus einiger Mittler sei
und unser Fürsprecher darbei.
Wann er selb spricht, er sei nit kummen
auf Erd den Gerechten und Frummen,
sunder dem Sünder, er selb spricht,
der Gsund bedürf des Arztes nicht.
Darum hat er uns hie auf Erd
das Evangelium erklärt,
ist williglich für uns gestorben
und bei dem Vater Huld erworben,
das Gsetz erfüllt mit eignem Gwalt,
den Fluch vertilgt, die Sünd bezahlt.
Derhalb spricht er: Wer glaubt an mich,
der wird nit sterben ewiglich.
Das ist in einer kurzen Summ

die Lehr im Evangelium.
So nun der Mensch solliche Wort
von Jesu Christo sagen hort
und die gelaubt und darauf baut
und den Worten von Herzen traut,
der Mensch denn neu geboren wird,
mit dem heiligen Geist geziert,
dient Gott im Geist und der Wahrheit
und wird inwendig gar verneut.
Ob allen Dingen er Gott liebt
und sich ihm ganz und gar ergibt,
hält ihn für ein genäding Gott.
In Trübsal, Verfolgung und Tod
er sich alls Guts zu Gott versicht.
Gott geb, Gott nehm und was geschicht,
ist er willig und Trostes voll
und zweifel nit, Gott wöll ihm wohl
durch Jesum Christum, seinen Suhn.
Der ist sein Hoffnung, Trost und Wunn.
Dies ist der wahr christlich Gelauben,
den auch der Teufel nit kann rauben
mit dem Gwalt der hellischen Pforten.
Den erlangt man aus Christi Worten,
bekennt das vor der Menschen Kind,
darob all Märtrer gstorben sind.
Solcher Glaub sich denn auch ausbreit
in Werken der Barmherzigkeit,
tut seinem Nächsten alles Guts
aus milder Lieb, sucht keinen Nutz

mit raten, helfen, geben, leihen,
mit lehren, strafen, Schuld verzeihen,
tut iedem, wie er selber wollt,
daß ihm von je'm geschehen sollt.
Doch ist das Fleisch darwiderstreben,
mit dem der Geist muß kämpfen eben.
Die alls ist ein wahr christlich Leben.

Summa des päpstlichen Predigers.

Ihr Christen, hört, was euch sagt Gott
und der römischen Kirchn Gebot,
wie sie die Päpst verordnet han!
Die sollt ihr halten bei dem Bann,
und viel guter Übung darneben
gehören zu eim geistling Leben.
Wer Gnad hat, der soll geistlich wern,
soll Kutten tragen, Kopf beschern,
beten Metten, Vesper, Komplet,
viel fasten mit langem Gebet,
mit Gerten hauen, kreuzweis liegen,
mit knien, neigen, bückn und biegen,
mit Glocken läuten, Orgel schlagn,
mit Heiltum zeign und Fahnen tragn,
mit räuchern und mit Glocken taufen,
mit terminieren, Gnad verkaufen,
mit Kerzen, Salz, Wachs, Wasser weihen;
und dergeleichen auch ihr, Laien,

mit opfern und dem Lichtlein brennen,
mit Wallfahrt zun Heiligen rennen,
den Abend fastn, feiern den Tag
und beichten, sooft einer mag,
mit Bruderschaft und Rosenkranz,
mit Kronbet und dem Psalter ganz,
mit Pacem küssen, Heiltum schauen,
mit Meß stiften und Kirchen bauen,
die Priesterschaft halten in Würden,
die Gottshäuser schmücken und zieren.
Laßt Meß lesen! es kummt zu Steuer
den armen Seeln in dem Fegfeuer.
Auch welches an dem Geld vermag,
findt römisch Ablaß alle Tag
für Pein und Schuld in dieser Zeit,
daß er nach dem Tod wird gefreit.
Tust hie viel Guts, dasselb dort findst.
Dies alles ist der recht Gottsdienst,
als im geistlichen Recht ist bschrieben,
das unser Eltern haben trieben,
die auch nit sind gewesen Narren.
Darum seid stet und fest beharren!
Die römisch Kirch die kann nit irren.
Der Papst all Ding ist konfirmieren,
der hie sitzet an Gottes Statt
und Gwalt auf ganzer Erden hat
über die ganzen Christenheit.
Der ordiniert ihr Geistlichkeit;
wer von ihm nit entpfächt sein Salben,

soll man vertreiben allenthalben.
Viel Ketzerei im Land umgaht.
Hüt euch darfür! das ist mein Rat.
Es kann in d' Läng nit bstehn fürwahr.
Unser Glaub etlich hundert Jahr
gewähret hat in großer Ehr.
Gott geb, noch länger und ie mehr!
Und endlich, summa summarum,
tut, was ich sag! so seid ihr frumm.

Amen.

Beschluß.

Hie urteil recht, du frummer Christ,
welche Lehr die wahrhaftigst ist!

Liebe und Ehe

Ein schons Buhllied einer ehrlichen Frauen mit eim Namen in den Anfängen.

Mir liebt in grünem Maien
die fröhlich Summerzeit,
in der sich tut erfreuen
mit ganzer Stetigkeit
die Allerliebst auf Erden,
die mir im Herzen leit.

Ach Mai, du edler Maien,
der du den grünen Wald
gar herrlich tust erfreuen
mit Blümlein mannigfalt,
darinnen tut spazieren
mein Feinslieb wohlgestalt.

Gott, du wöllest mir geben
in diesem Maien grün
ein frohlich, gsundes Leben,
darzu die Zart und Schön,
die du mir hast erkoren,
die mir ihr Lieb vergünn.

Darum, du grüner Maien,
wann ich an die gedenk,
die mein Herz tut erfreuen,
der ich viel Seufzen senk,
dieweil ich leb auf Erden,
mein Herz nit von ihr wänk.

Ach, halt an Treu und Ehren,
mein allerhochster Schatz,
und laß dich nit abkehren
des schnöden Klaffers Schwatz,
gib ihren falschen Zungen
in deim Herzen kein Platz.

Lieb! ach wollt Gott, mein Herze
künnst sehen in dem Grund,
wie das in Liebesschmerze
von dir ist worden wund!
Tu das mit eim Wort trosten!
So wird mein Herz gesund.

Ewig wollt ich mich freuen,
wenn ich dein eigen wär,
und dir dienen in Treuen.
Deshalb fürcht kein Gefähr!
Nichts ich, denn Ehr und Glücke,
von Gott und dir begehr.

Nach Silber und nach Golde
tu ich nit sehnen mich,
als der, die ich herzholde
hab, zu der mich versich
aller Lieb, Treu und Ehre,
weil ich leb auf Erdrich.

Ach tu von mir nit kehren
in Liebesanefang!
Hoffnung tut mich ernähren
forthin mein Leben lang.
Viel tausend guter Nachte
wünsch ich dir mit Gesang.

Ein schöns Lied einer ehrlichen Jungfrauen in eignem Ton mit ihrem Namen in fünf Buchstaben.

Mein Herz hat mir umfangen
mit süßer Liebe Brunst,
mit Sehnen und Verlangen
in treuer Lieb und Gunst
ein Jungfrau, schön und zart,
ganz tugendhafter Art:
Dieweil ich lebt auf Erden
kein Mensch mir lieber ward.

Ach wollt Gott, daß die Reine
erkennt mein Herz und Gmüt,
daß ich begehr alleine
Gnad ihr mildreichen Güt.
Darauf tu hoffen ich,
sie wird aufnehmen mich
zu eim treuen Liebhaber
hie und dort ewiglich.

Rein in ehlicher Treue,
in Lieb und Stetigkeit
sich unser Lieb verneue
unsers ganz Lebens Zeit,
daß sich mehr' beidersam
unser Geschlecht und Stamm,

fruchtbar mit Heil und Glücke,
mit untödlichem Nam.

Ich bitt, du einigs Eine,
du mein herziges Herz,
gib dein Willen dareine,
so nehmt ein End mein Schmerz.
Gut Hoffnung mich ernährt,
dein Herz werd zu mir kehrt;
wär mir die höchste Freude,
würd mir das Heil beschert.

All Hoffnung tu ich setzen,
mein höchster Schatz, auf dich,
du werdst mich Leids ergetzen,
günstig begnaden mich,
daß du werdst ewig mein
und ich werd ewig dein
in dem ehlichen Stande.
Wie möcht uns baß gesein?!

Kampfgespräch von der Lieb

Ich bin genannt der Liebe Streit,
sag von der Liebe Wunn und Freud,
darzu von Schmerz und Traurigkeit,
so in der Lieb verborgen leit.

Einsmals was mir mein Weil gar lang.
Ich tät durch Kurzweil einen Gang
über ein Wasser in ein Auen.
Nach Herzenlust ward ich anschauen
das grüne Gras mit Blau gemenget,
mit Rot und Weiß zierlich durchsprenget.
Darunter ward gemischet da
die Lilien braun und Veiel blau.
Dardurch wuot ich mit Freuden hin.
Für einen Wald stund mir mein Sinn,
darin mannicher Vogel sang.
Also kehret ich meinen Gang
mit Freuden in das Holz hinein.
Da sah ich viel der wilden Schwein.
Viel Hasen, Hinden, Rech und Hirschen
sah ich in grünem Holz umpirschen,
Wölf, Füchs und auch viel grimmig Bären.
Indem begunnt ich weiter kehren
und kam zu einem kleinen Bach.
Demselbigen dem ging ich nach,
nur Fuß für Fuß für lange Weil

in dem Wald auf eine halbe Meil
zu einem Brünnlein frisch und kalt.
Des klaren Wassers nahm ich bald.
Der Durst gab mir nit mehr zu schaffen.
Ich dacht: ich will mich legen schlafen
ein Weil, und sucht, bis ich ward finden
ein Schatten unter einer Linden.
Ich legt mich nieder in das Gras.
Das war von kühlem Taue naß.
Erst ward mir basser viel, dann vor.

Mein Haupet hub ich auf entpor.
Von ferren sah ich zuhergahn
ein alten, ehrbern, grauen Mann.
Von schwarzer Farb so was sein Kleid.
Ich merket wohl, daß er trug Leid.
Derselb auch zu dem Brünnlein kam
und auch des frischen Wassers nahm.
Von dem Brünnlein kehrt er bald wieder.
Bei einer Eichen saß er nieder.
Sein Haupt neiget er in sein Händ.
Er weßt mich nit an diesem End.
Nachdem da kam ein Ritter stolz
geritten durch das grüne Holz,
von brauner Farb was sein Gewand,
der ohngefähr das Brünnlein fand.
Zu dem der junge Ritter kehret,
der auch des Alten Klag erhöret.
Er kehret um und sach ihn an

und sprach: „Mein Freund, wer hat Euch tan,
daß Ihr also betrübet seid?"

Der alt Mann sprach: „Ich hab groß Leid.
Wöllt Ihr dasselbig wissen schier,
so steiget ab! setzt Euch zu mir!"
Abstieg der edel Ritter kühn,
band sein Roß an die Linden grün.
Darunter lag ich ruhen do.
Er sach mich nit, des war ich froh,
und ging, setzt zu dem Alten sich.
Der alt Mann sprach: „Vernehmet mich!
In dieser Nacht so ist mir heint
mein Suhn gestorben, der best Freund,
ein Jüngeling bei zweinzig Jahren.
Dem was ein Krankheit widerfahren,
die ihm von keinem Arzt auf Erden
mitnichte mocht gebüßet werden,
bis doch der Tod ihn nahm von hin.
Darum, Ritter, ich traurig bin,
verzehr mein Zeit in Ungemach."

Der Ritter zu dem Alten sprach:
„Es ist leicht der Aussatz gewesen.
Von dem hab ich oft hören lesen,
wie darvon werde niemand rein."
Der alt Mann sprach: „Ach Ritter, nein,
seiner Krankheit ich Euch bescheid.
Sich hat begeben kurzer Zeit,

daß ihm sein Herz ward hart verhauen
in strenger Lieb gen einr Jungfrauen;
des ich ihm doch nicht wollt verhängen,
daß er sie nehm, tät das verlängen.
Dieweil gab man ihr zu der Eh
ein Edelmann, als ichs versteh.
Das kränket meinen Suhn so fast,
hätt darnach weder Ruh noch Rast.
In sollichem Sehnen und Leiden
ist er in dieser Nacht verscheiden.
Darzu hat ihn die Lieb genöt'.
Kein Krankheit er sonst an ihm hätt.
O Lieb, du falsch verfluchtes Kraut,
vermaledeit ist, wer dich baut.
Du bringest manchen um sein Leben.“
Der Ritter gunnt bald Antwort geben,
sprach: „Es geschicht gar oft und dick,
daß in die Lieb kummt Ungelück,
wiewohl ich von Euch hab gehört,
die Lieb hab Euren Suhn ermördt.
Da ist die Lieb unschuldig an.
Es hats das Ungelück getan.
Um Unschuld Ihr der Liebe fluchet.
Ich glaub, daß Ihr nie habt versuchet
der Liebe übersüße Frücht.“

Der alt Mann sprach: „Ich laugne nicht,
mein Herz hat nie kein Lieb erkennt.
Ich hab es allzeit abgewendt,

wann Lieb ist nichts, dann bitter Leiden,
vermischet gar mit kleinen Freuden,
als Ovidius hat beschrieben.
Darum die Lieb von mir ist blieben
allzeit verschmähet und veracht."
Der Ritter sah ihn an und lacht'.
„Ihr sprecht, die Lieb sei Leides voll.
Dasselb gelaub ich nit gar wohl.
Sei Turnieren, Tanzen und Springen,
all Saitenspiel, Hofieren, Singen
und was man Kurzweil mag gepflegen,
geschicht alls von der Liebe wegen.
Seit dann all Freud Lieb dienen sein,
so denk ich in dem Herzen mein,
Lieb sei die höchste Freud auf Erd."

Der Alt sprach: „Edler Ritter wert,
wen die Lieb hat so streng behaft',
dem nimmt sie all sein Sinn und Kraft.
Er acht nicht Reichtum, Ehr, noch Kunst,
sehnt sich allein nach Lieb und Gunst,
darvor er nimmer Ruh gewinnet.
Tag unde Nacht der Lieb er dienet
und hat doch selb kein Freud darvon.
Zuletzt gibt sie oft bösen Lohn.
Wurd nicht Herr Achilles, dem Ritter,
der Liebe Dienst sauer und bitter,
die er nach Polixene trug?
Die schuf, daß ihn ihr Bruder schlug

fälschlich zu Tod, den kuonen Held.
Also ihm mancher auserwählt
ein Lieb und dient ihr lange Zeit,
die ihm zuletzt den Lohn auch geit.
Der hat zu dem Schaden den Spott."

Der Ritter sprach: „Ja, das walt Gott!
So Unglück ist den Weg beschließen
und keiner List mügen genießen,
jedoch ernähret sie Hoffnung."
Der alt der sprach: „O Ritter jung,
wie bitter wird dann da ihr Leiden,
so Herzlieb von Herzlieb muß scheiden,
Etwan viel Meil in fremde Land,
und gänzlich kein Hoffnung mehr hant,
zusammzukummen nimmermeh!
O Ritter, das ist herzlichs Weh,
das ich geleich dem grimmen Tod.
Des kam Lukretia in Not,
da Euryalus von ihr schied
und für sie durch die Stadt ausritt.
Zu Stund verkehret sie ihr Farb,
zuletzt vor großem Leide starb,
als auch sunst ist noch mehr geschehen.
Darum von Liebe mag ich jehen,
es sei ein Schmerz ob allem Schmerz."

Der Ritter sprach: „Zwei treue Herz
scheiden sich voneinander nit,
je eines nimmt das ander mit,
wo es zuwegen bringen kann.“
Bald anwort ihm der alte Mann:
„Es bleibt aber, nit ungerochen.
Paris ward auch darum erstochen,
da er die schön Helena nuhm.
Also in Summe summarum
So ist Lieb Leidens Anefang,
der Seel ein übergiftig Trank,
dem Leib ein wütend Regiment,
dem Herzen ein trauriges End,
ein Blendung der Vernunft und Sinn,
ehlicher Keuschheit Störerin,
ein Verwüstung sittlicher Tugend,
ein Verderbung der zarten Jugend,
ein Schiff, das Krankheit bringen tut,
ein Schlüssel auch zu der Armut,
ein Sündfluß, Laster, Sünd und Schand,
ein Zerstörung Leut unde Land,
ein Feindschaft gen der Welt und Gott,
ein Port vom Leben zu dem Tod.
Dies alles die Lieb bringen tut.“

Der Ritter lacht, sprach wohlgemut:
„So bin ich auch an dieser Schar,
was Unglück mir halt widerfahr,
wann ich hab auch ein lange Zeit

in Lieb versuchet Freud und Leid
mit einer edlen Herzogin,
nachmals mit mir geführet hin.
Aus Frankenreich bring ich sie her,
da hat sie lassen Gut und Ehr
und ist mit mir gezogen bald.
Die wart' auf mich in diesem Wald
dort bei einem Rosengedürn.
Daraus da sprang ein Eingehürn,
dem bin ich lang geritten nach,
bis daß ich dieses Brünnlein sach.

Also ich zu Euch kommen bin.
Nun will ich wieder reiten hin,
da ich die Auserwählten find."
Der alt Mann sprach: „Bös Mär da sind.
Ich sag Euch das bei meinen Treuen:
Es wird Euch noch von Herzen reuen,
habt Ihr geführet hin die Frau."
Der Ritter sprach: „Ich hoff und trau:
es soll mich reuen nimmermehr.
Für sie setz ich Leib, Gut und Ehr."

In dem der Alt gen Himmel sach.
Da kam geflogen also hoch
ein Greif freisam, greulich und wild,
der führt mit ihm ein Weibesbild,
das schrei gar laut mit seiner Stimm.
Der Greif zureiß das Weib mit Grimm.

Das Haupt fiel herab in das Gras.
Der alt Mann bald aufzucket das,
gab es dem Ritter, ließ ihns schauen;
da war es seiner lieben Frauen,
von der er erst gesaget hätt.

Ein Seufzen tief er senken tät
und ließ gar ein kläglichen Schrei:
„O weh! nun ist mein Freud entzwei."
Sein schöne Farb er da verkehrt
und sank darnieder zu der Erd.
Der Alt mit Wasser ihn erquicket.
Der Ritter trauerlich aufblicket.
Der alt Mann sprach: „O strenger Ritter,
ist Euch die süß Lieb worden bitter,
die Ihr gar lang mit süßen Worten
versprochen habt an allen Orten?
Schau, wie elend sie Euch bekränket!"

Der Ritter einen Seufzen senket,
indem ein kleine Kraft empfing.
Der alt Mann zu der Linden ging
und löset ab des Ritters Roß,
führts, da der Ritter saß kraftlos.
Der saß auf mit betrübtem Sinn,
nahm das tot Haupt und ritt mit hin.
Der alte Mann der ging auch mit.
Wo sie hinkamen, weiß ich nit.

Bald ich sie nimmer sehen kunnt,
mit großen Forchten ich aufstund.
Vor Wunder kunnt ich kaum genesen.
Ich dacht: Es ist ein Traum gewesen.
Ich ging gar schnell hin zu der Eichen,
ob ich möcht finden ein Wahrzeichen.
Gelb Frauenhaar, die waren blutig,
fand ich; darvon ward ich unmutig.
Bald aus dem Wald macht ich mich da.
Ich ward traurig und wunderfroh.
Mit großer Eil ich heimhin kam.
Die Materi ich für mich nahm
und reputieret alle Ding.
Darnach zu dichten ich anfing,
die Lieb meint damit zu ergründen.
Mein Sinn mochten kein Grund nit finden.
Darum ich endet mein Gedicht,
zu einer Warnung zugericht,
auf daß, wer Lieb im Herzen hab,
der laß zu rechter Zeite ab
und spar sein Lieb bis in die Eh,
dann halt ein Lieb und keine meh,
daraus ihm Glück und Heil erwachs!
Den treuen Rat gibt ihm Hans Sachs.

Die achtzehn Schön einer Jungfrauen.

Nächten zu Abend ich spaziert
auf freiem Mark und phantasiert,
zu machen ein neues Gedicht.
Indem da kam mir zu Gesicht
ein Jungfrau, gar höflich geziert,
gar adelich geliedmasiert,
dergleich ich mein Tag nie hätt gsehen.
Des ward ich zu mir selber jehen:
Wahrhaft die Schön der Jungfrau da
vergleicht der schön Lucretia.
Des ich mich gleich verwundern kunnt
und da geleich stockstiller stund
und dacht, wer nur die Jungfrau wär.
In dem die Zart trat zu mir her
mit leisen Tritten, Fuß für Fuß,
und grüßet mich mit Worten süß
und sprach, wes ich tät warten hie.

Ich sprach: „Zart Jungfrau, merket, wie
ich steh, zu schauen Euer Schön,
die ich ob allen Weiben krön'!
Wann ich sach nie schöner Figur.
Der sieben Schön tragt Ihr ein Kur,
die doch all sieben traget Ihr."
Da sprach die zart Jungfrau zu mir:
„Seind denn der Schön nit mehr denn sieben?

Wo habt Ihr das funden geschrieben?"
Ich sprach: „Ich hab bei meinen Tagen
von sieben Schönen hören sagen."
Sie sprach: „Der Schön sind wohl achtzehen,
die natürlichen Meister jehen;
die werden ausgeteilt darbei
in sechs Teil, jeder Teil hat drei.
Drei kurz sind im ersten Anfang,
darnach in dem andren drei lang,
und zu dem dritten sind drei lind,
und zum vierten drei schneeweiß sind,
und zum fünften drei rosenrot,
zum sechsten drei kohlschwarz sind not."
Ich sprach: „Der ding versteh ich nicht.
Ich bitt, der Ding mich baß bericht;
wann ich nie Liebers hört auf Erd."

Sie sprach: „Seit Ihr denn das begehrt,
so will ich Euch die übersummen –
ahn eine, die sei ausgenummen,
als Ihr werdt hören an dem End.
Von erst hab ich drei kurz genennt:
Das sind zwei kurze Ferslein schien,
das dritt ein kurz gespalten Kinn.
Nachdem drei lang sagt man vorzeiten:
zuerst zwo lang geronig Seiten,
das dritt ein lang goldgelbes Haar.
Drei lind, der sollt Ihr nehmen wahr:
Das erst zwei zarte Händlein sind

und auch ein Bäuchlein weich und lind.
Zu dem vierten drei schneeweiß sein:
Die ersten zwei weiße Brüstlein,
die dritt ein weißes Hälslein ist.
Die fünften, drei rosenrot wißt!
Zwei rote Wänglein tu ich kund,
die dritt ein rosenfarben Mund.
Die sechsten drei schwarz als ein Kohl:
Zwo sind zwei schwarze Äuglein wohl,
die letzt schwarz ich nit nennen kann;
ist, die ich ausgenummen han.
Der Schön Ihr siebenzehen hat.
So Ihr die achtzehent errat,
so schenk ich Euch dies Kränzlein grün."

Ich sprach: „O zarte Jungfrau schön,
ich bin jetz darauf nit bedacht."
Sie sprach: „Nehmt Ziel die langen Nacht
und morgen bis auf diese Zeit!
So kummt her und mich des bescheidt!"
Mitdem die Zart schied von mir hin.
Nun ich die Nacht gelegen bin
und hab mich auf die Schön besunnen,
aber ich hab ihr nit gesunnen,
was die dritt kohlschwarz Schön mag sein.
Darum kumm ich zu Euch herein,
Euch zu fragen um Rat und Lehr,
was die dritt kohlschwarz Schöne wär,
daß mir würd des Kränzleins geschmachs.
Verargt mirs nit! das bitt Hans Sachs.

Die zween betrognen Buhler.

In der Stadt Pistoya saße
ein Wittfrau, die genennet wase
Francisca, doch der Jahr nit alt,
von Leib ganz engelisch gestalt'.
Um die buhlten zween, Alexander
der ein und Rinuczo der ander,
mit Hofieren und Botschaft schicken,
ihr Herz mit Liebe zu verstricken.
Keiner es von dem andren weßt.
Die Frau war frumm und ehrenfest.
Der Buhler nicht abkummen kunnt,
bis sie doch einen List erfund.

Stanadio, der bösest Mann
und ungeschaffenst von Person,
eins Tags verschieden war mit Tod.
Alexandro die Frau entbot,
hätt er sie lieb, daß er im Grab
dem Toten sein Kleid züge ab
und sich darein zum Toten leget,
die langen Nacht ohn Forcht beweget.
Rinuczo entbots bei dem Knecht,
hätt er sie lieb, daß er ihr brächt
den toten Mann um Mitternacht.
Tät er das nit, daß er nur tracht,
ihr müßig ging in allen Ecken.

Wollt sie also allbeid abschrecken.
Alexandrum die brünstig Lieb
Zu Nacht hinauf den Kirchhof trieb,
stieg ins Grab zu dem toten Mann
und legt sein Totenkleider an,
legt sich neben ihn ein das Grab,
unmenschlich Forcht ihn bald umgab.
Bald es um Mitternachte war,
schlich Rinuczo zum Grabe dar
und den Deckel vom Grabe rückt
und sich mit Forchten hineinbückt,
Alexandrum mit Forcht und Graus
bei seinen Füßen schleppt heraus
und ward ihn auf die Achsel fassen,
trug ihn hinein der Frauen Gassen.
Die Frau an einem Fenster stund,
bei dem Monschein sie sehen kunnt,
wie mit dem Toten er herzug.
Nun ahngefähr es sich zutrug,
die Schergen da verborgen lagen.
Als sie sahen den Toten tragen,
mit großer Rumor auf ihn stießen
gewappnet mit Schwertern und Spießen,
fuhren ihn an mit Worten scharf.
Den toten Mann er von ihm warf,
gleich einem großen Mühlsack schwer;
fliehend anhub zu laufen er;
auch fuhre auf der tote Mann,
ein andre Gassen ein entrann.

Die Frau kunnt ihr' von Herzen lachen,
also mit den listigen Sachen
ihr' Buhler alle beid abkam.
Also ein Frau in Zucht und Scham
all Buhler soll von ihr abtreiben,
Tut Johann Boccacius schreiben.

Die drei Frauen mit dem Borten.

Auf einem Weg drei Frauen frei
funden ein Borten alle drei.
Nun wollt jede den Borten han,
die erst sprach: „Welche ihren Mann
am allersehrsten mag betören,
derselben soll der Bort gehören."
Die Sach war schlecht. Die erst heimlief,
fand, daß ihr Monn dort lag und schlief,
Ruß und Safran sie ihm anstreich
und macht in allen schwarz und bleich,
weckte ihn, schrei: „O, ich bin verdorben;
mein lieber Mann, du bist gestorben."
Sie trug ihm einen Spiegel dar.
Als er so bleich und tödlich war,
schwieg er und redt kein Wort darwider.
Er hätt sich erst geleget nieder,
die Nacht war gsessen bei dem Wein,
sich voll gesuffen wie ein Schwein.
Sie näht ihn ein: als es wollt tagen,
wurd er in die Kirchen getragen.

Die ander Frau ging heim zuhand,
ihren Mann sie auch schlafend fand,
der nachts studvoll gewesen war.
Wie bald sie ihm ein Platten schor,
sprach: „Herr, steht auf! vor allen Dingen

dem Kunzen müßt Ihr Seelmeß singen."
Er sprach: „Ersichst mich für ein Pfaffen?"
Sie sprach: „Herr, tut nit lang umgaffen!"
Er griff die Platten auf dem Kopf,
in Sakrer ging der volle Tropf,
der Platten halb unkenntlich war,
legt sich an, ging über Altar.

Die dritte Frau auch heim hinlief,
fand, daß ihr Mann voll war und schlief.
Sie weckt' ihn, spie in beide Händ,
strich ihm die über seine Lend,
gleichsams die Federn ihm abstrich:
„Du volle Sau, wie hast du dich,"
sprachs, „in Kleidern geschwellet nieder?
Steh auf, geh in die Kirchen wieder!
Dein Nachtbaur Kunzen wird man bsingen."
Er sprach: „Was sagst du von den Dingen?
soll ich nacket in d' Kirchen gohn?"
Sie sprach: „Hast doch dein Kleider an,
du volle Sau, has nit abzogen."
So ging er dritt Mann hin betrogen.

Als man zu opfern anefing,
der Nackat auch gen Opfer ging,
doch ging er seines Beutels irr,
er sucht, griff ihm selb an das Gschirr.
Der Pfaff sach dies und sprach: „Du Narr,
gehst du denn nackat in die Pfarr?"

Der Nackat sprach: „Was machst du hie?
Du lernst doch kein Buchstaben nie."
Der Tot dieser närrischen Sachen
fing auf der Bahr laut an zu lachen.
Der Pfaff den Nackatn bei der Hand
führt, da er auch den Toten fand.
All drei sie wieder gingn zum Wein.
Welcher Frauen der Bort soll sein,
gib ich euch, Meister und Gesellen,
in der Sach ein Urteil zu fällen.

Der Töchterlein Feind.

Vor Jahrn zu Schwaz ein Bürger saß,
der sehr reich an seim Gute was,
das Bergwerk hätt ihm glücklich ton,
das sunst oft macht ein armen Mann.
Nun dieser Bürger hätt ein' Suhn,
dem er war verheiraten tun
eins Bürgers Tochter, schon und frumm,
tugendhaft mit großem Reichtum,
der Vatr und Mutter war abgangen.
Also mit Herrlichkeit und Prangen
man diese Hochzeit tät verrichten.
Alsbald aber nach den Geschichten
die junge Frau wurd schwangerhaft,
des freuet sich die ganz Freundschaft.
Als sie nun nach der Zeit gebar
und das Kind ein Töchterlein war,
darob hätt der jung Mann ein Grauen
und mäulet sich ob seiner Frauen;
wann er hätt lieber ghabt ein Suhn,
durch welchen sich hätt mehren tun
sein Geschlecht und herrlicher Stamm,
sein Titel und sein großer Nam.
Derhalb er gar unlustig war
ob dem Kind und der Mutter gar,
wann er war viel reicher an Gut,
denn reich an Vernunft, Sinn und Mut.

Eh nun verging ein Vierteiljahr,
die Frau wiederum schwanger war.
Bald sollichs der jung Mann erfuhr,
er ihr ein härten Eide schwur:
Brächts ihm wieder ein Töchterlein,
so sollts ihr letztes Ende sein.
Die Frau des hart bekümmert ward
und forcht den ungschlachten Mann hart.
Wann sie weßt sein störrischen Sinn,
und wie er tobet für und hin.
Jedoch tät sie bei ihr ratschlagen
und tät es ihrem Schwäher klagen.
Der war ein weis, vernünftig Mann,
welicher lieb und wert war han
sein Schnur, weil sie tät, was sie sollt,
züchtig, ghorsam, den Ehren hold.
Der sprach: „Mein Schnur, sei Sorgen ohn',
den Sachen will ich gar wohl ton,
daß er zufried soll bleiben tun,
du bringst gleich Tochter oder Suhn.
Derhalb sei du nur guter Ding."
Nach dem der alte Herr hinging,
und beschloß in eim Kästlein klein
etlichen Sand und Kieselstein,
das er wohl war versperren tun,
und beruft darnach seinen Suhn,
sprach: „Lieber Suhn, behalte mir,
wie ich alls Guts vertraue dir,
dies klein Kästlein mit rotem Gold!

und mir dasselb nit offnen sollt;
wenn ich das wieder fordr von dir,
daß du das wiedergebest mir."
Der Suhn das Kästlein da entpfing.

Als nun etlich Monat verging,
da ward der jungen Frauen weh
wieder zu dem Kind, gleich als eh,
doch mit Gottes Hilf bald gebar
ein Kind, das auch ein Tochter war.
Derhalben erschrak sie von Herzen,
wurd voll Betrübnus, Angst und Schmerzen,
forcht ihren Mann, der ihr hart droht.
Als man dem bracht das Botenbrot,
daß ihm ein Tochter war geborn,
da ergrimmet der Lapp mit Zorn
und rumoret um in dem Haus,
sam wollt er fahren oben aus,
schlug ein Tür auf, die ander zu,
schalt und flucht' gar ahn alle Ruh;
sein Vater trat zu ihm hinein,
wünscht ihm Glück zu dem Erben sein.
Der Suhn sprach: „Mein heilloses Weib
die hat mir aber bracht von Leib
ein Maidlein, das ich ihr vorab
an ihren Hals verboten hab.
Des soll sie auch nach meiner Sag
fort bei mir habn kein guten Tag
mit ihrem eignsinnig Kindtragen."

Der Vater tät zum Suhne sagen:
„Gib mir mein Kästlein mit dem Gold,
ein Schuld ich mit bezahlen sollt."
Das Kästlein bracht der Suhne bald.
Als das aufsperrt der Vater alt,
da war darin kein Gold allein,
sunder nur Sand und Kieselstein.
Der Vater sprach: „Was soll das sein?
Wo ist hinkummen das Gold mein,
das ich dir zu behalten gab?"
Der Suhn antwort: „Vater, ich hab
dir nichts entwendet, bei meim Leben!
Wie du mirs hast zu bhalten geben,
also hast du's auch wiederum.
Hast mir geben Goldes ein Summ,
so findst du's da wieder allein;
hast mir dann geben Kieselstein,
so findst du sie auch wiederum."

Da antwort der alt Vater frumm:
„Also, mein Suhn, ist es auf Trauen
auch eben gleich mit deiner Frauen.
Was du ihr gabst vor diesen Dingen,
das tut sie dir auch wiederbringen:
hättst du ihr geben einen Suhn,
so hätts' ein Suhn dir bringen tun;
du aber hast ihr ein Maidlein geben,
dasselb bringts' dir auch wieder eben.
Derhalb darfst ihr geben kein Schuld

und haben solch groß' Ungeduld
ob deim Weib, sie ist frumm und bieder.
Was du ihr gabst, das bracht sie wieder.
Drum ist die Schuld allein nur dein,
ob sie gleich bringet Tochterlein.
Laß dirs lieb sein, als wärens Sühn,
und halt dein Weib ehrlich und schün,
weils' dir ist ghorsam untertan!
So tust du gleich eim Biedermann."

Der Schmied mit seiner geistlichen Frauen.

Am Bodensee zu Lindau saße
ein Schmied, der ein fröhlich Mann wase,
jung und stark mit gesundem Leib.
Der hätt ein sehr geistliches Weib,
die in der Kirchen über Tage
zu beten auf den Knien lage.
Und wenn der Schmied sein ehlich Pflichte
wollt haben, wollt sie allmal nichte
und allmal seltsam Ausred macht,
er sollt schonen der heiling Nacht,
und weiset ihn in den Kalender,
er sollt nit sein der Heiling Schänder,
daß ihn nit treff' der Heiling Straf –:
„Darum wend dich hinum und schlaf
und laß mich keusch und heilig leben!"
All Nacht tät sie solch Antwort geben,
daß der Schmied in solichem Furm
an seim Weib verlor manchem Sturm
und mußt sich umwenden und fliehen,
mit sein armen Leuten abziehen.

Solichs geschach schier alle Nachte.
Der Schmied ihm einen List erdachte:
wann er in seiner Kammer hätt
gar guter zwei gerichter Bett

Da bestellt er ein gute Metzen,
sein geistlich Weib darmit zu zetzen.
Die er bracht in d' Kammer heimlichen,
nach dem der Schmied hienach tät schleichen
und legten sich beide zusamm.
Nachdem die geistlich Frau auch kam,
den Mann in seinem Bett nit fande,
ging sie zum andren Bett zuhande,
darin er bei der Metzen lag.
Die Schmiedin schrei in Angst und Klag:
„Wer lieget bei dir, du Böswichte?"
Der Schmied sie gütlich unterrichte:
„Wir armen Sünder liegen da;
mein Frau, geht von uns anderswa
und laßt uns arme Sünder schlafen!"
Erst schrei die Schmiedin Zeter Waffen,
wollt die Metzen raufen und schlagen.
Der Schmied tät gütlich zu ihr sagen:
„Dieweil Ihr mir die ehlich Pflicht
Geistlichkeit halb wollt leisten nicht,
daß Ihr von mir bliebt unvermeiligt,
weil Ihr so rein wart und geheiligt,
muß ich mit Metzen halten Hause."
Sie schrei: „Tu mir den Balg hinause!
Ich will dir selber Weibs genug sein
und will dir in der Küchen mein
dein dürres Holz selb wohl verbrennen."

Darmit tät sich der Hader trennen.
Die Schmiedin ghorsam wurd hernach,
nit mehr in den Kalender sach,
ihm fert versaget keinen Zuge.
Also manch Frau will sein so kluge,
dem Mann unghorsam sein zu Bett.
Aus dem oft viel Unrats entsteht.
Ein Frau soll sein gehorsam beide
ihrem Ehmann in Lieb und Leide.

Die bitter leidenlos Lieb.

Die Lieb ist Leides Anefang:
Es stehe gleich kurz oder lang,
so nimmt sie traurigen Ausgang.

Eins Morgens ich spazieren ging,
eh daß der Sonnenglanz anfing
zu schimmern über Berg und Tal.
Mein Herz in großen Freuden quall,
wann ich des Maien Wunn durchschauet;
die Blümlein waren fein betauet.
Dardurch wut ich in einer Wiesn,
die kühlen Morgenwindlein bliesn;
die Sonnenstreifn kunnten herglesten,
die Vögel sungen auf den Ästen
in einem schönen grünen Wald.
Zu dem lehnt' ich mich schnell und bald.
Für einen Fels unmenschlich hoch
ich Fuß für Fuß gemach hinzog.
Darunter sach ich sitzen ein
Fräulein, gezieret hübsch und fein,
bei einem Jüngling wohlgestalt,
der' Red war heimlich mannigfalt.
Ich dacht: „Ach, möcht mir werden heut
von ihrer Freud ein kleine Beut."

Ich hinterschlich heimlich das Ort,
daß ich möcht hören alle Wort,
und tät mich da genau verstecken
bei ihn' in einer Rosenhecken,
zu hören ihr freundliches Sagen.
Da war es nichts dann bitters Klagen,
alls was ich höret vor und nach.
Das Fräulein zu dem Jüngling sprach:
„Gesell, wie sieh ich dich so selten?
Sag mir doch, wes muß ich entgelten?
Hab ich dir nit gnug Treu getan?"
Der Jüngling fing hinwider an:
„Ich bin zu Lieb dir gangen oft,
daß ich zu sehen dich verhofft,
dich doch lang nie ersehen hab.
Des dacht ich mir, ich wär schabab.
Derhalb mein Herz hat Tag und Nacht
in Eifer schwer und hart gewacht;
vielleicht hast einen andern du."
„Ach, traust du mir nit Bessers zu?"
Sprach sie, „weiß doch mein treuen Mut;
ich han gewagt Leib, Ehr und Gut
mit dir. Ist das von dir mein Lohn?"
Der Jüngling sprach: „Zart Frau, fahr schon!
Der Argwohn bracht mich auf das Gspor,
seit daß ich dich nicht fand als vor
gen mir freundlich Tag unde Nacht."
Das Fräulein sprach: „Gesell, das macht,
ich hab um mich der Klaffer viel,

die uns stet sehen auf das Spiel.
Ob ich dich bei dem Tag vernimm
oder ich hör zu Nacht dein Stimm,
so schreit mein Herz in Leiden, Wafen';
vor Sehnen kann ich dann nit schlafen;
auch sorg ich für dich übermaßen,
dir geschäch etwas auf der Straßen."
Er sprach: „Das war mir nächt nit weit,
es jaget mich um Mettenzeit
mit bloßer Wehr ein ganzer Hauf."

Das Fräulein sprach: „Gesell, hör auf;
du machest meines Leids noch mehr,
Unglück reitt mich, wo ich hinkehr.
Mein Mann will mir auch nimmer trauen
und tut gar eben auf mich schauen."
Der Jüngling sprach: „Merkt es dein Mann,
erst bleib ich nicht, ich will darvon.
Es kostet mein und deinen Leib."
Erst ward betrübt das zarte Weib,
das wand ihr Händ und sah ihn an.
Er nahm Urlaub und schied darvon.
Ich dacht: Ist so viel Angst und Sorgen
in dieser süßen Lieb verborgen
von Klaffern, Eifern und von Sehnen,
so will ich mich der Lieb nicht gwöhnen.

Die Ehbrecherbruck.

In dem langen Ton Müglings.

Vor Jahren in Britannia ein Künig saß,
mächtig und reich, der Arturus genennet
was,
der hätt ein großen Argwohn auf sein Frauen.
Nun war am Hof ein Schwarzkünstner, hieß
Fillius,
dem klagt der Künig heimlich sein Beküm-
mernus.
Der Meister ließ ein steine Brucken bauen,
die hätt wohl zweiunddreißig Joch
übers Wasser, breit dreier Spann alleine
und war wohl neun Ellbogen hoch,
das Pflaster von paliertem Märbelsteine,
glatt als ein lichter Spiegel pur.
Durch Zauberlist darein gegraben wuren
Charakter und seltsam Figur,
mitten darauf setzt er ein hohen Turen:
Wenn man darin ein Glocklein läut',
wer denn sein Eh hätt brochen,
im Augenblick er überpürzt
und herabstürzt
ins Wasser, wär' Mann oder Frau,
so wurd sein Sünd gerochen.

Als nun die Bruck verfertigt war wie obgemeldt,
da ließ der Künig aufschlagen viel schöner Zelt,
kam mit all seim Hofgsind auf diese Wiesen.
Da wurd gehalten ein groß künigliches Mahl
mit dem Adel und Frauenzimmer überall,
täten mit Herrlichkeit ihr Zeit verschließen,
schöner Comedi hielt man viel,
von Saitenspiel war ein hoflich Quintieren,
man trieb Kurzweil und Ritterspiel
mit rennen, stechen, kämpfen und turnieren,
mit jagen, Federspiel und Hetz,
wettlaufen, zielschießen, fechten und ringen,
mit steinstoßen auch an der Letz
mit Gradigkeit, tanzen, reihen und springen,
und was man Freud erdenken mocht.
Allein der Künig wase
traurig, bekümmert war sein Herz,
kein Schimpf noch Scherz
mocht freuen ihn, die Eifersucht
ihn gwaltiglich besaße.

Nachdem verordnet der Künig den Adel schon,
darauf das Frauenzimmer, und er reit voran
über die hohen Brucken schmal und lange.
Als nun das ganz Hofgsind kam auf die Brucken
    hoch,
da läutet sich das Glocklein in dem Turen noch,
daß es laut auf der ganzen Bruck erklange.
Vom Hofgsind ward ein Fallen groß

hinten und voren, wie in eim Turniere:
Da stürzten beide Mann und Roß,
hie einer, dort zween, da drei und dort viere
in das Wasser, ein große Summ,
der Künig schaut bald um nach seiner Frauen,
die blieb; wann sie war Ehren frumm.
Des ward er froh, tät ihr erst recht vertrauen. –
Stünd itz noch die Ehbrecher Brück,
wieviel würden ihr baden,
wer ungstähelt darüber ritt!
Ich wagts auch nit;
ohngfähr mich schlüpfen möcht ein Fuß!
Den Spott hätt ich zum Schaden!

Der Bürgertanz.

Die zween Vortanzer sagen:

Lasz uns den Reihen sittlich führen,
wie es den Bürgern tut gebühren,
so auf die Hochzeit sind geladen,
daß wir nicht verdien' Ungenaden
bei dem Jungherrn und ehrbern Gästen,
sunder uns halten nach dem Besten
zu Ehr dem Bräutgam und der Braut,
die uns den Vortanz habn vertraut!

Das erst Paar; der Gesell:

Wohl mir, daß ich erlebt den Tag,
daß ich den Vorsprung haben mag
mit der, die mein Herz hat erwählt,
die mir allein auf Erd gefällt!

Die Jungfrau:

Jungherr, das glaub ich nit gar wohl;
Ihr stecket fremder Liebe voll,
Euer Herz ist ein Taubenhaus:
ein Lieb fleucht ein, die ander aus.

Das halsend Paar; spricht er:

Wollt Gott, daß dieser Umefang
sollt währen ein ganz Monat lang!
Das erfreuet das Herze mein.
Ach, wie mocht mir nur baß gesein?

Die Jungfrau antwort:

O Jungherr, ich bin nit die recht;
in Gespottweis Ihr mir zusprecht.
Ich weiß aber wohl, wen Ihr meint,
da Euch die lichten Sunnen scheint.

Das ander halsend Paar; spricht er:

Ach, wie ist mir itzund so wohl!
Ich hab ein ganzen Armen voll,
der wär mir lieber eigen mein,
denn der gülden Zoll an dem Rhein.

Die Jungfrau antwort:

Gespöttes hab ich wohl gewahnt.
Derhalb tut es mir nit mehr ant.
Er lebt dennoch, hoff ich, auf Erden,
der auch bald ehlich mein soll werden.

Das neigend Paar; spricht er:

Zart Frau, nun sagt mir an fürwahr,
wie hat Euch gfallen mein Neujahr,
das Euch heut bracht die Schwester mein,
daß Ihr dies Jahr mein Buhl sollt sein?

Die Frau antwort:

Jungherr, sehr wohl; ich sag Euch Dank,
will Euer Buhl sein das Jahr lang;
jedoch allein in Zucht und Ehren,
Freud und Freundschaft darmit zu mehren.

Das letzt Paar; spricht sie:

Jungherr, ich wollt Euch freundlich bitten,
wollt mich vom Tanz auf Eurem Schlitten
heimführen? wann es hat geschneit,
der Schnee tief auf der Gassen leit.

Der Gesell antwort:

Ein Mann soll sich mit Dienst nit sparn,
er soll reiten, laufen und fahrn,
werten Frauen zu Dienst und Ehren,
ihr Lieb und Gunst darmit zu mehren.

Der Trummelschlager zum Pfeuffer:

Gsell, laß uns machen kurze Reihen!
Darmit wir manch jung Herz erfreuen,
daß sie all Vortänz mügen han
beid ehrber Frauen und auch Mann,
züchtig Jungfraun und Junggesellen.
Wenn sie rumtrinken geben wöllen,
sie wöllen wir auch knollet trinken,
daß wir an Wänden heimhin hinken.

Krieg und Tod

Ein Lob des redlichen Kriegvolk in der türkischen Belägrung der Stadt Wien.

In dem Ton: Es kam ein alter Schweizer gangen.

Wach auf, Herz, Sinn und freier Mut,
hilf mir preisen die Landsknecht gut,
ihr ritterliche Tate,
begangen itz zu Osterreich
zu Wien wohl in der Stadte,
ja Stadte.

Da der Türk drei Läger fürwahr
schlug und die Stadt umringet gar
mit seinem großen Heere
bei zweimal hunderttausend Mann
mit Harnisch und mit Wehre,
ja Wehre;

So war der Landsknecht überall
bei achtzigtausend an der Zahl,
hätten bei vierzig Fahnen,
gen den Türken ein kleiner Hauf
von unverzagten Mannen,
ja Mannen.

Die Stadt war an ihr selb nit fest,
doch täten die Landsknecht das Best
mit Bollwerken und Graben;
sie bauten alle Tag und Nacht,
was die Hauptleut angaben,
ja gaben.

Graf Niklas von Salm bei ihn' stohn
und war ihr oberster Hauptmann,
sunst viel guter Hauptleute;
die machten guter Anschläg viel,
hort man noch preisen heute,
ja heute.

Der Türk hätt Tag und Nacht kein Ruh,
der Stadt er heftig setzet zu
mit Schießen und mit Graben,
im Land erwürget Weib und Kind,
die Knecht gesehen haben,
ja haben.

Die Landsknecht hätten kühnen Mut
zu erretten das christlich Blut,
den Türken wolltens schlagen;
die Hauptleut hätten zu wehren gnug,
hort man die Waibel sagen,
ja sagen.

Doch fielen sie zweimal hinaus
und hätten gar ein wüsten Strauß,
mit dem Türken Scharmützel.
Das war ihn' als ein kühles Tau,
gab ihn' zu schaffen lützel,
ja lützel.

Der Türk die Mauer untergrub
und viel Pulver darunterschub
und tät die Mauer sprengen
fünf Ort bei fünfzig Klafter weit,
ließen sie sich nit engen,
ja engen.

Den Hispaniern gib ich Lob,
waren gerecht in ihrer Prob
mit Schießen von den Zinnen;
wo sich ein Türk nur blicken ließ,
ihr Kunst der wurd er innen,
ja innen.

Achtzehen Lerman mußtens han.
Da sah man manchen kühnen Mann
laufen zu seinem Fahnen;
da sach man kein verzagten Knecht
unter viel tausend Mannen,
ja Mannen.

Weil man in der Schlachtordnung stohn,
so fing der Türk zu schießen an,
recht sam es schneien wöllte,
etliche tausen Flitschenpfeil;
noch stundens wie die Helde,
ja Helde.

Wann der Türk trat ein Sturmen an,
sach man die frummen Landsknecht stohn,
mit Spieß und Hellenbarden,
mit Kolben und gutem Geschütz
täten sein tapfer warten,
ja warten.

Herzog Philipps, Pfalzgraf am Rhein,
der wollt nur untern Knechten sein
mit viel Ritter und Grafen
und manchem guten Edelmann,
die all gar tapfer trafen,
ja trafen.

Die Büchsenmeister ich loben tu:
sooft der Türk rücket herzu,
sein Ordnung sie ihm trennten
und brachten sein Volk in die Flucht,
daß sie sich wieder wendten,
ja wendten.

Als er drei Stürm verloren hatt,
da zug er flüchtig von der Stadt
mit Spott und großer Schanden.
Des haben die Landsknecht groß Ehr,
daß sie seien bestanden,
bestanden,

Und haben Wien, die Stadt, errett.
Wo sie der Türk erobert hätt,
so hätt er da erschlagen
viel tausend Mann, Weib unde Kind,
so da belägert lagen,
ja lagen.

Des haben die Landsknecht groß Ehr,
doch einer und der ander mehr,
dem Türken abgewunnen
Kamel, Tartschen und Flitschenpfeil
und auch viel Pulvertunnen,
ja Tunnen.

Ihr Preis geht durch ganz deutsche Land,
mit ihn' war die stark Gotteshand,
hat ihn' den Sieg gegeben.
Ich wünsch dem ritterlichen Volk
hie Glück, dort ewigs Leben,
ja Leben.

Wider den blutdürstigen Türken!

In Bruder Veiten Ton.

Herr Gott in deinem Reiche,
im allerhöchsten Thron,
schau an, wie grausamleiche
der Türk facht wieder an,
verfolgt die Christenheite,
mit Gfängnus, Mord und Brand
ietzund in dieser Zeite
durch das ganz Ungerland.

Das Landvolk leidet Note
bis an das Mährerland
von der streifenden Rotte,
die allda hat verbrannt
siebenzig Dörfer mehre
und alles Volk darin
ohn alle Gegenwehre
ermördt, geführet hin;

Und tut stets fürbaß streifen
im ganzen Land herauf
und ist noch weitergreifen;
und wo der gwaltig Hauf
eilends hernach wird rücken,
als er auch vormals hat

beweist mit Hintertücken
zu Wiene vor der Stadt –

Wo der im Land erobert
die Hauptstädt in der Eil
und das Geschoß erkobert,
so hat er den Vorteil,
daß er ganz deutsches Lande
damit elend verwüst,
mit Mörden und mit Brande,
daß Gott erbarmen müßt.

O großmächtiger Kaiser,
Karel der Fünft mit Nam,
ein gewaltiger Reiser
von kaiserlichem Stamm,
erzeig kaiserlich Mächte
an dem türkischen Heer,
das die Christen durchächte,
durch kaiserliche Ehr.

Erschwing das dein Gefieder,
du teurer Adaler,
durch des Reiches Gelieder;
nach kühner Heldes Ger
wirf auf des Reiches Fahnen,
sammel ein Heere groß
mit auserwählten Mannen,
zu Fuß und auch zu Roß.

Wach auf, du heiligs Reiche,
und schau den Jammer an,
wie der Türk grausamleiche
verwüst die ungrisch Kron!
Sei einig unzuteilet,
greif tapfer zu der Wehr,
eh du werst übereilet
von dem türkischen Heer.

O du löblicher Bunde
in Schwaben, tu darzu,
auf daß der türkisch Hunde
nicht weiter fressen tu.
Wann es ist hohe Zeite,
daß man ihm komme bei;
ohn Recht und Billigkeite
treibt er groß Tyrannei.

Ihr durchleuchtigen Fürsten
ganz deutscher Nation,
laßt euch nach Ehren dürsten,
bringt kaiserlicher Kron
aus eurem Fürstentume
ein reising Zeug zu Feld,
erlanget Preis und Ruhme
vor Gott und vor der Welt.

Ihr Landherren und Grafen,
secht, wie der Türk gewinnt;
greift tapfer zu den Waffen
mit eurem Hofgesind,
kommt in das Heer geritten
zu kaiserlicher Macht,
daß der Türk werd bestritten,
erlegt mit großer Schlacht.

O strenge Ritterschafte
ganz deutscher Nation,
üb ritterliche Krafte
an ungerischer Kron;
beschütz Witwen und Waisen,
als dir dann zugehört,
der' in des Türken Reisen
ohn Zahl werden ermördt.

Wach auf, du deutscher Adel,
in Ehren stet und fest,
an Mannheit hättst nie Zadel,
tu in Ungarn das Best;
errett die zarten Frauen
und auch die kleinen Kind,
werden ermördt, zerhauen
vom argen Türken blind.

Ihr Bischof und Prälaten,
schickt auch den euren Teil:
Getreid, Volk und Dukaten,
dem Christenvolk zu Heil;
Hirten seid ihr gesetzet
der christenlichen Herd,
die wird sehr hart geletzet
von des Tyrannen Schwert.

Ihr Reichstädt all geleiche,
nu schickt euch in das Feld
mit dem römischen Reiche,
mit Gschoß, Pulver und Zelt;
laßt euer Macht erscheine
im kaiserlichen Heer
mit Fußvolk, und nit kleine
erwerbet Preis und Ehr.

Ihr christlichen Regenten
durch alle Königreich
in geistlich, weltlich Ständen,
was Christen sind geleich
aus aller Natione,
wie ihr seied genannt,
dem Kaiser tut beistohne
ein Zug ins Ungerland.

Frisch auf, ihr Reitersknaben,
manch wunderkühner Mann,
laßt eure Rößlein traben
mit kaiserlicher Kron;
tut euer Glehnen brechen
mit der türkischen Rott,
tut an den Hunden rächen
manch unschuldigen Tod.

Wohlauf, ihr Hauptleut gute,
nehmet viel Landsknecht an,
führt sie mit freiem Mute
zu der ungrischen Kron
und seid gut Anschläg machen
bei Nacht und auch bei Tag,
fürsichtig in den Sachen,
daß man den Türken schlag.

Ihr Büchsenmeister alle,
nun rüst euch, es ist Zeit,
ins Ungerland mit Schalle
zu Sturme und zu Streit!
Laßt eure Hauptstück hören
durch Berg und tiefe Tal,
den Türken zu verstören,
der sich regt abermal.

Ihr freien Büchsenschützen,
nun machet euch herbei,
laßt euch an Türken nützen
mit Pulver und mit Blei;
laßt euer Handgschütz knällen
wohl in des Türken Heer,
ob ihr ihn möcht gefällen,
erlangen Preis und Ehr.

O ihr fromme Landsknechte,
macht euch bald in das Feld,
des Krieges habt ihr Rechte
vor Gott und vor der Welt;
mit Spieß und Hellenbarden
greifet den Türken an
und tut sein tapfer warten,
als ihr vor habt getan.

Spannt an, ihr liebe Bauren,
die Heerwägen allsant,
laßt euch kein Müh nit dauren,
zu führen die Prabant
mit Harnisch, Wehr und Spießen!
Die Wägen nützt man mehr,
ein Wagenburg zu schließen
um das kaiserlich Heer.

O kaiserliches Heere,
halt christlich Maß und Ziel:
nicht zutrink oder schwöre,
und hüt dich vor dem Spiel;
kein Frauen tu nicht schänden,
und nimm niemand das Sein,
laß dich kein Geiz nicht blenden,
leb deines Solds allein.

Und laß Gott alles walten
dem Christenvolk zu Schutz,
und treulich zu erhalten
das Reich und gmeinen Nutz,
und das deutsch Vaterlande
zu retten in der Not
all von des Türken Hande,
und hoff allein zu Gott.

Und wirst du also leben
in dem türkischen Krieg,
so wird Gott wahrlich geben
den väterlichen Sieg,
für dich gewaltig streiten
in dieser großen Quäl,
als er oft tät vorzeiten
seinem Volk Israel.

Ihr Christen auserkoren,
ruft einmütig zu Gott,
daß er ablaß sein Zoren,
helf uns aus aller Not,
verzeich uns Sünd und Schulde
die der Plag Ursach sen,
geb uns Genad und Hulde.
Nun sprecht alle Amen!

Die Gefangen klagen:

O Herre Gott, laß dich erbarmen
unser Elend, – gefangen, armen,
erwürgen sech wir unser Kinder,
genummen sind uns Schaf und Rinder,
Haus unde Hof ist uns verbrennt,
und wir geführt in das Elend.

Weh daß uns unser Mutter trug,
erst müß wir ziehen in dem Pflug
und Gersten essen, wie die Pferd,
mit unserm Munde von der Erd.
Kumm grimmer Tod und uns erlös
von dem grausamen Türken bös.

Der Tod zuckt das Stühllein.

Eins Nachts lag ich und munter wacht
und mein ganz Leben hinterdacht,
wie ich dasselbig immerzu
vollführt hätt mit großer Unruh,
Müh, Arbeit, Sorg und großer Angst.
Dacht: „Nun hab ich begehrt vorlangst,
daß mich das Glück auch tät begaben,
daß ich ein Zeitlang Ruh möcht haben
vor meinem End frei und sorglos,
daß ich mir selb möcht leben bloß,
frei aller Gschäft, Müh und Arbeit,
wie sollichs das Glück manchem geit,
der solchs doch selb nit kann genießen."

Indem mein Augen tät beschließen
der Schlaf; in solches Traumes Qual
ward ich geführt für einen Saal
von Genio in diesem Traum,
so wunderschön, daß ich es kaum
mit Worten ausgesprechen mag.
Auf einem runden Berg er lag
von Märbelquader aufgeführet,
mit gwaltig Säulen, wie gebühret,
welschen Simsen und Hockeln,
mit Bildwerk, Gewächs und Kaptäln.
Die Fenster waren kristallin,

das Dachwerk silberweißes Zinn.
Von gelbem Flader war die Pfort,
inwendig täfelt alle Ort.
Gar meisterlich und wohlbesunnen
waren im Hof zween springend Brunnen,
die liefen in quadrierte Märbel,
darin das Wasser macht ein Werbel.
Viel Roß hört ich auch in den Ställen
viel Hunde zu dem Weidwerk bellen.
Aus dem Keller ruch Malvasier,
Muschgateller und fremdes Bier.
Viel schöner Gmach ich da durchschaut,
als obs Lucullus hätt gebaut,
ganz wohl geschmücket überall.

Nach dem eintrat wir in den Saal,
der war ganz kaiserlich geziert,
mit Tapezerei wohl staffiert.
Von edlem Räuchwerk war ein Ruch,
der mir mein Herz und Seel durchkruch.
An Wänden hing das Saitenspiel.
Auch sach ich schöner Leuchter viel
mit brinnenden Kerzen erscheinen.
Auch sach ich mit schneeweißen reinen
Tüchern bedecket alle Tisch,
besetzet mit Wildbret und Fisch.
Da stund von Gold ein reich Kredenz,
als sollt ein Fürst mit Reverenz
allda nehmen sein Abendmahl.

In Summa, es war in dem Saal
ganz aller Reichtum Überfluß.

Nach dem sprach zu mir Genius:
„Schau! dort sitzt der Herr zu dem Haus,
von Glück ietz selig überaus,
das ihm vor Jahren wider was."
Ich trat ein weng ihm näher baß,
sach sitzen einen Herren prächtig,
herrlicher Gebärd, stolz, fürstmächtig,
in einer köstling mardren Schauben,
sammaten Leibrock, zöblen Hauben.
Viel Ketten hingen an seim Hals.
Ob ihm sach ich schweben nachmals
auf einer gülden Kugel flück
mitten im Saal die zart Frau Glück,
die man etwa Fortuna nennt.
Gen der sich der Glückselig wend't
und sprach: „O Glück, ich sag dir Dank,
wiewohl du mir in dem Anfang
dich mir ganz härtiglich erzeigtest,
im Mittel dich ganz von mir neigtest,
gabst Armut und ein kranken Leib,
ungeratne Kind, ein bös Weib,
bös Kauf, darzu viel Schuld enttragen,
Bürgschaft und hinterrück Versagen,
neidisch Nachbaurn samt untreu Knechtn,
viel Schmach und Schand, Zanken und Rechtn.
Der Unfall reit mich ganz und gar,

der ich schier gar verzweifelt war
Ehr, Gwalt und Gut, warst widerwärtig:
Jetz aber scheinst du mir ganz ärtig
so günstiglich mit deinen Gaben,
daß ich forthin gut Ruh will haben.
Jetz hast mir geben gsunden Leib,
ein holdselig und frummes Weib.
Du scheinest mir in allen Stücken.
Das Bergwerk tut mir wohl gelücken,
mein Handel geht recht wiederum,
ich hab groß Vorrat und Reichtum,
gut Nachbauren, Freund, Maid und Knecht,
mit niemand mehr ich zank und recht,
man ist mir günstig, hält mich ehrlich,
erwählt mich zu den Amten herrlich,
über ander ietz zu regieren,
zu gebieten und judicieren.
Wie möcht mir denn ietz baß gesein!
Verheirat sind die Kinder mein
ehrlich und wohl nach ihrem Stand.
Also hab ich in meiner Hand
Gwalt, Reichtum, Ehr, diese drei Stück
von dir, du auserwähltes Glück!
Des such ich Wollust hie auf Erd
in allem, was mein Herz begehrt.
O wie möcht ich dann bsitzen baß?
O Fortuna, ich bitt dich: laß
mich bleiben hie in höchster Ruh!“

Indem ging ihm die Augen zu
und schlief gar sanft; ich dacht mir spat:
„O daß ich säß an seiner Statt!
Die Ruh wär mir ein Paradeis."
In dem daucht mich sichtiger Weis,
wie der Tod mit düßmigem Glänster
hinein den Saal stieg durch ein Fenster.
Auf den mir zeiget Genius,
der zum Ruhenden Fuß für Fuß
schlich und wollt ihn urplützlich holn.
Vom Sessel zuckt er ihm ein Stolln,
daß er fiel in dem Augenblick
zur Erden und brach sein Genick.
Nach dem der Tod her eilt' auf mich,
auch zu erwürgen grimmiglich.
Vor großem Schrecken ich erwacht.

Wie wahr sagt Hiob, ich mir gedacht,
der Mensch der geht auf wie ein Blum;
wenn der Wind bläst, so fällt er um!
Ist, so ein Mensch hat hie erlitten
viel Unglücks, Sorg und Angst durchstritten;
wenn er dann meint, er steh am festen
und all sein Ding das sei am besten
und hab all Ding nach seinem Stand
geruhiglich in seiner Hand
und sitz gleich in der höchsten Ruh,
so schleicht der bitter Tod herzu,
zuckt ihm den Stuhl; denn muß er fallen

und muß urplüpflich von dem allen.
Derhalb ein Mensch ist dieser Zeit
voll aller Widerwärtigkeit,
Anfechtung, Leiden und Trübsal.
Darum heißt es das Jammertal,
weil da ist kein beständig Ruh,
Gott geb, man hab und was man tu.
Darum wer Ruh erlangen wöll,
derselbig hie verachten söll
Gwalt, Ehr und Gut; hat er es schon,
soll er sein Herz nit hängen dran,
sonder soll nach dem Gottes Wort
sein einig Hoffnung setzen dort
zu der himmlisch ewigen Ruh.
Da helf uns Christus allen zu,
da ewig Ruh uns auferwachs!
Das wünschet uns allen Hans Sachs.

Klag zweier Liebhabenden ob dem grimmen Tod.

Ach Tod, wie hart hast uns erschreckt,
aus süßer Lieb uns auferweckt,
darin wir habn gelebt kurz Zeit,
in Wollust, Wunn und hoher Freud!
Wie überfällst du uns so schwind,
ganz ungstüm wie ein Sturmewind!
Ach weh uns! weh ob allem Leiden!
Soll wir uns also kürzlich scheiden
von aller Kurzweil, Tanzn und Springen,
von Saitenspiel, Hofieren, Singen,
von Jagen, Beizen und Burschieren,
von Schlittenfahren und Spazieren,
von Bankett, Wirtschaft und von Gästen,
von Essen, Trinken nur des Besten,
das nur eins Fürsten Tisch getrug?
Gutes, Geldes hab wir genug;
all Ding im Haus mit vollem Rat,
Kleidung von Sammet, Seidenwat,
Geschmück von Silber, klarem Gold,
Ring, Ketten, was man haben sollt,
des hab wir alls den Überschwall.
Ach grimmer Tod, wie kummst so bal!
Wir sind aufgwachsen wie ein Blum
in Ehr und Gwalt, Schön und Reichtum.
Auf irdisch Wollust hätt wir acht,

auf himmlisch hab wir nie gedacht,
dahin uns weiset Gottes Wort.
Tod, du begehst an uns ein Mord.
Du kummest gar zu früher Zeit.
Zu dir sind wir gar unbereit.
Wir sind als ein unzeitig Frucht.
Dein kurze Stund die sei verflucht,
die uns so grausamlich heimsucht!

Der Tod antwort:

Wohlauf, wohlauf! eur Ziel ist hie,
das kein Mensch übertrate nie.
Reich, arm, jung, alt, schwach unde stark,
Weis, Torn, schön, scheutzlich, gut und arg
die müssen all mit mir darvon,
wann ich bin ie der Sünden Lohn.
Alle Geschöpf groß unde klein,
was auf Erd lebet ingemein,
Vögel, Tier, Würme, samt den Fischen
des muß alls in mein Garen wischen.
Derhalb bring ich dem groß Geschwerd,
welcher nach Wollust lebt' auf Erd,
glaubt Gott nit und seim Worte rein,
vergißt der Lieb des Nächsten sein,
dem bin ich ein Tür zu der Hell,
die'n ewig Lei und Ungefäll;
aber dem Glaubing bin ich lind,

durch mich die Welt er überwindt;
den Teufel, argen Fleisch und Brut.
Von allen Sünden er denn ruht.
Alsdenn kann er das Himmlisch erben,
das ihn' Christus hie tät erwerben
durch sein Leiden und bitter Sterben.

Handwerker,
Pfaffen und Bauern

Aus der „eigentlichen Beschreibung aller Stände auf Erden“.

Hienach werden gezeiget an
Oberste und auch Untertan,
Künstner und auch der Handwerksmann,
was ieder hat auf Erd zu tan,
darbei man ihn erkennen kann,
ob er seim Stand hab recht getan.

1. Reißer.

Ich bin ein Reißer früh und spät,
ich entwürf auf ein Lindenbrett
Bildnus von Menschen oder Tier
auch Gewächs mancherlei Monier,
Histori und was man will haben,
Geschrift und groß Versalbuchstaben,
künstlich, daß nit ist auszusprechen;
auch kann ich wohl in Kupfer stechen.

2. Furmschneider.

Ich bin ein Furmenschneider gut.
Alls, was man mir vorreißen tut
mit der Feder auf ein Furmbrett,
das schneid ich denn mit dem Gerät.
Wann man's denn druckt, so findt sich scharf
das Bild, so der Reißer entwarf;
die steht denn druckt auf dem Papier
mit Schwarz, unausgestrichen schier.

3. Schriftgießer.

Ich geuß die Schrift zu der Druckrei,
gemacht aus Wismat, Zinn und Blei,
die kann ich auch gerecht justieren,
die Buchstaben zusamm ornieren
lateinisch- und deutscher Geschrift,
auch was die griechisch Sprach antrifft,
mit Versalen, Punkten und Zügen,
daß sie zu der Druckerei tügen.

JA

4. Papierer.

Ich sammel Hadern zu der Mühl,
denn treibt mirs Rad das Wasser kühl,
das mir die z'schnitten Hadern mählt,
das Mehl in Wasser wird einquellt.
Draus mach ich Bogn, auf den Filz bring,
durch Preß das Wasser daraus zwing.
Denn henk ichs auf, laß trucken wern,
schneeweiß und glatt, so hat mans gern.

5. Buchdrucker.

Ich bin geschicket mit der Preß,
daß ich auftrag den Firniß reß.
Bald der Postlierer-Stangen zuckt,
ist ein Bogen Papiers gedruckt.
Dardurch kummt manich Buch an Tag,
das man leichtlich bekummen mag.
Vor Zeitn hat man die Bücher gschrieben;
zu Mainz die Kunst ward erstlich trieben.

6. Buchbinder.

Ich bind mancherlei Bücher ein,
geistlich und weltlich, groß und klein,
in Perment oder Bretter pur,
und schlag daran gute Glasur,
und stämpf sie auch zu einer Zier,
und sie auch im Anfang planier.
Etlich verguld ich auf dem Schnitt,
da verdien ich viel Geldes mit.

Der Münnich mit dem Landsknecht und Bettler.

Eins Tages tät ein Landsknecht beichten,
sein Herz von Sünden zu erleichten.
und saget einem Münnich her,
wie er ein armer Landsknecht wär
und künnet keins Kriegs mehr erwarten;
drum lief er im Land um zu garten.
Und wo er in ein Dorf einzüge,
den Bauren er die Hühner schlüge,
wo er käm vor ein Baurenhaus
not er Kreuzer und Eier raus,
fiel auch die Leut an auf der Straßen,
ein Ritterzehrung ihm zu lassen.
Da sprach der Münnich trutziglich:
„Ich kann nit absolvieren dich
weil du nur zu Schaden und Schande
umlaufest in dem ganzem Lande
und den Leuten das Ihr abfrißt.
Darum du gwiß des Teufels bist."
Als der Landsknecht hört diese Worte,
fuhr er auf, stellt sich an ein Orte.

Nach dem ein Bettler knieet dare
und dem Münnich auch beichten ware,
wie er bettlet mit offner Hand
in den Städten und auf dem Land,

stellt sich viel ärmer, wenn er wäre,
sam hätt er viel der Krankheit schwere,
und wie er auch bei seinen Tagen,
was nit gehn wollt, er mit hätt tragen,
auch viel Beutel geschnitten ab
und auch mit seinem Pilgramstab
heimgsucht hätt viel heiliger Stätte,
der doch keine gesehen hätte.
Det Münnich sprach: „Heb dich hinaus!
Ich kann dich auch nit richten aus;
du verzehrst Fleisch und Blut der Armen,
betreugst all, die sich dein erbarmen.
Troll dich an Galgen zum Landsknecht!
Ihr seid beid dem Teufel gerecht;
wann ihr führt beide Bettlersleben.
Garten ist gleich dem Bettlen eben."

Der Landsknecht hört das an der Statte
und wieder zu dem Münnich trate,
sprach: „Münnich, uns zum Teufel treibst;
mit Ehren du wohl bei uns bleibst.
Laß dir dein Wappen auch visieren:
wenn du im Land tust terminieren,
tust die alten Bäurin betrügen,
das Geld ihn' aus dem Beutel lügen,
dich ihn' ganz gleißnerisch beweist,
sam du der Allerheiligst seist –
weißt doch darbei, wie unbescheiden
dich hältest mit den Baurenmaiden.

Sag nun, was Unterscheides sei!
Sind wir nit Bettler alle drei?
Mein Bettlerei das nenn ich garten;
der Bettler tut seins Bettels warten;
Käs sammlen du dein Bettel nennst.
Darbei du ie klärlich erkennst,
daß wir drei Hosen sind eins Tuches.
Drum dürf wir zween nit deines Fluches."

Der Pfarrer mit dem Chorrock.

Ein Pfarrer auf eim Dorfe saß,
der auch gar seicht gelehret was.
Derselb ein Bäurin liebgewann,
die hätt ein einfältigen Mann.
Als der einsmals fuhr in die Stadt,
der Pfarrer zu der Bäurin trat
und zeigt ihr an sein große Lieb.
Die doch den Spott nur aus ihm trieb,
sprach: „Ihr Pfaffen seid karge Hund."
Er sprach: „Forder zu dieser Stund!
Willt ein Stück Fleisch vom Bachen mein,
ein Paar Schuch oder Gürtelein?"
Sie sprach: „Das hab ich vor aufs minst.
Wollt Ihr durch Lieb mir tun ein Dienst,
so schenkt mir behemisch ein Schock,
daß ich von Juden lös mein Rock."
Er sprach: „Des will ich sein verpflicht'
doch hab des Gelds ich bei mir nicht."
Sie sprach: „Geht hin und bringet mir,
wollt anderst bei mir schlafen Ihr!"
Der Pfaff sprach: „Ei, es würd zu lang!"
Sein Chorrock von dem Halse schwang
und gab ihr den dieweil zu Pfand.
Sperrt in ein Kästlein ihn zuhand,
ging mit dem Pfarrer in den Stall.

Als sich ihr Freud end't überall,
da stund der Pfarrer wie ein Block
und trauret sehr um sein Chorrock,
weßt ihn zu lösen nimmermehr;
die Bauren opferten nicht sehr,
ging heim, erdacht ein Liste schlecht,
der umsunst ihm sein Chorrock brächt,
und schicket zu der Bäuerin
sein Schüler um ein Morser hin,
er müßt kochen auf etlich Gäst.
Die Bäuerin den Schalk nit weßt
und liech ihm ihren Morser bald.
Als nun heimkam der Bauer alt,
der Pfarrer hätt sein Späch. Als saß
der Bauer an dem Tisch und aß,
schickt er den Mörser ihm zuhaus
und hieß ihm geben wieder raus
sein Chorrock, den er ihr zu Pfand
drum geben hätt zu treuer Hand.
Die Bäurin erschrak der Geschicht,
dorft doch das widersprechen nicht.
Der Bauer ob der Red erschrak,
sprach zum Weib: „Du zunichter Sack,
muß der Pfarrer Pfand geben dir?
Schant ich mein nicht, gelaub du mir,
ich wollt dich bleuen, du Holzbock.
Schick bald dem Herren sein Chorrock!"
Die Bäurin schnürt zornig hinab
und dem Schüler den Chorrock gab

und sprach: „Sag deinem Pfaffen gleich,
mein Morser ich ihm nimmer leich.
Der Teufel ihm sein Stempfel hol!"
Des lacht der Pfaff, gedacht ihm wohl.
List man mit List vertreiben muß,
schreibt Johannes Bocacius.

Der Münnich mit dem gestohln Huhn.

Zu Frankfurt vor etlichen Jahren
die Karmelitenmünnich waren,
die führten ein gleißnerisch Leben.
Nun hätt sich auf ein Mal begeben
gleich eben an dem Osterabend,
daß sie die Fladen geweicht habent,
wie denn im Papsttum ist der Brauch.
So tät ein junger Münnich auch,
ging herum mit eim Schülerknaben
in d' reichen Bürgershäuser traben,
Fladen zu weihen und die Eier.
Nun kam gemeldter Heuchelmeier
in eines reichen Bürgers Haus,
fund da zubereit überaus,
besetzet gar ein großen Tisch
mit Vögel, Hühner, Wildbret frisch,
noch also warm, daß der gut Ruch
das ganz Haus überall durchkruch.
Dergleichen da süßlichen ruchen
die warmen Fladn und Eierkuchen.
Das alls den Münnich an tät schmecken,
dacht, hätt ich etwas in einr Ecken,
ich wollt mein Herz auch darmit laben.
Und als er sach den Schülerknaben,
daß er ihm hätt gewendt den Rück,
auch sunst niemand zu seim Gelück

war in dem Saal, da griff er nan,
erwicht ein jung gebraten Hohn.
Das schob er ein mit seinen Händen
tückisch in d' Kutten zu den Lenden.
Nach dem er erst die Fladen weihet,
mit seinem Segen benedeiet
und mit dem Weichwasser besprenget.
Und als er das nun hätt gesenget,
dem Knaben man zwei Eier gab.

Darmit zug dieser Münnich ab
und tät heim in sein Kloster gohn
mit seim gestohlen braten Hohn
und schleicht das in die Zellen sein
und darzu einen Krug mit Wein.
Zwei Klosterbrot er auch mitnahm,
stieß das unters Bett allesam.
Bedacht, wie er sich nach der Metten
mit Freuden wollt darüberbetten.
Wiewohl es sich schanzt anderst viel,
wie ich mit Kürz berichten will.

Nun weil man an der Metten sang,
ward dem Münnich sein Weil sehr lang.
Als nun die Metten hätt ein End,
der Münnich in sein Zellen ländt
und zug sein braten Huhn herfür.
Da klopft an seiner Zellen Tür
ein Münnich, wollt zu ihm hinein.

Des erschrak er und schub bald ein
sein Hohn in Kutten; sein Gsell eintrat
und sprach: „Der Prior dir sagen lat,
du sollt bald nein in d' Kirchen gohn
und zu dem Heiltum sitzen nan,
den Ablaß ausschreien darneben
und das Pacem zu küssen geben,
wer Heller oder Pfennig geit.
Bleib darbei bis zu Frühmeßzeit!"

Der Münnich dieser Post erschrak;
das Huhn ihm in der Kutten stak.
In Kirchen er hintrollen was
und nieder zu dem Heiltum saß.
Als nun die Kirchtür worden offen,
da kamen sehr viel Hund geloffen,
die schmeckten das gebraten Hohn,
täten all um den Münnich stohn
herum geleich in einem Ring.
Gen Berg sein Haar dem Münnich ging;
dacht, die Wind werden in den Sachen
mich zu öfflichen Schanden machen.
Wenn er sie wollt von ihm hinschreckn,
so beiltens ihn an mit Zähnblecken
und drungen noch näher auf ihn.
Der Münch saß mit betrübtem Sinn,
sam er in einem Feuer säß.
Nach dem läut man zu der Frühmeß.
Der Prior schickt ein', sollt ihn verwesen,

und der Münnich mußt Frühmeß lesen.
Er ging; erst ihn alls Unglück ritt,
die Hund die loffen alle mit.

Als er nun tät zu Altar gohn
und wollt sein Meßgwand legen an,
allda es um den Altar stund
ringweis herum alls voller Hund
und sahen all den Münnich an;
wann sie ruchen das braten Hohn.
Als er die Alben überstürzt,
ein Laienbruder die aufschürzt.
Als er die Alben gürtet hätt,
ein Zipfel ihm abhenken tät.
Der Bruder griff ihm in den Rückn,
die Alben über sich zu zückn,
ergriff das braten Huhn gericht.
Da meint der Münnich anderst nicht,
ein Hund tät sich an ihm auflehnen
und faßt das Hohn mit seinen Zähnen,
wollt ihms durch die Kutten nausreißen.
Er tät die Zähn zusammenbeißen
und hub auf ein Fuß mit Verdrieß;
mit vollem Stoß hinter sich stieß,
traf den Nollbruder zu Unglück,
daß er gerad fiel an den Rück
in die Kirchen, so lang er was.
Des lacht alles Volk übermaß,
und der Schwank ihm recht wohl gefiel,

hielten es für ein Osterspiel.
Der Prior gwann darob ein Laun,
legt den Münnich in die Prisaun,
darin er wohl vierzehen Tag
mit Wasser, Brot gefangen lag.

Der Pfarrer mit dem Stationierer.

Ein Dorf liegt in dem Bayerland,
welches Ganghofen ist genannt,
saß ein Pfarrherr, hieß Kunrad Schlenck,
der war ein Mann sehr guter Schwänk,
fröhlich, ganz leichtsinniger Sinn,
den sein Baurn hätten gern bei ihn';
dergleich war er bei ihn' auch gern,
wo die saßen in der Tavern,
auf Kirchweich, Teiding oder Leitkauf
oder Hochzeit, so lud man ihn drauf,
und war sehr gutes Muts mit ihn'
mit guten Schwänken her und hin.

Einsmals kam auf ein Kirchweich dar
ein Barfüßermünnich, der war
ein Stationierer schalkhaft,
ritt St. Antonii Botschaft,
auch ein seltsamer Grillenreißer,
ein schalkhaftiger Baurenbscheißer.
Dieser Münnich voll List und Ränk
zum Pfarrherr trat, verhieß zu Schenk,
was er verdienet halb zu Lohn:
daß er ihn ließ ein Predig ton
und daß er darnach dergeleichen
mit seinem Heiltum mocht bestreichen
in der Kirchen all seine Bauren.

Der Pfarrherr kennet wohl den Lauren,
vergünnt ihm die Predig zu Heil,
doch daß ihm würd' der halbe Teil.

Der Münnich auf die Kanzel trat
und macht sein gleißnerisch Parad.
Nach dem sein Säupredig anfing,
erzählt viel wunderbarer Ding,
wie St. Antoni durch sein Güt
die Säu so gnädiglich behüt'
vor den Wölfen und der Krankheit,
so bei den Säuen sich begeit,
welch' Baurn ihr Opfer gäben gern
und in seiner Bruderschaft wärn.
Welch' Baurn nit Zinst und Opfer gäben,
der' Säu würn's Jahr nit überleben.
Des hätt er ganz päpstlichen Gwalt!
Und preist sein Jahrmark dergestalt,
er hätt' ein Münnich tanzend machen,
und log, sam wär ihm gschmiert der Rachen.
Nach dem er über Altar stohn
in eim Chormantel angetan,
ließ sein Antoniglocklein klingen,
die Baurn täten gen Opfer dringen,
die Baurnmaid und die Bäuerin,
den' reicht er nacheinander hin
sein Kreuz zu küssen mit Begiern
und streich ihn' 's darnach an die Stirn.
Welchem sein Bruderschaft tät lieben,

der wurd denn von ihm eingeschrieben.
Nach dem er ihn' den Segen gab,
darmit schieden die Bauren ab,
und drungen zu der Kirchen naus.

Nach dem trat aus dem Sakrer raus
der Pfarrer, sprach: „Nun teilt das Geld,
das Ihr den Bauren habt abgstrält!"
Der Münch das Geld zusammenzug,
antwort' dem Pfarrer mit Betrug:
„Das Geld, Herr Pfarrer, das ist mein!
Dargegen so soll Euer sein
mein Predig, die Gnad und Ablaß,
die ich vom Papst hab über das.
Wollt Ihr an dem Geld haben Steuer,
so brennt Euch St. Antoni Feuer!"
Der Pfarrer antwort' ihm ahn Scheuch:
„Das Geld das ziemt viel minder Euch,
weil Ihr seid von der Observanz,
welche kein Geld doch tragen ganz,
wie Ihr zum Orden habt geschworn.
Samt dem Geld würd ewig verlorn,
wo Ihr dieses Geld tät anrührn:
drum tut das Opfrgeld mir gebührn.
Bhalt Euch Eur Predig und Ablaß,
der ziemt Eur Geistlichkeit viel baß."
Mit dem nach dem Opfergeld tappet
und das in eim Hui gar erschnappet.

Der Münnich leichnamsauer sach,
der Pfarrer lachet zu ihm sprach:
„Doch daß Ihr auch entpfacht darvon
Euren or'nlich verdienten Lohn,
so macht Euch auf und geht mit mir,
so wollen gen Ranshofen wir!
Da hat man guten Osterwein,
da wöll' wir schlemmen und fröhlich sein,
mit diesem Geld zahlen zu Tisch
gar gut Geschleck, Vogel und Fisch."
Der Münch war auch ein guter Zecher,
voll List und Ränk, ein toller Frecher,
und sprach: „Jawohl, da woll' wir hin,
weil ich durstig und hungrig bin."

Machten sich auf den Weg darnach.
Da kamen sie an einen Bach,
welcher weit ausgeloffen war,
und hätt den Steg verflößet gar.
Der Pfaff sprach: „Ich kehr wieder um,
über den Bach ich heut nit kumm;
wann ich mag nit hinüberwaten,
er ist moosig und voller Schlaten.
Ich hab mein braune Hosen an,
die würden mir flecket darvon."
Da wurd der Münnich zu ihm sagen:
„Herr, ich will Euch hinübertragen;
wann ich hab gar kein Hosen an,
tu in zerschnitten Schüchen gohn,

da geht das Wasser ein und aus,
daß wir nur kümmen ins Wirtshaus."
Der Pfarrer sprach: „O Herre mein,
weil Ihr nun wollt mein Esel sein,
mich willig tragen übern Bach,
so folg ich Euch." Und gleich darnach
hucklet er auf dem Münnich fein.
Der wut mit ihm in Bach hinein;
Das Wasser stemmt' im Bach gar hoch;
der Pfaff sein Schenkel an sich zog,
daß sein Hosen nit würden naß.
Der Münnich voller Schalkheit was:
Als er kam mitten in den Bach,
da stund er still, zum Pfarrer sprach:
„Ach Herr, ich bitt, sagt mir ahn Scheuch,
habt Ihr das Opfergeld bei Euch?"
Der Pfarrer sprach: „Ja, ich hab das,
auf daß wir leben dester baß."
Der Münnich sprach: „Heut Ihr tät sagen,
ich dorft kein Geld beim Bann nicht tragen,
ich wür sunst mit dem Teufel fahren.
Darvor so will ich mich bewahren,
daß ich entrinn so schwerer Sach!"
und stürzt den Pfaffen in den Bach;
das Wasser ob ihm zsammen schlug,
und darin weidlich bad und zwug.
Der Münnich aus dem Bach entrann,
eh der Pfarrer im Bach aufstohn
und herauswut an trucken Land,

als ein getaufte Katz dastand
und tropfet da hinten und voren,
zug ab sein Rock in Grimm und Zoren,
und ihn allda auswinden tät,
schwang das Wasser aus seim Birett.

Dieweil der Münch ein Ackerläng ferr
stund, schrei: „Gott gsegn Euchs Bad, mein Herr,
und auch die stolzen Trünk darnach!
ich kumm nit mehr in diesen Bach."
Der Pfarrer da in Zoren bronn
und fluchet diesem Säukaplan
und dacht: Ich will dich wieder treffen,
kummst auf mein Mist, mit Gleichem äffen.
Der Pfaff kehrt wieder um darnach
und wut wiederum durch den Bach;
was er dem Münnich wünschen tät,
wollt' nit, daß ich das halbes hätt,
bis er heimkomm in den Pfarrhof.
Sein Kochin ihm entgegenloff,
der er die großen Schalkheit klagt
des Münnichs, End und Anfang sagt.

St. Jorgen Bild reit dem Pfarrer durch den Ofen in die Stuben.

Ein alter Pfaff, trutzig, vermessen,
ist oben an dem Birg gesessen
im Flecken, Trosafelt genennt.
Derselb der Heiling Bilder brennt
aus der Kirchen, voraus die alten
rußigen und die ungestalten,
vermeinet, die Bauren dermaßen
wür'n neue dafür machen lassen,
und haut ihn' oft ab Bein und Arm
und macht darmit sein Stuben warm,
wann es gschach gleich im kalten Winter.
Eins kam er in Pfarrhof hinhinter
mit St. Jakobes Bild geloffen,
sprach: „Duck dich, Jäckl, du mußt in Ofen!"
wann das Bild war in' Ofn zu lang.
Er stürzt es um zu einem Schwank
und schobs in den Ofen, darmit
sein Opfel, Birn und Kesten briet
in den Kacheln und darbei saß,
wärmt sich, und welche pfiff, er aß.

Als aber der Pfleger erfuhr,
der Bild' ie länger wen'ger wur
in den Kirchen, bald er beschicket
den Meßner und ihn schelch anblicket,

und fraget ihn ungestüm und wild,
wohin kämen der Heiling Bild
in der Kirchen, welcher sind worn
den Winter wohl siebne verlorn.
Der Meßner antwort' zu den Dingen:
„Die Bild muß ich meim Pfarrer bringen,
sein Ofen tut er darmit heizen."
Dieses Red tät den Pfleger reizen,
die Tat an dem Pfarrer zu rächen.
Und tät bald zu dem Meßner sprechen:
„Bring mir St. Ritter Jorgen groß
aus der Kirchen her auf das Schloß!"
Bald ihn der Meßner aufhinbracht,
da tät der Pfleger bei der Nacht
viel Löcher in das Bilde bohrn,
stieß die voll Pulvers hintn und vorn,
verklaubt die Löcher mit Harz und Pech,
daß man sein heimlich Kunst nicht säch.
Morgens und eh es kunnte tagen,
mußt ihn der Meßner wieder tragen
aus dem Schloß rab in d'Kirchen nieder
und stellet ihn an sein Statt wieder.
Doch der Pfleger befohlen hätt,
wenn ihn der Pfaff mehr schicken tät,
ein Bild aus der Kirchen zu bringen,
so sollt er ihm vor allen Dingen
St. Jörgen Bild bringen zu Haus.

Da trug das Bild der Meßner aus.
So ging all Sach den Tag von statt,
wie's der Pfleger angschlagen hatt'.
Zu Abend wollt der Pfarrer baden
und hätt etliche Gäst geladen
und sprach zu seinem Meßner bald:
„Geh, bring mir einen Heiling alt,
daß wir die Stuben darmit wärmen!
Nach dem Bald woll wir weidlich schwärmen,
essen, trinken, singen und schreien,
sam wir all gar unsinnig seien."
Da loff der Meßner hin zu Nacht
und den Ritter St. Jorgen bracht
und stellt ihn in der Küchen nieder,
bis daß der Pfarrherr kam herwieder
mit seinen Gästen aus dem Bad,
sprach er zu seim Meßner gerad:
„Geh, heiz noch baß die Stuben ein
und scheub den alten Heiling nein
in Ofn! Laß ihn gen Himmel fahrn,
daß er uns helf vor Kält bewahrn,
daß uns die Müter nicht erkalt'
nach unsrem Bad." Der Meßner bald
St. Jorgen Bild in Ofen schub,
das gar bald an zu riechen hub;
wann vorhin war im Ofen gut
ein groß glühende Kohlenglut.
Den Pfaffn hätt nach dem Bad geforn,
stund nahend bei dem Ofen vorn

in seinem schneeweißen Badkittel
und wärmet sich, und in dem Mittel
fing an St. Jorgen Bild und bronn.
Nach dem ging auch das Pulver an
mit einem Hin- und Wederspratzen
und tät je länger fester platzen.
Nach dem mit einem starken Knall
St. Jorgen Bild mit lautem Hall
einritt in d'Stuben durch den Ofen,
darvon all Gäst mit Flucht entloffen,
mit großem Krachn, so ungefüg,
sam der Donner in d'Stuben schlüg,
stieß den Pfaffn vor dem Ofen nieder;
die Ofenkachel hin und wieder
in der Stuben gar schwind umflugen
und alle Glasfenster ausschlugen
und ward die Stub voll Feuerfunken,
Pulver und Pech sehr übel stunken.
So war auch die Stuben zumal
voll Ruß und Kohlen überall.

Der Pfarrer ward forchtsam verzaget,
vermeinet, St. Jorg hätt ihn plaget,
dieweil er hätt sein Bild verbrennt;
sein Sünd und Schulde er bekennt
dem Pfleger und vermeinet sehr,
dem Ritter St. Jörgen zu Ehr
ein Wallfahrt allda aufzurichten
von diesen wunderbaren Gschichten,

daß es ihm tät groß Opfer tragen.
Der Pfleger tät ihm das abschlagen
und sprach: „Mein Pfarrer, nehmt zu Herzen,
tut nicht mehr mit den Heiling scherzen!
Sie nehmens nit allzeit vergut,
wie das alt Sprichwort sagen tut.
Nehmt bei dem Bild Warnung und Lehr
und verbrennt keines nimmermehr!"
So wurd nichts mehr aus diesen Sachen,
denn daß der Pfaff muß lassen machen
Ofen und Gläser wiederum,
verflicket Gelds ein michel Summ,
darob ihn sein Kellnerin alt
lang Zeit übel handelt und schalt,
daß er so törlich hätt getan.
Nach dem ging erst sein Marter an.
Als das sein Bauren innen wur'n
und den arglisting Rank erfuhrn
von dem Pfleger, der an der Stätt
das Bild mit Pulver gspicket hätt,
erst mußt er'n Spott zum Schaden haben
und mit großen Schanden abtraben
eben gleich wie ein nasser Dachs
vor seinen Bauren, spricht Hans Sachs.

Der Bruder Zwiefel.

Ein Münnich Zwiefel war genannt,
stationieret im Welschland,
listig, verschlagen, schwind und rund,
der alle Menschen äffen kunnt;
kam in ein Städtlein, heißt Zertal,
sein Zinst zu holen abermal.
Am Sunntag früh sein Predigt macht',
er hätt ein kostlich Heiltum bracht,
ein Fedren von St. Gabriel,
die wollt' er zu Trost ihrer Seel
nachmittag zeigen zu der Non,
darzu sollt kummen Weib und Mann.

Nun waren junger Gsellen zween
des Münnichs Leicherei verstehn,
die schlichen in die Herberg nein,
zu stehlen ihm das Heiltum sein.
Der Münnich aus zu Gaste aß;
sein Knecht dort in der Küchen saß
und buhlet um des Wirtes Maid.
Ins Münnichs Kammer kamens beid
und funden offen sein Watsack,
darin ein kleines Lädlein stak.
Da in Seiden gewickelt ein
lag ein schön Sittich-Federlein.

Das nahmen sie mit kurzem Rat
und legten Kohlen in die Statt.

Als man nun läutet zu der Non,
Bruder Zwiefel macht sich auf Bahn,
mit dem Heiltum zu Kirchen ging,
ein Gänspredig darvan anfing,
wie St. Gabriel hätt verzett'
diese Fedren zu Nazareth.
Als er das Heiltum nun aufdeckt,
fund er Kohlen darein gelegt.
Des er im Anfang sich entsetzt,
jedoch fing er ein Herz zuletzt
und hub sein Händ gen Himmel auf,
sprach fröhlich zu des Volkes Hauf:
„Ein anders Heiltum ich da hab,
das ein heiliger Abt mir gab.
Das sind die Kohlen, drob man spat
St. Lorenzen gebraten hat,
und welches ich bestreich darmit,
das kann das Jahr verbrinnen nit
im Feuer, das es nicht entpfindt.
Kummt her und opfert, lieben Kind!"
Zuhand zu Bruder Zwiefel drung
mit Kerzen, Lichten alt und jung;
jedes ein Pfenning opfren tät.
Er nahm die Kohlen an der Stätt,
eim ieglichen Weib mit Andacht
ein schwarz Kreuz auf den Schleier macht.

So schweißt er ihn' ihr Geldlich ab,
schwarz Kohlen für weiß Silber gab.
Was er ihn' sagt, gelaubtens alls,
darmit er füllet seinen Hals.
Des ist Deutschland mit diesem Brauch
lang Zeit worden betrogen auch.
Wahr sagt das alt Sprichwort gemein:
Die Welt die will betrogen sein.

Der Maler mit dem Dumprobst zu Regensburg.

Zu Regensburg ein Maler saß,
der hätt ein Weib, schön über Maß,
war doch an ihren Ehren stet.
Um die der Dumprobst buhlen tät
und wollt ihr vierzig Gulden schaffen,
daß er ein Nacht bei ihr tät schlafen.
Die Frau tät es dem Mann ansagen.
Der Maler tät mit ihr ratschlagen,
wie sie das Geld zuwegen brächt,
an Ehren doch blieb ungeschmächt.
Endlich da wurd die Glock gegossen
mit einem visierlichen Possen.

Die Malerin die schickt ihr Maid
zu dem Dumprobst mit dem Bescheid,
ihr Mann wär gangen über Feld.
Der Dumprobst kam und bracht das Geld
und gab ihr das und mit den dacht,
bei ihr zu schlafen dieselb Nacht.
Die Frau briet ein Huhn und sott Fisch,
hieß den Dumprobst sitzen zu Tisch.
Dem Maler geben ward das Los,
der kam mit eim Geböller groß
zu klopfen an sein eigen Haus.
Die Frau sprach: „Herr, mein Mann ist daus."

Er sprach: „O Frau, wo soll ich hin?"
Sie sprach: „Herr, folget meinem Sinn
und ziecht Euch mutternackat ab
und stellet Euch nur bald hinab
unter die Bild in die Werkstatt
und rührt Euch nit, obgleich fürgaht
mein Mann mit seinem Waffen wild,
so meint er, Ihr seid auch ein Bild."

Das gschach. Sie tät dem Maler auf,
der ging in die Werkstatt hinauf,
sprach: „Ein Bild soll ich eim verkaufen."
Der Pfaff stund auch unter dem Haufen.
Der Maler sprach: „Das Bild wär fein,
wär ihm verdeckt sein Gschirr allein:
es ist ein Schand vor ehbern Frauen,
leich mirs Beiel! Laß michs rabhauen!"
Die Frau sprach: „Laßt das Ding nur recken,
daß die Bäurin die Licht dran stecken."
Doch langt sie ihm das Beiel her,
daß er ihms abhaut. Da floch der
Dumprobst, stieß etlich Bild darnieder,
loff nackat aus dem Hause wieder,
kam nackat zu seim Haus geloffen,
die Tür ahn alls Gefähr fand offen.
Der Maler loff ihm hintennach
und schrier immer: „Halt auf! und fach!"
Und klopfet an des Dumprobst Pforten
und schrier hinauf mit diesen Worten:

„Mir ist ein Bild entloffen rein."
Der Dumprobst schrei: „Laßt das gut sein!
Ich will Euch hundert Gulden schenken,
und tut der Ding nit mehr gedenken!"

Der Maler nahm das Geldlich an
und ging gar freudenreich darvon.
So geit manch Weib noch eim ein Schlappen
und henkt ihm an ein Narrenkappen,
daraus ihm Schand und Schad erwachs
mit Schand und Schaden. Spricht Hans Sachs.

Der kupplet Münnich.

Zu Florenz war ein Edelweib
sinnreich, jung, schön, gerad von Leib,
die hätt ein alten reichen Mann,
mit dem sie selten Freud gewann;
er war uralt und krohnet sehr
und eifert ie länger ie mehr.
Darum die Frau ein Jüngling grad
liebgwann und hätt sein groß Genad
und ging ihm gar oft zu Gesicht.
Der Jüngling aber merkets nicht,
hätt kein acht auf die Lieb der Frauen.
Nun wollt sie auch niemand vertrauen,
den sie in Botschaft hätt geschickt.
Die Frau den Jüngling oft erblickt
stehn bei einem Münnich uralte
in der Kirchen. Zu dem sie balde
ging, bat ihn, daß er sie hört Beicht.
Als sie nun wohl ihr Herz erleicht,
hub sie dem Münnich an zu sagen,
weinend ob dem Jüngling zu klagen,
wie er ihr täglich nach tät stellen,
sie an weiblicher Ehr zu fällen,
und zug herfür ein gülden Ring,
sprach: „Den schickt mir der Jüngeling.
Seht hin und gebet ihm den wieder!
Der Buhlerei bin ich zu bieder.“

Die Frau tät ihm zween Marcell schenken,
der Sach gen dem Jüngling zu denken.
Alsbald die Frau nur von ihm kam,
den Jüngling er bald für sich nahm
und fuhr ihn an mit Worten scharf,
der Frauen Klage ihm entwarf.
Der Jüngling weßt nichts von der Sach,
leugnet. Der Münnich zu ihm sprach:
„Kennst den Ring, den du ihr hast geben?
Den nehm wieder!“ Darbei merkt eben
der Jüngling der schön Frauen Huld
und bekennet sam halb sein Schuld,
sprach, sie fert der Lieb zu entlassen,
nahm den Ring, ging fröhlich sein Straßen.

Nach dem die Frau kam, sprach: „O Herr,
mein Mann ist ausgeritten ferr.
Da kam der Jüngling heint zu Nacht,
stieg auf ein Baum zu mir mit Macht.
Erwehrt ich mich sein, ich wills sagen
mein Brüdern, ihm sein Haut zerschlagen.“
Der Münnich sprach: „Schweigt mir zu Gfallen!
Ich will ihn strafen in dem allen.“
Die Frau stund auf und ging dahin.
Bald fordert der Münnich für ihn
den Jüngling, ihm übel zuredte,
ein Ehrendieb ihn schelten täte,
der zu Nacht in die Häuser stieg,
sagt ihm all Ding. Der Jüngling schwieg

und tät zu Nacht sich nit lang säumen,
im Garten an gemeldtem Bäumen
hinauf stieg, sich ins Fenster schwang,
macht seiner Lieb ein Anefang
mit der, die ihn hätt herzlich liebe.
Johannes Bocacius schriebe.
Daß aus heimlicher Lieb erwachs
heimliche Freud, das wünscht Hans Sachs.

Der gestohlen silbern Löffel.

Eins Tags zu Augsburg in der Stadt
ein gut Schwank sich begeben hat
bei einem Wirt, auf seinem Saal
mit sein Gästen ob dem Nachtmahl,
daran ihr zwölf saßen zu Tisch,
die hätten gut Vogel und Fisch
und darzu ein kostlich Gemüs
mit Würz, Zucker und Mandel süß.
Nun als man den Tisch hätt gedeckt,
hätt der Wirtsknecht darauf gelegt
zwölf silbern Löffel diesen Gästen
zu allen Ehren, in dem besten,
wie sie denn alle Speis und Trank
annahmen da zu hohem Dank.

Doch saß unter den Gästen gmein
ein Dorfpfaff, der war nit gar rein,
der heimlich ein Löffel aufhub
und tückisch in sein Busen schub,
den seinr Kellnerin heim zu tragen,
von großer Schenke ihr zu sagen,
die er allda entpfangen hätt.

Nun solich Tück ersehen tät
ein gut ehrlich kurzweilig Mann,
dacht dem Pfaffen ein Schalkheit ton

und tät doch dergeleichen nicht
und erwischt auf den Tisch gericht
ein silbern Löffel, den auch aufhub,
und heimlich in sein Busen schub.
Als nun das Nachtmahl Ende hätt
und man zu Tisch aufheben tät
Teller, Löffel, Wein und auch Brot,
das Tischtuch, darnach danket Gott,
fund der Knecht an der Löffel Menig
an den zwölfen gleich zween zu wenig.

Das zeiget er dem Wirte an,
der ward bald in die Stuben gahn,
die Ding gründlichen zu erkunden,
daß die zween Löffel würden gfunden;
wann er von diesem Tück nit weßt,
er hielt sie all für ehrlich Gäst.
Wann er dacht solchs ihr kein zu zeihen
und wollt auch solichs nit ausschreien,
und nahm ein Kirzen in sein Händ
und leuchtet um an allem End
unter dem Tisch auf unde nieder,
sein zween Löffel zu finden wieder.
Als er nichts fand, tät er aufsehen.
Auf den Wirt merket in der Nähen
der gute Mann, der auch da oben
ein silbern Löffel hätt eingschoben,
und rucket sein heimlich subtil
den seinen silbern Löffelstiel,

daß er frei aus seim Busen recket,
bloß und gänzlichen unbedecket.
Bald aber der Wirt den ersach,
da tappt er mit der Hand darnach
und tät ihn unwirs herausnehmen,
den guten Gast mit zu beschämen,
und sprach zu dem Löffel: „Liegst du
bei dem Gast so in stiller Ruh?
Sag, liegt dein Gsell nit auch bei dir,
daß ihr beid wieder würdet mir?
Des Tückes hätt ich je nit traut."
Der gut Mann fing an und schrei laut:
„Mein Herr Wirt, laßt mich ungeschmächt,
ist es jenem Dorfpfaffen recht,
welcher sitzt an dem Tisch dort oben,
der auch ein Löffel ein hat gschoben,
da dacht ich mir fürwahr, ihr Lieben,
jeder ein Löffel ein müßt schieben,
weil es der Pfarrer selb anfing,
da gfiel mir trefflich wohl das Ding,
die würde der frumm Wirt uns schenken,
im allerbesten sein zu denken.
Derhalb nehmt das im besten an!
Ich habs in keinem Argen ton."

Als der Dorfpfaff hört diese Wort,
wurd er ganz schamrot an dem Ort
und redt kein einig Wort darein,
sunder griff in den Busen sein,

mit zitternder Hand überaus
zug er den gstohlen Löffel raus
und warf ihn dem Wirt wieder dar,
der nahm ihn an mit Wunder gar,
schwieg darzu, ließ ihms wohl gefallen.
Erst wurd ein Glächter von ihn' allen
am Tisch, von Gästen übermaß
und weßt doch keiner, wie ihm was,
ob es wär Ernst oder nur Schimpf.
So ging der Diebstahl ab mit Glimpf,
und jeglicher sein Mahlzeit gab,
und gingen hin zu Bette ab.

Nach dem der Wirt sein Ordnung macht,
hätt Gäst zu Mittag oder Nacht,
bald man Suppen oder Gmüs aß,
nach dem man stracks aufheben was
die Löffel, ließ ihr liegen nicht,
bis daß das Mahl gar wurd verricht,
darmit kein Löffel würd gestohln.
Als solchs hörten die Wirt verhohln,
daß ihn' kein Löffl würd gstohlen auch,
fingen sie all an diesen Brauch:
Wenn man die Löffl genutzet hätt,
daß mans alsbald aufheben tät.
Also ist die Gwohnheit aufkummen
und hat ein solchen Anfang gnummen,
ist bis auf diesen Tag noch blieben,
wie Doktor Kuckuck hat beschrieben.

)er Bauer mit dem bodenlosen Sack.

Ein Bauer saß im Oberland,
dem die Armut tät weh und ant,
;agt: „Es hat mich alls Glück verschworn.
Air hat umgschlagen Weiz und Korn,
.insen, Arbeis, Rüben und Kraut
ınd alls, was ich dies Jahr hab baut;
.uch sind zwo Mastsäu mir gestorben
ınd ein Kalb im Brunnen verdorben,
larzu ein Roß worden gestohln:
ch weiß mich nit mehr zu erholn
les Schadens, daß mein Gült ich zahl,
lie gfodert ist zum drittenmal.
ch fürcht den Schuldturen allwegen,
larin ich vor bin dreimal glegen;
teck sunst auch in sehr großer Schuld,
ler' reitet mich groß Ungeduld.
ch glaub, wenn jetz der Teufel käm,
nir Geld brächt, daß ichs von ihm nähm,
ınd wär darnach ewiglich sein."

ndem kam der Teufel hinein,
prach: „Bauer, ich hab ghört dein Klag.
Ait Geld ich dir wohl helfen mag,
loch daß du darnach seiest mein."
)er Bauer sprach: „Ja, das soll sein,
venn du mir gibest Geld genug." –

„Du möchtst abr treiben ein Betrug!"
sprach der Teufel, „sag mir vor an,
wieviel Geldes mußt du denn han,
daß du des Geldes genug hättest?"
Der Bauer sprach: „Wenn du mir tätest
gleich eben diesen Mahlsack voll,
daran soll mich benügen wohl;
denn soll dein sein mein Leib und Leben."
Der Teufel sprach: „Den will ich geben,
daran sollt du haben kein Zadel.
Setz dich heint z' oberst auf dein Stadel
mit deinem Sack, so will ich kummen
und dir bringen des Geldes Summen.
Doch sag im Dorf sunst nichts darvon,
das Geld nähm sunst dein Edelmann."

Die Sach war schlecht, der Teufl fuhr hin.
Der Bauer dacht in seinem Sinn:
wie griff ichs an, daß ich Geld nähm
und aus mein großen Schulden käm,
doch nit verlür der Seelen Heil
und dem Teufel nicht würd zu teil?
Ich weiß ein Rank, will den bekennen,
will den Sack am Boden auftrennen,
und willn in dem Dachstadel hoch
hineinhenken durch das Firstloch:
was der dreinschütt von Gelde allen,
wird unten durch den Sack ausfallen
herab hoch in den Stadel innen,

daß dem Teufel müß Gelds zerrinnen,
eh er mir füllt diesen Mahlsack.
Und wenn mir fort geht der Fürschlag,
so überkumm ich groß Reichtum, –
würd doch des Teufels nit darum.
Tät also bei des Mones Glitzen
oben auf den Stadelfirst sitzen,
sein bodenlosen Sack mitzog,
und hing ihn nein zu dem Firstloch.

Der Teufel sich gen Frankfurt hub
und ein Kessel mit Geld ausgrub,
den ein alter Jud eingraben hätt,
und den mit ihm hinführen tät
zum Bauren auf den Stadel sein,
schütt' das Geld in den Sack hinein;
das fiel alles unten durchaus.
Der Teufel hintr eins Bauren Haus
auch ein Hafen mit Geld ausgrub,
und den mit großer Eil erhub,
den ein Bäurin eingraben hätt,
den auch in den Sack schütten tät.
Nach dem begriff den Sack gar wohl,
ob er nicht wär mit Geld schier voll.
Da griff er endlich an der Stätt,
daß der Sack keinen Boden hätt,
sprach: „Bauer, du hast mich betrogen,
das Hälmlein durch das Maul gezogen,
weil dein Sack hat kein Boden nicht.

Was ich neinschütt, das fällt gericht
unten durchaus nab in den Stadel.
Ich würd haben Mangel und Zadel
an allen Schätzen in der Welt
und an allem eingraben Geld,
eh ich dir füllet deinen Sack."
Der Bauer dieser Red erschrak
und forcht des Teufels grimmen Zorn.
Derselb auch fing an zu rumorn
und den Bauren grimmig anplatzt,
sein Hals und sein Angsicht zerkratzt
mit seinen spitzigen Klaen scharf,
beim Haar ihn nab vom Stadel warf.
Der Teufl fuhr hin in Zoren grimm,
und ließ ein wüsten Gstank hintr ihm;
der Bauer lag, war gfallen hart,
daß er sein Lebtag hinkend ward.
Auffuhr der Bauer obgemeldet
und klaut im Stadel zsamm das Geld,
und legt das in sein Haberkasten
und dacht: Erst will ich fröhlich masten,
und ob ich gleich bin hinkend schon,
bin ich doch itz ein reicher Mann,
und hat ein End mein Ungeduld;
nun kann ich zahlen all mein Schuld,
kann sitzen auch bei kühlem Wein,
da ander reich Bauren auch sein;
nun wird ich auch zogen herfür,
darf nicht sitzen hinter der Tür.

Also er aller Kurzweil wielt
und ein fröhliche Fastnacht hielt
mit seinem Schatz im Haberkasten.

Und als es nun war nach Mitfasten,
ward der Bauer seim Pfarrer beichten,
sein Herz von Sünden zu erleichten,
die Handlung mit dem Teufel meldt
und von seinem zubrachten Geld
und dem Sack, der kein' Boden hätt.
Der Pfarrer dem nachdenken tät
und brauchet einen schwinden List,
sprach: „Bauer, willt du zu der Frist,
daß ich von Sünd dich absolvier,
so mußt du zu Lohn geben mir
diesen dein bodenlosen Sack."
Der Bauer dieser Red erschrak,
sprach: „Herr, ich hab den Sack erstritten
und sehr viel Unglücks drob erlitten;
den Sack ich nit geren verlier."
Der Pfarrer der sprach: „Es ziemt mir
der Sack, und ist auch eben recht
uns, dem ganz geistlichen Geschlecht,
daß wir darein sammlen alls Geld
und alle Güter dieser Welt,
und daß er dennoch nit werd voll;
drum ziemet uns der Sack gleich wohl."
Der Bauer sprach: „So nehmt ihn hin!
Sagt, wie lang wöllt Ihr bhalten ihn?

Ich denk, es werd in kurzer Zeit
Euch den nehmen die Obrigkeit,
auf daß ihr Schatz sich mehr und wachs
zu gmeinem Nutz." So spricht Hans Sachs.

Der Bauerntanz, versammelt aus mancherlei Dörfern.

Eins Tags ich auf ein Kirchweih kam
gen Megeldorf, da ich vernahm
in einem großen Wirteshaus
die Bauren leben in dem Saus.
Die Kalbsköpf, Mägen und die Krös,
Pfeffer und Sulz waren nicht bös.
Die Rotsäck und die Schweinenbraten,
die Sauermilch war wohlgeraten.
Der Wein ward also küllet trunken,
daß ihr' viel unter die Bänk sunken.
Sich hub ein groß Grölzen und Speien,
in Kallen, Singen, Juchzen, Schreien.
In dem Wirtshaus an allen Ort
sein eigen Wort ihr keiner hort.
Ganz fröhlich waren jung und alt.
Nit weiß ich, wer die Oerten zahlt.
Darnach sach ich zween tölpet Pfeifer,
ihr Finger kolbet wie eim Schleifer,
die stonden da und pfiffen auf.
Von Maiden war ein großer Lauf,
die stonden da warten des Manns,
bis sie aufzog Fritz, Konz und Hans.
Ein Teil die hüten doch der Spies,
des sie gewunnen groß Verdrieß.
Hans Dötschinbrei von Ramersloch

die Gresch von Erbelting aufzog,
die hätt ihm geben einen Kranz,
daß er mit ihr sollt ton ein Tanz.
Kunz Scheuenpflug von Röttenbach
da zu der Reuelgreten sprach:
„Wann du wollst meines Tanzen lachen,
so wollt ich dir dein Sach bald machen."
Und der bös Liendl von Ganghofen,
der hätt sich ganz blind vollgesoffen.
Der tanzet mit der Spindel-Christen,
die hätt wohl dreizehmal gefisten.
Und der Steffel Schmid von Fünsing
der macht am Tanz viel krummer Ding
mit seiner Adelheid von Deltz,
der hätt ihr kauft ein neuen Pelz.
Von Gerstenhofen der Rübendunst
der brauchet an dem Tanz groß Kunst
mit der Hilla von Langenau,
die feist als ein gemäste Sau.
Der Nogelshans vom Kochersberg
der tanzt im Reihen überzwerch
mit Gumpels Weib, die war heraus
vom Mumbach aus dem Fladenhaus.
Merten Stock, Schuster von Kohlgarten,
der koset stets mit seiner Schwarten,
die war erst von dem Harz her kummen
und hätt den Egelmayer gnummen.
Darnach der Meßner von Schweinau
der tanzet mit des Pfarrers Frau

von Schniglingen, die hätt er lieb.
Viel Scherzens er am Tanzen trieb.
Von Potenstein der Eselsmüller
der war am Tisch der größte Füller,
mit Mayer Gret auch um hin nülpt
und herzet sie, daß sie ergülpt.
Des grollet fast der Jeckel Bader,
wollt nur mit ihm anfahen Hader,
daß er mit Mayers-Greten redt
und ihr zu Nacht gefenstert hätt
Voran tanzten zwo Baurendirn.
Zween Knecht täten den Reihen führn.
Den Reihen sach ich umhin springen.
Ihr' viel die griffen zu der Klingen.
Ich dacht: „Es wird in d' Läng nit fehlen,
sie werden aneinander strählen
und wird ein großes Schlahen draus."
Ich macht mich auf und geng zu Haus,
wann ich besorgt da Ungemachs
auf der Baurnkirchweich, spricht Hans Sachs.

Der Bauer mit dem Himmel, Hell und seinem Esel.

Ein Bauer in eim Dorfe saß,
der seim Pfarrer unghorsam was.
Da er die Fladen weihen sollt,
der Bauer das nit leiden wollt
und sprach, sie wären vor geweicht;
wann der Pfaff war gelehret seicht.
Der Pfarrer das dem Pfleger klagt
und den Bauren gar hart versagt,
wie er so ungehorsam wär.
Bald nach dem Bauren schicket er.
Der Pfleger ihn sehr zannet an,
warum er nicht wär untertan.
Der Bauer sprach: „Besser ich bin
und in drei Stücken über ihn.
Erstlich ich einen Esel hab,
ist gscheiter, wann der Pfarrer grab.
Zum andren in meim Hause alt
hab ich den Himmel in meim Gwalt.
Zum dritten hab ich auch die Hell
in meim Haus und alls Ungefäll."
Der Pfleger sprach: „Erklär mir das,
auf daß ichs müg verstehn dest baß!"

Der Bauer sprach: „Der Esel mein
geht selb zu dem Brunnen allein,
wenn er ihm trinket gnung zumal,
geht er wieder heim in sein Stall.
Die Kunst der Pfarrer kann nit wohl;
im Wirtshaus sauft er sich stüdvoll,
daß er kann weder gehn noch stehn,
daß ihn heim müssen führen zween.
Darbei gar klärlich ich bewähr,
mein Esel gscheiter sein wann er.
Zum andren ich den Himmel hab
in meinem Haus, uralt und grab.
Mein Ahnfrau, unghöret und blind,
die gar ist worden wie ein Kind,
der ich aufwart mit allem Fleiß
mit G'lieger, Kleidung, Trank und Speis.
Wiewohl ich selb blutarme bin,
streck ich ihr für Hauptgut und Gwinn.
Sollichs wird am jüngsten Gericht
bezahlet, wie Gott selbert spricht,
und wird dein Himmel geben ein
den', die also barmherzig sein.
Da wird ich auch in dieser Zahl
erfunden nach dem Jammertal.
Zum dritten hab ich in meim Haus
die Hell mit solchem Qual und Graus.
Das ist mein arg boshaftig Weib,
die täglich peinigt meinen Leib
mit Krohn und Zanken immerzu.

Hab Tag und Nacht vor ihr kein Ruh,
als ob ich in der Helle wär.
Des bin ich gwältiger, wenn er,
weil ich Himmel und Helle hab,
und daß daheim mein Esel grab
gescheiter ist, denn unser Pfaff.
Hoff dardurch zu entgehn der Straf."
Darauf der Pfleger in quittiert,
den Pfaffen darnach mit vexiert.
Der war aber nicht gutes Quacks.
Ihm gschach nit unrecht, spricht Hans Sachs.

Der Bauer mit dem Tod.

Ein Bauer wollt gwinn' ein Gvattern.
Da bekam ihm vor seinem Gattern
unser Herrgott und sprach: „Wohin?"
Er sprach: „Ein Gvattern ich gewinn."
Der Herr sprach: „Gewinn mich, mein Mann!"
Er sprach: „Dasselb will ich nit ton:
wann du teilst dein Gut ungeleich,
machst ein' arm und den andern reich."
Nach dem bekam ihm auch der Tod,
der sich zu eim Gvattern erbot;
wo er ihn nehm zu diesen Sachen,
wollt er ein Arzet aus ihm machen,
daß er würd reich in kurzer Zeit.
Die Gvatterschaft er ihm zuseit.
Der Tod hub aus dem Tauf das Kind,
lehrt sein Gvattern die Künst geschwind
und sprach: „Wenn du gehst zu eim Kranken,
so hab nur auf mich dein Gedanken.
Wenn ich steh bei des Kranken Haupt,
so muß der Krank sterben; (gelaubt!)
steh ich aber bei's Kranken Füßen,
so mügt Ihr ihm sein Krankheit büßen."

Im Dorf lag krank ein reicher Baur,
zu dem der Arzt kam und sach saur.
Der Krank den Arzt hieß willig kumm,

der sach bald nach seim Gvattern um,
der dort bei's Kranken Füßen stund.
Der Arzt sprach: „Willt du werden gsund,
so gib mir zwölf Gulden zu Lohn."
Er sprach: „Das will ich geren ton."
Bald er den Kranken tät gsund machen,
wurd er berühmet in den Sachen.
Bald er ging zu eim Kranken ein,
sach er auf den Gevattern sein:
Stund er beim Haupt, der Kranke starb,
bei'n Füßen, Gsundheit er erwarb.
Nach ihm man schicket in die Städt,
viel Geldes er verdienen tät.

Als dies währet auf zehen Jahr,
Kom der Gvatter Tod zu ihm dar
zun Haupten, sprach: „Hört, Gvatter Ihr,
macht Euch bald auf, Ihr müßt mit mir!"
Der Arzt sprach: „Tut mich nit verspäten,
laßt mich ein Vaterunser beten!
Wenn ich das gar ausbetet hab,
so will ich mit Euch scheiden ab."
Der Tod sprach: „Das will ich auch ton."
Der Arzet fing zu beten an,
Bet' doch nit mehr, denn das erst Wort.
Der Arzt den Tod weßt an dem Ort
und bet' also daran sechs Jahr,
das Vaterunser bet' nie gar.
Der Tod gar oft kam in sein Haus,

sprach: „Habt Ihr noch nit betet aus?"
Der ihn doch länger noch aufzug.
Der Tod zuletzt braucht ein Betrug:
In eines kranken Menschen Gstalt
legt er sich für das Hause bald
und schrei: „Herr Arzet, helfet Ihr
mit einem Paternoster mir!"
Der Arzt loff rab, sprach sein Gebet;
der Tod ihm bald sein Hals umdreht,
sprach: „Nun hilft Euch kein Liste zwar."

Darum ist das alt Sprichwort wahr:
Kein Kraut sei für den Tod gewachsen,
wird auch verschonen nit Hans Sachsen.

Das Unhuldenbannen.

Zu Langenau im Schwabenland
Ein Bauer saß, Klas Ott genannt,
der zumal aberglaubig was,
den alten Unhulden gehaß.
Was Unglücks ihm zustund auf Erd, –
ward etwan ihm hinkend ein Pferd,
oder tät ihm ein Kuh verseihen, –
so tät ers alls die Druden zeihen,
und war ihn' auch von Herzen feind.
An ihn sich auch zu rächen meint,
wenn er nur weßt, welch Druden wärn.
Darum wollt ers all kennen gern.

Einsmals an einem Pfingsttag spat
ein fahrender Schüler zu ihm eintrat,
wie sie denn umgingen vor Jahrn
und lauter Baurenbscheißer warn.
Der sagt her große Wunderwerk,
wie er köm aus dem Venusberg,
wär ein Meister der schwarzen Kunst,
macht dem Bauren ein blaben Dunst.
Der fing an, über d' Hexen klagt,
wie er ihn' so feind wär, und sagt,
er wollt sich geren an ihn' rächen.
Da ward der fahrend Schüler sprechen:
„Mein Freund, ich kann dich gar wohl lehrn,

daß du kannst bannen und beschwörn
all Unhulden im ganzen Land,
daß sie zsammkommen allesant,
daß dus möchtst all mit Augen sehen.
Der Bauer tät zum Schüler jehen:
„Ein Gulden gib ich dir zu Lohn,
lehrst michs zsammbringen auf ein Plan.“
Er sprach: „Ja, ich dichs lehren will.
Jedoch ist es kein Kinderspiel.
Ob in der Sach mißlinge dir,
so darfst du kein Schuld geben mir.
Es ist mit den Unhulden gfährlich.“
Der Bauer sprach: „Ich will gewehrlich
mit umgehn; drum sach die Kunst an!“

Er sprach: „So nehm zu dir zween Mann
und geh mit ihn’ naus für den Wald,
da im Feld steht die Eichen alt,
gleich bei der driefachen Wegscheid!
Da sollt du haben und sie beid,
ieder in seinr Hand, ein bloß Schwert,
und machet mit ein Kreis an der Erd
etwas auf dreißig Klafter weit
um diese Eichen groß und breit!
Nach dem so schürt ein großes Feur
in den Kreis zu der Abenteur
und lauft darum dreimal ringwärts
und werft ins Feuer ein Kalbsherz,
das neulich hast gestochen du!

Sprich diesen Segen auch darzu:
Venite, ihr Unhuldibus,
bringt Prügel her uns Stultibus!
Die semper mit uns spentibus
sub capite et lentibus!
Secht! wenn Ihr das habt dreimal gsprochen,
so kummen aus dem Wald mit Pochen
die Unhuldn und um den Kreis rennen,
daß Ihr sie mügt persönlich kennen.
Denn sprecht den Segen wiederum,
daß kein Ungwitter von ihn' kumm!
Doch wo Ihr fehlet an dem Ort
an dem Segen ein einigs Wort,
so würd der Teufel unverhohln
zu Euch werfen feurige Kohln,
und die Unhulden wür'n ahn Scheuch
ein Hagel machen über Euch,
und Euch vor Angsten machen heiß.
Doch bleibet all drei in dem Kreis!
Wo sich einr daraus würd geben,
so würd es kosten ihm sein Leben.
Das zeig ich dir an allermaßen.
Drauf magst du es tun oder lassen."
Der Bauer sprach: „Ich will es wagen;
hab mich fert wohl mit dreien gschlagen,
bin von ihn' kummen unbeschädigt,
würd leicht von Hexen auch erledigt.
Sag! welch Zeit müß wir heint nausgehn,
ich und darzu die andern zween?"

Er sprach: „Gleich heint zu Mitternacht
geht naus und diese Künst anfacht!“

Hinging der Bauer und war froh.
Der fahrend Schüler sich allda
auf diese Abenteur besonn,
zu äffen diesen Bauersmann.
Ging im Dorf nachts in d’ Rockenstuben
und bestellet ihm neun Roßbuben,
bericht’ sie, was sie sollten ton.
Die legten Frauenkleider an,
als wären sie Unhulden alt,
führt sie mit ihm naus in den Wald.
Jeder tät ihm drei Prügel hauen,
die Abenteuer helfen bauen.
Warten da auf des Schülers Bscheid.
Der schlich von ihn’ zu der Wegscheid
und oben auf die Eichen saß,
daß er möcht sehen alles das,
und ein Kohlscherben bei ihm hätt.
Als nun der Bauer kummen tät
mit zwei Nachtbaurn um Mitternacht
und der Kreis von ihn’ würd gemacht
mit bloßen Schwertern um die Eichen,
der wohl dreißg Klafter weit tät reichen;
nach dem schürten sie ungeheur
mitten in Kreis ein großes Feur.
Nach dem loffen die Bauren dumm
dreimal um das Feuer herum

und warfen drein das Herz vom Kalb,
sprachen den Segen, doch kaum halb.
Als die Roßbubn das Feuer groß
ersahen, war es gleich ihr Los,
zuhand sie aus dem Walde schlichen
und um den Kreis hin und her tichen:
wie die Unhuldn hättens ein Wesen,
ritten auf Rechen, Gabel und Besen,
auf Schaufel, Rechen und Ofenkruckn.
Forchtsam tätn sich die Bauren schmuckn;
wann der Man schien gar überhell,
daß man sach und hört ihr Geschell.
Auch hättens um den Kreis ein Tanz
und machten gar seltsam Kramanz.
Die drei Bauren erschrocken wasen,
des Segensprechens gar vergaßen
und zitterten im Kreis allsamm.
Der Schüler sein Kohlscherben nahm,
Warf ihn rab unter die drei Bauren.
Erst wurden gar verzagt die Lauren,
meinten, der Teufel hätt die Kohln
Rabgworfen und würd sie all holn.
Bald die Kohlen in d' Höch aufstuben,
die Unhuldn an zu werfen huben
mit Prügeln hinein in den Kreis.
Den dreien ging aus der Angstschweiß,
im Kreis sich hin und wieder schmugen,
trafen sie oft, daß sie sich bugen,
um Bein und Lend, auch um die Köpf,

daß sie sich drehten wie die Töpf.
Noch dorft ihr keiner aus dem Kreis.
Klas Ott vor Angst in d' Hosen scheiß.
Bald die Unhuldn verwarfen gar
ihr Prügel, loffens wieder dar
Zerstreuet hinein in den Wald.

Froh waren die drei Bauren alt,
trollten bald aus dem Kreis hinaus
und kamen hinkend heim zu Haus
mit Beulen, schwarz und blaben Flecken
von der Hexen Prügel und Stecken.
Jedoch so dorft ihr keiner klagen,
in dreien Tagen darvon sagen,
und verschwurn bei Treu, Eid und Ehr,
forthin zu bannen nimmermehr
die Hexen oder die Unhulden.
So mußten sie all drei gedulden,
zu dem Schaden leiden den Spott
von der anderen Bauren Rott,
wann die Roßbuben nach den Tagen
die täten allen Menschen sagen,
wie alle Sach sich hätt verloffen.
Auch so machet die Ding recht offen
der fahrend Schüler, nahm sein Lohn
von Klas Otten und zog darvon.

Der Bauer mit dem Kuhdieb.

Zu Ingolstadt im Bayerland
liegt ein Dorf, Wintersbach genannt,
ein einfältiger Bauer saß,
der nit sehr reich an Gütern was.
Der hätt nur ein einige Kuh
und darzu ein Sau oder zwu.
Zu dem kam eines Abend spat
ein loser Störzer und ihn bat
um Herberg die Nacht, bis es taget.
Der gut Baur Herberg ihm zusaget.
Doch gutes Gmachs wär' er verziegen;
wann er müßt in dem Heu nur liegen.
Der Gast daran Genügen hätt.
Dem der Bauer hertragen tät
ein kalte Millich und ein Brei
und aß mit ihm, fragt ihn darbei:
„Willt auf den Jahrmark in die Stadt?", –
„Ja", sprach der Schalk, den Bauren bat,
ob er auch wollt in d' Stadt hinein,
daß er ihn ließ sein Gfährten sein
und ihn aufwecket früh vor Tag.

Also machtens ihren Anschlag.
Der Bauer mit seim Gsind sich legt;
der Gast sich in dem Stadel streckt.
Als die Mitternacht ging herzu,

stund er auf, stahl des Bauern Kuh
und führt sie hinaus in den Wald
und band sie an ein Baumen bald,
ließ die Kuh stehn, und er ging wieder
hinein in Stadel, legt sich nieder.
Zwo Stund vor Tag der Baur aufstund
und den Kuhdieb aufwecken kunnt.
Gingen neinwärts der Stadt all beid.
Als sie kamen an ein Wegscheid,
Sprach der Dieb: „Da muß ich gehn jetzt
nein in das nächst Dorf; darin sitzt
ein Bauer, der mir schuldig ist
fünf Gulden; auf heut steht die Frist.
Geh du nur hin gemach die Straß!"
Mit dem der Dieb hinlaufen was,
löst ab die angebunden Kuh,
loff wieder mit dem Bauren zu
und sprach zu ihm sam ungeduldig:
„Der Baur war mir fünf Gulden schuldig,
hat mir die alten Kuh drangeben."
Der Baur die Kuh beschauet eben
und sprach: „Gesell, die Kuhe dein
sicht bei meim Eid gleich wie die mein
an Farb, an Euter und an Horn.
Und wenn ich mein Kuh hätt verlorn,
so schwür ich doch, die Kuh wär mein."
Der Kuhdieb sprach: „Das mag wohl sein,
daß ein Kuh ist der andern gleich.
Mein Baur, ich bitt dich fleißigleich,

hab viel in der Stadt umzulaufen,
wöllst mir die Kuh einweil verkaufen,
wie du magst; bring mir das Geld doch
in das Bierhaus zu dem Heinz Koch!
Alsdenn ich da zu Leitkauf zahl
für mich und für dich das Frühmahl,
schenk darzu auch ein Trinkgeld dir
zu Dank." Mit dem sie kamen schier
zu Ingolstadt zu dem Stadttor.

Der Bauer nahm die Kuh darvor
und führt sie zu der Metzg hinab,
eim Metzler die zu kaufen gab
um vier Pfund schwarzer Pfennig doch
und macht sich darnach zum Heinz Koch.
Nach kurzer Zeit der Dieb auch kam,
von dem Bauren das Geld einnahm
und sprach zum Heinz Koch an der Statt.
„Mir und meim Gspon zwei Hühner brat
und trag Wein auf, dieweil uns dürst!"
Der Koch sprach: „Ich hab nur Bratwürst,
hab auch weder Hühner noch Wein.
Mit Bier müßt ihr benügig sein."
Der Dieb sprach: „Koch, leich mir ein Kandel
und ein Zinnplatt zu diesem Handel,
daß ich bring bratne Hühnr und Wein
aus der Jarküchen! du mußt sein
auch mein Gast; doch tu mir verzeihen!
Tu mir auch deinen Mantel leihen,

darunter ich müg tragen rein
drei bratne Hühner und den Wein!
Trüg ichs bloß, es wär dir ein Schand."

Der Koch liech ihm das alls. Zuhand
ging der Dieb mit zum Tor hinaus,
ließ den Baurn wartn in des Kochs Haus.
Nach Mittag kam sein Tochter her,
sprach: „Vater, ich bring böse Mär.
Uns ist gestohlen unser Kuh."
Er sprach: „Da schlag der Teufel zu!
Ich habs heut selbs verkauft am Morgen.
Daß der Dieb müß am Galgn erworgen!
Der Metzler hat die Kuh schon gschlagen.
O mein Greschl, tus daheim nit sagen!
Will schon ein neu paar Schuch dir kaufen."
Nach dem der Bauer war umlaufen
hin unde her, den Dieb zu suchen,
fand ihn nicht, tät schelten und fluchen
und mußt geraten seiner Kuh,
Dergleichen auch Heinz Koch darzu
seins Mantels, Zinnplatts und der Kandel.

Man lehrt aus dem schwänklichen Handel,
daß ein Mann wohl für sich soll schauen,
fremden Gästen nit weit vertrauen
in seinem Haus, die er nit kenn,
von ihn' nit weiß, wie oder wenn.
Ein alt Sprichwort sagt: Sich für dich,

wann rechte Treu, die ist mißlich,
dieweil man doch oft wird umzogen,
von den Wohlbekannten betrogen.
Trau nit zuweit und wart des Dein'
willt anderst unbetrogen sein!
Vertrau Fremden und Unbekannten
samt Inheimischen und Verwandten
in deinem Handel nit zuweit,
daß dir nit in zukünftig Zeit
Spott zu dem Schaden auferwachs
wie diesem Bauren! Spricht Hans Sachs.

Der Bauernknecht fiel zweimal in Brunnen.

Ein Baurnknecht, Liendel Dötsch genannt,
dient zu Fünsing im Bayerland,
da denn gar tolle Bauren sind,
dergleich man sunst in Bayren findt.
Der nahm siebn Schilling Pfenning ein
am Jahrlohn von dem Bauren sein
und kam hin an dem Abend spat
gen Münichen, in die Hauptstadt,
an der Dult nach St. Jakobs Tag,
da denn die Stadt voll Krämer lag,
und kaufet ihm ein rot Hostuch
und darzu auch ein neu Paar Schuch.
Auch kauft er ihm ein blaben Hut,
steckt daran ein Hohnfedern gut.
Am Geld ihm überblieben war
ein schwarzer Pfenning also bar.
Darmit tät er an Mark hin laufen,
ein Pfennwert roter Äpfel kaufen.
Dieselben er mit Fleiß aufhub,
in Busen in sein Kittel schub
und schaut sich um nach diesen Taten,
wo er fünd einen kühlen Schatten,
daß er daran säß vor der Sunnen.
In dem er den niedren Schöpfbrunnen
ersach an dem Fischmark von fern,

bei der Trinkstuben der Ratherrn.
Wie bald er auf das Brunngscherr saß
und seiner roten Opfel aß
mit Schelfen ungschält gar hinein
und schmatzet darmit wie ein Schwein!
Das Opfelessen schmeckt ihm wohl
und hätt stetigs beid Backen voll,
giehnt dieweil hin am Mark herwieder,
wer allda ging auf unde nieder.
Auch klopft mit seinen Stiefeln er
unten an des Brunnen Gescherr.
Unbsinnt er zuweit überpürzet,
und hinterwärts in Brunnen stürzet
so hart, daß ihm sein Gürtel brach.

Das ahn all Gfähr ein Pfaff ersach,
der rufet zu dem Volke allen,
es wär ein Baur in Brunnen gfallen.
Da luff das Volk zu allesamm,
der Brunn voll roter Opfel schwamm.
Der Baurenknecht am Eimer hing
und bat sie fleißig allerding,
sie sollten ihn rauf ziehen wieder.
Da half treulich darzu ein ieder,
zogen den Dötschen wieder raus,
triefnaß wie ein getaufte Maus,
leinten ihn an des Brunnen Säuln.
Da er ward zahnklaffen und heuln
an der Sunnen, und von ihm schoß

ein Wasserstrudel lang und groß
samt den gefressen Opfeln sein.
Da sprach der vorig Pfaff allein,
nachdem er wieder tät gemagen:
„Aus was Ursach (tu uns ansagen!)
hast du dich selb wollen ertränken?“
Der Baurnknecht tät sich kurz bedenken,
sprach: „Sichst du mich an für ein Narren?
Wes darfst du mich also anschnarren?

Meinst du, ich wollt ertränken mich,
weil doch erst gekaufet ich
den neuen Hut und das Hostuch,
die Opfel und die neuen Schuch?
Wes dorft ich des, wollt ich mich tränken?
Ein sollichs kunnt ein Narr wohl denken.“
Da finge der Pfaff wieder an:
„Du Narr, sag! wie hast du denn ton,
daß du beim Tag bist an der Sunnen
gefallen bist in diesen Brunnen?“
Der Liendel Dötsch sprach: „Schau mir zu!
Ich tät gleich, wie ich ietzund tu.“
Und wieder auf den Brunnen saß
und sprach: „Also ich Opfel aß,
tät also mit mein Stiefeln klopfen,
wie in ein Baumen die Wiedhopfen.“
Als nun also wiederum er
rang auf dem Brunnen wieder her,
bis er sich endlich überwug

und wiederum in Brunnen schlug:
Darein tät er ein lauten Pflumpf,
als ob er wär von Blei ein Stumpf,
und pfattlet lang im Wasser tief,
bis er den Brunneimer begriff,
auf den er darnach grittling saß
und wieder naufgezogen was.
Leinten ihn an die Sunnen hin,
ließen wieder vertropfen ihn.
Um ihn drang sich des Volkes Schar.
Als ihm kein Schad geschehen war,
fing sein das Volk zu lachen an.

Gar sauer sach der Bauersmann
und sprach: „Lacht gleich alls, was ihr wöllt!
So gscheit ihr all nit werden söllt!
Und fiel ich hundertmal hinein
und fragt ihr mich gleich allgemein,
wie ich ihm also hätt geton,
daß ich euchs mehr wollt zeigen an.
Bescheißt ein andern! ich bin kein Schlechter."
Erst wurd vom Volk ein groß Gelächter,
daß er ihns nicht mehr zeigen wollt,
wenn er schon mehr drein fallen sollt.
Nach dem sach er erst an der Stätt,
daß er sein Bräxen nit mehr hätt,
sunder lag noch unten im Brunnen.
Sprach der Dötsch zornig unbesunnen:
„Es ist der Brunn gleich wie die Leut,

der mir mit Gwalt hat gnummen heut
mein Bräxen und mein Opfel rot.
Und treibt das Volk aus mir den Spott.
Ich will wieder naus zu den Frummen,
in eim Jahr nit mehr rein will kummen."
Darmit trollt er sich aus der Stadt,
wieder gen Fünsing also spat,
klagt, er wär zwier in Brunnen gfallen
und verspott' von den Leuten allen.

Warum die Bauern Landsknecht nit gern herbergen.

Eins Tages tät ein Pfaff mich fragen,
ob ich nit wahrhaft weßt zu sagen,
warum die Baurn unwillig wärn
und herbergtn die Landsknecht nit gern.
Ich sagt: „Es liegt im Schwabenland
ein Dorf, Gersthofen ist genannt,
da hat die Ursach sich angfangen.
Im kalten Winter, nächst vergangen,
da loff ein Landsknecht auf der Gart
zerrissen und erfroren hart
in großer Kält für einen Galgen.
Darauf sach er die Raben balgen
und einen Dieb auch hangen dran,
der hät zween gute Hosen an.
Da dacht ihm der gut arm Landsknecht:
die Hosen kümmen mir gleich recht,
und streift dem Dieb die Hosen ab;
an Füßen wollten sie nit rab,
wann sie waren daran gefroren.
Der Landsknecht flucht und tät im Zoren
und hieb dem Dieb ab beide Füß,
samt den Hosen in Erbel stieß.

Nun war es etwas spat am Tag,
das Dorf Gersthofen vor ihm lag,
da trabet er ganz frostig ein,
zu suchen da die Nahrung sein.
Als er nun herumgartet spat,
zuletzt er dann um Herberg bat
ein Bauern; nahm ihn an gutwillig,
gab ihm ein Schüssel voll heißer Millich,
trug ihm in d' Stuben ein Schütt Stroh.
Des war der frostig Landsknecht froh.

Nun hätt diesem Bauren darzu
den Abend auch kälbert ein Kuh.
Nun war es ein grimmkalte Nacht,
derhalb man's Kalb in d' Stuben bracht,
daß es im Stall kein Schadn entpfing.
Als jedermann nun schlafen ging
und still ward in des Bauern Haus,
zug der Landsknecht die Hosen raus,
die er dem Dieb abzogen hätt.
Die Füß er ledig machen tät
und zug des Diebes Hosen an
und machet sich vor Tag darvon
ganz still, daß sein kein Mensch wahrnahm,
ließ liegen die Diebsfüß beidsam.

Als früh die Baurenmaid aufstohn
und ward hinein die Stuben gohn,
trug mit ihr ein großes Spahnlicht;
als sie den Landsknecht nit mehr sicht,

allein das Kalb dort in der Ecken
horet gar laut schreien und blecken,
indem sie die Diebsfüß ersicht,
vermeint sich gänzlich anderst nicht,
denn das Kalb hätt den Landsknecht gfressen,
erst wurd mit Forchten sie besessen,
saumt in der Stuben sich nit lang,
hinter sich zu der Tür aussprang,
Schrei am Tennen Zeter und Mord.
Als der Bauer das Mordgschrei hort,
erschrak und aus der Kammer schrier,
was ihr wär? Sie antwort: „Weh mir,
o Bauer! es hat unser Kalb
den Landsknecht fressen mehr denn halb,
allein liegen noch da die Füß.“

Der Bauer zücket sein Schweinspieß,
schloff in rostigen Harnisch sein
und wollt zum Kalb in d' Stuben nein.
Die Bäurin sprach: „Heinz, lieber Mann,
mein und deinr klein Kinder verschon!
Das Kalb möcht auch zureißen dich!“
Der Bauer trat wieder hinter sich;
die Kinder grinnen allesam;
der Knecht erwacht, geloffen kam;
sie kunntn des Landsknechts nit vergessn,
Meinten, das Kalb das hätt ihn fressn.
In sie kam ein solch Forcht und Graus
und flohen alle aus dem Haus.

Der Baur zum Schultheiß sagt bose Mär,
wies mit seim Kalb ergangen wär
des Landsknechts halb; darob wurd heiß
dem Schultheiß, ging aus der Angstschweiß,
hieß bald läuten die Sturmglocken
die Bauern loffen all erschrocken
auf den Kirchhof, zittrend und frostig,
mit ihrer Wehr und Harnisch rostig.
Da sagt der Schultheiß ihn' die Mär,
wie daß ein grausams Kalb da wär,
das hätt ein schrecklich Mord getan,
gefressen einen Landsknecht schon
bis an die Füß. „Mit diesem Wurm
do müssen wir tun einen Sturm,
daß man es von dem Leben tu,
wann würd das Kalb groß wie ein Kuh,
so fräß es uns all nacheinander."
Die Bauern erschrakn allesander
und zugen für das Haus hinan.
Der Schultheiß der war ihr Hauptmann.
Der sprach zu ihn': „Nun stoßets auf!"
Die Bauren stunden all zuhauf
und sahen das Haus alle an.
Doch wollt ihr keiner voren dran;
und täten sich darob all spreißn,
forchten, das Kalb mocht sie zureißn.

Ein alter Baur den Rate gab:
„Ich rat: wir ziehen wieder ab
und fristen vor dem Kalb unsr Leben.
Wir wölln ein gmeine Steuer geben
in dem ganzen Dorfe durchaus,
dem guten Mann zahlen sein Haus
und wöllen darein stoßn ein Feur,
verbrennen samt dem Kalb ungeheur.
Die Bauren schriern all: „Jo, jo,
das ist der beste Rat." Also
so zündten an das Haus die Bauern,
mit gwehrter Hand stunden die Lauern
drum; forchten, das Kalb möcht entrinnen
und in dem Feuer nit verbrinnen.
Das Kalb lag doch, kunnt noch nit gehn.
Das wollt kein narreter Baur verstehn.
Ihn' nahm das Feuer überhand,
daß ihn' das ganze Dorf abbrannt.
Des kamen die Baurn zu großem Schaden,
haben seither der Landsknecht kein Gnaden
und vermeinen des Tags noch heut:
Landsknecht sind unglückhaftig Leut.
Derhalb herbergns die Bauern nit gern,
tunt ihr Beiwohnung sich beschwern,
daß ihn' nicht weiter Schaden wachs
von solchen Gästen, spricht Hans Sachs.

Der Nasentanz.

Ein Dorf heißt Wendelstein mit Nam,
Dahin ich auf ein Kirchweich kam.
Die Bauren waren alle voll,
mit Juchzen, Schreien war ihn' wohl.
Sie tanzten, rungen unde sprungen,
die Maid in die Sackpfeufen sungen
und spielten auch in die Leckkuchen.
Noch mehr Kurzweil tät ich ersuchen
und kam auf einen grünen Plan,
sach da viel alter Bauren stahn.
Mitten darauf an einer Stangen
sach ich drei schöner Kleinad hangen:
ein Nasenfutter, Bruch und Kranz.
Da sagt man mir, ein Nasentanz
wird man auf diesem Plan noch haben,
drei größt Nasen wird man begaben;
die größte Nas den Kranz gewinn'
und würd denn Künig unter ihn',
die ander gwünn das Nasenfutter,
Die dritt die Bruch ganz ungemuter.
Da verzog ich in meinen Sinnen
gewißlich ein Kleinad zu gwinnen,
würd ich anderst nit Künig gar.
Eh ich verzog ein Viertel dar,
herdrungen Bauren und ihr Basen
Unzahl mit also großen Nasen,

gleisend und rot kupfren und knöckret,
voll Engerling, wimmret und höckret,
bucklet, henket, lang, dick und krumm,
mürret, münket, breit, plüntsch, kurz rum,
zinket, haket, knorret und knollet
drieeckicht, viereckicht und trollet
so unfüg, daß ich auf den Tag
Tanz und der Kleinad mich verwag.
Indem zween Sackpfeifer aufpfiffen,
einander sie zun Nasen griffen
beide die Frauen und die Mann
ungefährlich auf zweinzg Person,
täten sich in dem Reihen blähen,
daran ich meinen Lust tät sehen.
In dem erhub sich ein groß Schlagen
am Kugelplatz, die täten jagen
einander her, in dem Getös
ward ein Gelauf und groß Gestöß.
All ließen sie am Reihen fahren
und auch von Leder zucken waren.
Da ward der Nasentanz zerschellet,
bis auf den Sunntag angestellet.
Mit dem der Kirchtag hätt ein End.
Also ich wieder heimwärts wendt;
will das beiden, Jungen und Alten,
im allerbesten nit verhalten,
ob einer unter uns hie wär
auch wohlbenaset, daß auch er
noch kummen möcht an diesen Tanz,

ob er gewinnen möcht den Kranz,
zu Nasenkünig würd erwählt,
alln großen Nasen fürgestellt,
der fünd auch Hofgesinds ahn Zahl
im deutschen Lande überall,
hie in der Stadt und jenset Bachs.
So sprichet zu Nürnberg Hans Sachs.

Vermischtes

Ein Tischzucht.

Hör, Mensch! wenn du zu Tisch willt gahn,
dein Händ sollt du gewaschen han.
Lang Nägel ziemen gar nit wohl,
die man heimlich abschneiden soll.
Am Tisch setz dich nit oben an,
der Hausherr wölls dann selber han!
Der Benedeiung nit vergiß!
In Gottes Nam heb an und iß!
Den Ältisten anfahen laß!
Nach dem iß züchtiglichermaß!
Nit schnaude oder säuisch schmatz!
Nit ungestüm nach dem Brot platz,
daß du kein Gschirr umstoßen tust!
Das Brot schneid nit an deiner Brust!
Das gschnitten Brote oder Weck
mit deinen Händen nit verdeck
und brock nit mit den Zähnen ein
und greif auch für dein Ort allein!
Tu nicht in der Schüssel umstührn!
Darüberhalten will nit gebührn.
Nehm auch den Löffel nit zu voll!
Wenn du dich treifst, das steht nit wohl.
Greif auch nach keiner Speise mehr,
bis dir dein Mund sei worden leer!
Red nicht mit vollem Mund! Sei mäßig!
Sei in der Schüssel nit gefräßig,

der allerletzt drin ob dem Tisch!
Zerschneid das Fleisch und brich die Fisch
und käue mit verschlossem Mund!
Schlag nit die Zung aus gleich eim Hund,
zu ekeln! Tu nit geizig schlinken!
Und wisch den Mund, eh du willt trinken,
daß du nit schmalzig machst den Wein!
Trink sittlich und nit hust darein!
Tu auch nit grölzen oder kreisten!
Schütt dich auch nit, halt dich am weisten!
Setz hübschlich ungeschüttet nieder!
Bring keim andern zu bringen wieder!
Füll kein Glas mit dem andren nicht!
Wirf auch auf niemand dein Gesicht,
als ob du merkest auf sein Essen!
Wer neben dir zu Tisch ist gsessen,
den irre nit mit den Ellbogen!
Sitz aufgerichtet, fein geschmogen!
Ruck nit hin und her auf der Bank,
daß du nit machest ein Gestank!
Dein Füß laß unterm Tisch nit gampern
und hüt dich auch vor allen schambern
Worten, Nachreden, Gespött, Tät, Lachen!
Sei ehrberlich in allen Sachen!
In Buhlerei laß dich nit merken!
Tu auch niemand auf Hader stärken!
Gezänk am Tisch gar übel staht.
Sag nichts, darob man Grauen hat,
und tu dich auch am Tisch nit schneuzen,

daß ander Leut an dir nit scheuzen!
Geh nit umzausen in der Nasen!
Des Zähnstührens sollt du dich maßen!
Im Kopf sollt du dich auch nit krauen!
Dergleichen Maid, Jungfrau und Frauen
solln nach keim Floch hinunterfischen.
Ans Tischtuch soll sich niemand wischen.
Auch leg den Kopf nit in die Händ!
Leihn dich nit hinten an die Wänd,
bis daß des Mahl hab sein Ausgang!
Denn sag Gott heimlich Lob und Dank,
der dir dein Speise hat beschert,
aus väterlicher Hand ernährt!
Nach dem sollt du vom Tisch aufstehn,
dein Händ waschen und wieder gehn
an dein Gewerb und Arbeit schwer.
So sprichet Hans Sachs, Schuhmacher.

Der Krieg mit dem Winter.

Hort! einsmals an Sant Clemens' Tag
kam von dem Winter ein Absag,
wie er bekriegen wollt das Land,
bezwingen mit gwaltiger Hand.
Sein Vortrab schickt er unterwegen:
Wind, Nebel, Reif und kalte Regen.
Bald flohnet das Volk in die Grüben
Kraut, bayrisch, gelb und weiße Rüben;
die Reben man mit Erdrich deckt,
das Gwürm sich in die Erd versteckt.
Das Volk rüst' sich zu Gegenwehr
wider den Winter und sein Heer:
Fenster und Ofen man all flickt,
die Stuben verstrich und verzwickt,
die Stubtür sie mit Filz verschlugen,
die Deckbett sie herfürer zugen,
Pantoffel, Brustpelz und Filzschuh;
die Bauren führten Brennholz zu;
die zwilchen Hosen all entloffen,
Schaubhüt und Kittel sich verschloffen.
Das Volk wappnet sich alls erschrocken
in Pelz, Handschuh, Kappen und Socken,
Zähnklappren, Zittern war ihr Los,
husch! was ihr Geschreie groß.
In ein Farb sie all kleidet wasen:
in blabe Mäuler, rote Nasen.

Der Winter kam mit großer Macht,
mit kaltem Luft in einer Nacht,
überfror Weiher, Bäch und See
mit Eis und warf ein großen Schnee
und tät alle Schiffahrt verbieten.
Das Volk wehrt sich und fuhr auf Schlitten.
Der Winter griff sie grimmig an:
Erst mußten all Kohlhäfen dran.
Da war ein Heizn und Feuerschürn,
daß ihn' nicht Händ und Füß erfrürn.
Und als die Schlacht nun währet lang,
der Winter härter auf sie drang.
Da gab das frostig Heer die Flucht,
iedes ein warme Stuben sucht,
verkruchen sich hinter den Ofen;
ihr viel auf die Beut hinausloffen,
schneeballten, schliffen auf dem Eis,
trieben allerlei Narrenweis.
Der jeglichem zu Beut ist worden
triefend Augen und rote Ohren.
Da schrieb das Volk um Hilf zum Glenzen,
der kam hin in des Landes Grenzen
mit warmen Lüften früh und spat.
Der Winter mit dem Grüst abtrat.
Die Würm tät aus der Erden sprossen,
die Bäum kunnten knopfen und prossen;
bald kam zu Hilf der lichte Mai
mit Blumen, Rosen mancherlei.
Doch tät mit einem kalten Reifen

der Winter noch einmal angreifen;
doch ihn die glänzend Sunn heimsucht';
erst gab er aus dem Land die Flucht.
Doch drohet er mit großem Brummen,
er wollt aufs Jahr herwiederkummen,
mit ihm bringen viel Ungemachs.
Vor dem hüt' euch! so spricht Hans Sachs.

Der jung schmähend Kaufmann.

Als zu Florenz saßen zu Tisch
etlich Kaufleut und lebten frisch,
und redten von seltsamen Schwänken
was Schimpflichs einer kunnt erdenken,
tät jeder etwas Frohlichs sagen.
Nun war auch erst vor dreien Tagen
kummen aus der Stadt Avian
ein jung geschwätziger Kaufmann.
Denselbigen tät einer fragen
in dieser Gsellschaft, ihm zu sagen,
wie es den Florentinern ging,
weliche lägen allerding
zu handeln dort zu Avian.
Dem antwort' der jung frech Kaufmann:
„Die Florentiner allgemein,
die in der Stadt Avian sein,
die liegen da und zechen gern
und tunt ihr Beutel weidlich leern
mit Buhlerei und Doppelspiel,
warten ihrs Handels nit sehr viel.
Welch Florentiner da wohnt ein Jahr,
der wird gewiß unsinnig gar,
daß er vergißt Treu, Zucht und Ehr,
und hächt an allen Lastern mehr."
Ganz unverschämet redt er das,
wann er trug heimlich Neid und Haß

den Florentinern, die leicht in allen
nicht hätten ton nach seim Gefallen,
den' redt er nach solch Ungefäll,
und er war selb ein solcher Gsell,
der wenig gwonn und viel vertät
und solche Laster an ihm hätt.
Derhalb um solch lästerlich Leben
sein Herr ihm auch hätt Urlob geben.
Derhalb er billig hätt geschwiegen,
und nicht so unverschamt geziegen
die Florentiner solcher Ding,
Darvon er erst selber herging,
derhalb sein Red verdroß all, die
mit ihm saßen zu Tische hie.

Doch einer unter ihn' da saß,
derselb den Klaffer fragen was,
mit einem Schwank hin auch zu stechen:
„Wie lang hast gewohnt", tät er sprechen,
„zu Avian, in der Hauptstadt?"
Der frech Kund ihm geantwort' hat:
„Ich hab zu Avian gewohnet
etwas ahngefähr auf sechs Monat.
Sag Lieber, warum fragest du?"
Da antwort' ihm jener darzu:
„Daß ich hab erfahren aufs gewißt,
daß du fürwahr geschickter bist,
denn alle Florentiner gar
zu Avian, die ein ganz Jahr

da lernen das Fortuna singen,
weil du dasselb in allen Dingen
in sechs Monaten hast gelehrt,
wenig gwunnen und viel verzehrt,
darob verscherzt den Herren dein."

Ob der Red lachten allgemein
die andern, dachten: Du Phantast,
die andern du geschmähet hast,
als Schlemmer und sinnlose Lappen,
und trägst doch selb ein Narrenkappen.
Ob dieser Sach wurd Glächters viel.
Drob schwieg der jung frech Kaufmann still
und sein Augen unter sich schlug
und den Schandlappen darvontrug.

Der Schuster mit dem Lederzanken.

Zu Lübeck ein Schuhmacher saß,
der aufricht und arbeitsam was,
mit seinem Gesind früh und spat.
Der ein sehr gute Werkstatt hatt,
von der Bürgerschaft und Kaufleuten,
von Frauen, Jungfrauen und Bräuten,
den' er höflich Schuh machen tät,
und sehr viel Kunden an ihm hätt;
auch ward er berühmt in den Sachen
für all mit dem Reitstiefelmachen,
die er so künstlich und geschlacht,
wohlgeschickt und beständig macht.
Darmit ward er gar weit bekannt
von allem Adel auf dem Land.
Das Handwerk er gewaltig treib;
darzu hätt er ein altes Weib,
die sich auch tät mir Arbeit tiern,
mit Lederschwärzen, -beißn und -schmiern,
und war auch hurtig überaus
mit Kaufn und Kochen in dem Haus,
und lebten friedlich miteinander,
und kamen also beidesander
mit Arbeit und ziemlicher Sparung
mit der Zeit zu einr guten Nahrung.
Saßen zu Haus auf dreißig Jahr,
bis endlich sein Hausfrau krank war

und auch an solcher Krankheit starb.
Nach dem der Schuhmacher erwarb
ihm ein ander ehliches Weib,
die war jung und auch schön von Leib,
die er auch hätt von Herzen hold,
wann sie tät alles, was er wollt,
und hätt ihn auch von Herzen lieb.
Mit der er fort sein Handwerk trieb
und trank auch all Tischzeit mit ihr
oft auf zwo Maß hamburgisch Bier,
sein' Knechten setzt ein Kofent dar.

Als nun verging ein halbes Jahr,
als eines Nachts bei ihm vor Tag
sein junges Weib zu Bette lag,
da kehret sie sich gar oft um
ganz unruhig und wiederum,
und im Umkehren in dem Bett
manch tiefen Seufzen senken tät.
Dardurch der Mann ward aufgewecket
und durch ihr Seufzen hart erschrecket,
und sagt: „Mein Weib, laß mich verstahn,
was liegt dir also heftig an,
daß du tust so schwer Seufzen senken?
Sag, was Anfechtung dich tut kränken?
Zeig mirs mit Worten an allein!
Und kann es anderst müglich sein,
so will ich dein Fehl wenden dir."
Sie seufzt noch einmal oder zwier

und sprach: „Mein herzenlieber Mann,
ein heimlich Anfechtung ich han,
daß du in der Werkstatt all Stund
das stinkend Leder mit deim Mund,
also mit dein schneeweißen Zähnen
oft mußt zanken, reißen und dehnen
von Küh und Kälbern, Schafn und Pferden,
die oft am Schelm abzogen werden.
Damit machst du dein Maul oft schmalzig,
bitter, stinket, schwarz, gschmutzt und salzig,
und reißt auch aus damit dein Zähn.
Drum bitt ich, du wöllst müßig gehn
des Leders mit dein Zähn zu zanken.
Des will ich dir mein Lebtag danken,
und alls, was du mich bittst dermaßen,
will ich auch willig unterlassen
von deintwegen, bei meiner Treu!"
Der Schuhmacher sprach: „Ich mich freu,
du außerwählter Gmahel mein,
weil es dir will so wider sein
das Lederzanken solchermaßen,
so will ichs deinethalben lassen."

Der Schuhmacher nach dem Geding
des Lederzankens müßig ging.
Doch zu Tischzeit ließ holen schier
nicht mehr das gut hamburgisch Bier,
sonder ließ holen an dem End
ein geringen, sauren Kofent,

der nicht viel Gutes in ihm hätt.
Darob sein Frau sich rümpfen tät
und sagt: „Mein Mann, wie kommts, daß wir
nicht mehr trinken hamburgisch Bier,
sonder nur trinken ein Kofent,
schlecht und gering Bier an dem End,
das gibet weder Freud noch Mut,
darvon zunehmt wedr Fleisch noch Blut?"
Der Mann sprach: „Weil ich mit den Zähnen
das Leder tät strecken und dehnen
nach der Länge und nach der Breit,
da ergabs wohl zu selben Zeit,
daß ich viel Schuch machet daraus
und viel Gelds löst, daß wir im Saus
davon gut hamburgisch Bier tranken.
So ich nit mehr tu Leder zanken,
so reicht das Ledr nicht an dem End,
drum müss' wir trinken saurn Kofent,
das Geld will nit wie vorhin klecken."
Die Wort täten das Weib erschrecken,
und sprach: „Mein Mann, ist das die Sach,
so bitt ich dich, laß nur nit nach,
und tu dich wieder dran gewehnen
und streck das Leder mit dein Zähnen
von Rossen, Kälbern, Kühn und Schafen!
Ich will dich nit mehr darum strafen
und will auch mein Zähn wagen dran
und Leder zankn, mein lieber Mann,
dir das helfen dehnen nachmals,

sollt mir kein Zahn bleiben im Hals,
daß das Leder wohl tu ergeben,
daß wir haben wie vor zu leben,
zu trinken gut hamburgisch Bier,
und des Kofents gehn müßig schier."
Nach dem sie beide mit den Zähnen
täten zanken, reißen und dehnen
das Leder, daß sie mit Begier
trunken wie vor hamburgisch Bier.

Klagred der neun Musä oder Künst über ganz Deutschland.

Im Jänner ich eins Tages reit
im Schwarzwald an ein Hirschengjaid.
Die Garen waren aufgestellt,
die Jägershörner weit erschällt.
Indes sah ich traben gen Holz
ein Hind; dem rennt ich nach und wollts
fällen, weil sie gemachsam lief,
wann sie was müd, der Schnee was tief.
Sie aber führt im Wald mich um
gar mannigfältig, seltsam krumm
und mir je länger ferner wur,
bis ich sie endlich gar verlur.
Ich kehret um, hört etwas krabbeln
im Schnee daher. Mein Herz wurd zappeln.
Ich dacht: „Die Wölf kummen mit Haufen."

Indes sach ich zerstreuet laufen
neun adeliger Weibsbild zart,
gekleidt nach heidenischer Art,
in Seiden, doch alt und besudelt,
aufgeschürzt, zerflammt und zerhudelt,
ganz magrer Leib, bleicher Antlitz,
erschienend doch sinnreicher Witz.
Ich dacht: „Es wird Diana sein,

die Göttin des Weidwerks allein."
Ich redt sie an und sie fürreit:
„Wo eilt ihr her, so kalter Zeit,
in dieser unwegsamen Wild?"

Aus ihn' antwort ein weiblich Bild:
„Wir kummen her aus deutschem Land,
da wir nu lang gedienet hant."
„Was tät ihr im Deutschland?" ich fragt.
Mit Weinen sie durchbrach und sagt:
„Da hab wir sie all Künst gelehrt."
Ich sprach: „Ihr Göttin hochgeehrt,
sagt mir auch, wer doch seied ihr!"
Die vorig wieder sprach zu mir:
„Wir sind die neun Musä mit Namen.
Von uns all Künst auf Erden kamen.
Wie sie hant Namen oder Titel,
wir geben Anfang, End und Mittel."
Da sprach ich: „Künnt dasselbig ihr,
so macht euch auf und lauft mit mir!
Ich bring euch wohl zu hohen Ehrn."
Sie sprach: „Viel Zeit tät wir verzehrn
im Deutschland, doch ehrlich gehalten
anfänglich von Jungen und Alten;
bis wir all Kunst ausgossen wohl,
der Glehrten schier all Winkel voll,
der freien Künstner überall,
sinnreicher Werkleut auch ohn Zahl.
Der Bücher Summ ist auch nit klein.

Nun sind all Künst worden gemein
und worden unwert und veracht."

Ich sprach: „So merk ich wohl: es macht,
daß man an euch verfürwitzt hat."
Sie sprach: „Ja recht; noch eins auch gaht,
daß man sucht Wollust, Gwalt und Pracht.
Was darzu fürdert, hat man acht."
Ich sprach: „Was fürdert dann darzu?"
Sie sprach: „Das Geld. Ach merk doch du,
wie Wucher und Betrügerei
so unverschämt im Deutschland sei!
Wer Geld hat, der hat, was er will.
Derhalb so gilt die Kunst nit vil,
daß unser fürthin niemand gehrt."
Ich sprach zu ihn': „Ihr seid noch wert
bei manchem vernünftigen Mann."
Sie sprach: „Dasselbig ist nit ahn.
Verständig Leut die hab wir noch,
die uns halten ehrlich und hoch;
ihr' aber ist leider zu wenig
gen der großen törichten Menig.
Die werden auch samt uns veracht
als Phantasten verspott, verlacht,
künnen sich Hungers kaum ernährn,
weil man sie tut samt uns unehrn,
und doch allein Lob, Ehr und Preis
der Kunst ist ihr einige Speis.
So müßn wir neun wohl Hungers sterben,

mit dem törichten Volk verderben.
Darum wöll wir raumen Deutschland,
lassen kunstlos und ahn Verstand
und wieder in Griechen mit Ehrn
zu unserm Berg Pernaso kehrn,
zu unserm Gott Apollini
und unser Göttin Palidi,
da wir vor etlich hundert Jahrn
in hoher Ehr gehalten warn,
dardurch uns all Philosophi,
Poeten und Rhetorici
und ander Künstner auserwählt,
der Polidorus viel erzählt.
Nun kehr wir an die ersten Statt!
Nach uns wirst finden kein Fußpfad!
In kurzer Zeit schau eben auf!"
In dem sie auch mit schwinden Lauf
die adeligen Göttin stolz
entsprungen vor mir in das Holz,
ließen mich einig halten do.

Ich reit' für mich, gedacht also:
„Fürwahr die Kunst ist ie unwert.
Zu lernen ietz schier niemand gehrt,
sunder in Wollust ersoffen ist.
Des ist Kunst unwert alle Frist.
Doch ist ihr niemand Feind, spricht man,
denn wer grob ist und ihr nit kann.
Auch sagt uns ein alts Sprichwort sunst,

man trag nit schwer an guter Kunst,
darin wer Lust haa, blüh und wachs
und selig werde, wünscht Hans Sachs.

Der verkehrt Bauer.

In Jorg Schillers Hofton.

Ein Dorf in einem Bauren saß,
der geren Milch und Löffel aß
mit einem großen Wecke;
vier Wägen spannt er an ein Pferd,
sein Küch stand mitten in dem Herd,
vier Haus so hätt sein Ecke;
wohl um sein Zäun so ging ein Hof,
aus Käs macht er viel Millich,
in das Brot schob er sein Backof;
von Gippen war sein Zwillich.
Mitten in seinem Ofen stand sein Stuben,
Feld grub er aus den Ruben,
voll Stadel lag sein Heu,
aß zwei Bad auf ein Ei.

Drei Ställ hätt er in einem Rind,
zwölf Weib hätt' er mit seinem Kind,
auf Weiz drasch er sein Tennen.
Vor seinem Hund hing ein bös Haus,
viel Katzen fing sein starke Maus,
viel Mist loff auf sein Hennen.
Mit dem Acker fuhr er gen Pflug,
drasch mit Koren sein Flegel,
den Wald er aus dem Brennholz zug,

klob mit eim Scheit sein Schlegel;
viel schöner Gärten hätt er auf seim Baumen,
mit Säuen mäst' sein Pflaumen,
voll Kast sein Koren was,
voll Wiesen stund sein Gras.

Ein Dorf in einer Kirchweih ward,
sein Ars steckt er auf die Spitzbart,
nahm sein Ruck auf den Spieße.
Auf seinem Hut trug er ein Tanz
und trat gar fleitlich an den Kranz,
do Jäckel ihn der stieße.
Da schlug er ihm das Maul in d' Faust,
der Leder zog von Jäckel,
dem Messer mit dem Bauren laust,
ein Richter gwann der Heckel.
Neun Plätz warden auf diesem Mann erschlagen,
auf sie der Kirchhof tragen.
Die Zeit in Klag verzehrt,
das Hinter fürher kehrt.

Die Faßnacht.

Als ich am Freitag nach Faßnacht
mit meinem Beutel Rechnung macht,
den ich fund eitel, ring und leer,
da wurd mir erst die Faßnacht schwer.
Verdrossen ich gleich ausspaziert,
hinab an der Pegnitz riviert
bis gen Schniegling, ward also rücken
hinab bis zu der steinen Brücken.
Von ferr sach ich im Land herziehen
ein großes Tier, da ward ich fliehen.
Ich kunnt nicht kennen, was es was.
Sein Bauch war wie ein fürdrig Faß,
Sein ganzer Leib von Schellen rund,
hätt stark Zähn und ein weiten Schlund,
sein Schwanz schäbicht, dürr und beschorn,
es hätt weder Augen noch Ohrn.
Als ich floch etwas weit von ihm,
ruft es sam mit menschlicher Stimm,
ich sollt ahn Schaden zu ihm gehn.
Ich kreuzigt mich und blieb bestehn,
bis daß es zu mir krauch gemach.
Ich merkt wohl, es war matt und schwach.
Noch hielt ichs für ein Gspenst allwegen;
ich bschwur es mit eim guten Segen:
„Du seist ein Tier, Geist oder Gspenst,
gebeut ich dir, daß du dich nennst!“

Das Ding fing an gar laut und lacht:
„Kennst mich nit? Ich bin die Faßnacht!"
Sprach es, „kennst nicht mein weiten Bauch,
mein starke Zähn und großen Schlauch?
Wie viel Kuchen ich hab aufzehrt,
bis man mich Faßnacht hat ernährt,
mit Wildbret, Vögel, Fisch und Gmüs,
Sülz, Pfeffer, Eingmacht, Saur und Süß,
Gebachens, Gwürztes, Eingepicktes,
Gesottens, Bratens und Gespicktes!
Dergleich hab ich geleert viel Keller
mit Frankenwein und Muskateller,
Lagl mit Rheinfall und Malvasier,
viel Fässer auch mit fremdem Bier;
Kandel, Krausen gemachet leer,
sam sunst nicht gut zu trinken wär."
Ich sprach: „Wie trägst du so viel Schellen,
die um dein ganzen Leib erhällen?"
Die Faßnacht sprach: „Hie merk mit Fleiß
viel törichter Freud und Abeis,
die um mich Faßnacht allmal klingen
mit Purschen, Spiel, Tanz, Reihen springen,
mit allerlei Feuerwerk brennen,
mit Krönlein stechen und Scharpfrennen,
mit Kolben stechen in dem Stroh,
Schwerttänz, Reiftänz ist man auch froh.
Viel Faßnachtspiel sind auch darbei
und ahn Zahl aller Mummerei,
die sich vermummen und verputzen,

eins Teils wie Weiber sich aufmutzen,
eins Teils wie Münch, eins Teils wie Mohrn.
Eins Teils sind wie Zigeuner worn,
eins Teils Bauren, eines Teils Narren,
darin etlich viel Zeit verharren.
Auch mancherlei man fahet an.
Wer sich der närrischt stellen kann,
der ist der best und hat den Preis
von wegen närrischer Abeis."
Ich sprach: „Wie hast so starke Zähn?"
Sie sprach: „Da magst du bei verstehn:
Viel Beutel hab ich mit zerkiffelt,
viel Geldsäck darmit aufgedriefelt,
viel Erbgüter hab ich zerstreut,
viel abgstohlens Gelds mit zerkäut,
viel Karten hab ich mit zerrissen,
viel Würfel zorniglich zerbissen,
viel Werkentag darmit zernagen,
viel böser Ebnbild drin vertragen,
viel guter Sitten mit versehrt,
viel Ehrberkeit darmit verzehrt."
Ich sprach: „Du hast ein weiten Rachen."
Da fing die Faßnacht an zu lachen
und sprach: „Mein Rach verschlunden hat
Geld, Kleider, Bett, Zinn und Hausrat;
Häuser und Städl, Äcker und Wiesen
tät alles durch mein Rachen fließen,
das ich uhn Anstöß hab verschlicket:
Wär er nicht weit, ich wär ersticket."

Ich sprach: „Wie ist dein Schwanz so mager,
dürr, schienhäricht, schäbicht und hager?"
Die Faßnacht sprach: „Durch meine Stück
mir nachfolgt mancherlei Unglück:
Schuld, Armut, Krankheit, Sünd und Schand
Schuld zahlen und versetzen Pfand.
Was ich auffraß in Überfluß,
manch Hausvolk hart ersparen muß:
Mit guten Zähnen übel essen,
Früh aufstehn, lang in d' Nacht gesessen.
Bös Kopf und Fieber auch nachlaufen
meim großen Fressen und Zusaufen;
der Zipperlein und Wassersucht,
auch große Hurweis und Unzucht,
Jungfrauschwächung und auch Ehbruch,
falsch Spiel, Häder und bös Geruch –
dies und mehr Arges folgt mir nach."
Zu der Faßnacht ich wieder sprach:
„Sag mir, du schwerer Überlast,
wie daß d' kein Aug noch Ohren hast?"
Faßnacht sprach: „Ich schau niemands an.
Kein Menschen ich scheu, noch verschon,
Geistlichs noch Weltlichs, Obr noch Unter,
wann ich bin der Welt ein Meerwunder.
Mich selb ich auch nicht sehen kann,
was übel oder wohl ist stahn,
ich geh gleich wie ein blindes Pferd,
bleib die Faßnacht heuer wie fert.
Dergleichen ich auch nichts gehör,

wer sich gleich gegen mich entpör,
mich strafet, schändet oder schmächt,
dem wird ich feind, gib ihm unrecht,
tu mich gar an kein Warnung kehren,
bis man mir mit Gewalt muß wehren.
Ich ging sunst immer fort mein Gang
noch zwei oder drei Monat lang.
Nun bin ich trieben aus der Stadt;
da mir das Gleit gegeben hat
mit großer Klag ein Haufen Narren,
die wollen alle auf mich harren,
bis zehen Monat wiederum
vergehn, daß ich denn wieder kumm
und sie all wieder tu erfreuen.
Dieweil habens an mir zu däuen."
Mit dem die Faßnacht schwach und matt
auf die hoch steinen Brücken trat
und tät in Pegnitz einen Pflumpf,
daß ich sach weder Stiel noch Stumpf.
Da leit's unter der Brück verborgen.
Ich ging hin heim mit großen Sorgen,
gedacht des Sprichworts vor viel Tagen,
daß ich die Alten höret sagen:
Einr ieden Zeit zu tun ihr Recht,
Das machet manchen armen Knecht.
Das merkt bschließlich in einer Summ,
wenn die Faßnacht nun wieder kumm,
daß iedermann sich dauch und schmück,
daß sie ihm nicht zu viel verschlick

mit Kleidung, Gasterei und Spiel
und ander dergleich Unkost viel,
daß er das ganz Jahr mit Gebruch
denn näen muß am Hungertuch,
zum Schaden ihm der Spott auch wachs,
Warnt treulich von Nürnberg Hans Sachs.

Fastnachtsspiele

Die sechs Klagenden.

Die sechs Personen in das Spiel:

Der Hausherr
Der Pfaff
Der Baur
Handwerksmann
Der Landsknecht
Der Bettelmann

Der Wirt tritt ein und spricht:

Seid mir willkomm' in meinem Haus!
Ich bin gleich lang gewesen aus.
Ich hab bestellet gute Fisch.
Darum so setzt euch nur zu Tisch!
Es wird der Koch gleich richten an,
so will ich in den Keller gahn
und anstechen den besten Wein.
Darbei da wöll wir fröhlich sein
und haben einen guten Mut,
wie man denn ietzt zu Faßnacht tut,
da ein gut Freund zum andern geht,
wie man denn auch vor Jahren tät.

Die fünf elenden Klagenden gehen ein,
Landsknecht, Pfaff, Bauer, Handwerksmann und Bettler.

Der Landsknecht spricht:

Heil und Gelück sei dem Hausherrn!
Es kommen her zu Euch von fern
wir fünf, die allerärmsten Gselln,
die sich bei Euch hinn wärmen wölln,
wann es ist wohl so kalte Zeit,
so seien wir nicht wohl bekleidt.
Das macht, groß Armut tut uns plagen.
Darüber wollen wir Euch klagen,
ieder sein bsonder Not erklärn.
Darüber wir von Euch begehrn
in unser Armut treuen Rat.

Der Hausherr spricht:

Potz Maus, wo kommt ihr her so spat?
Wo ist der Schönbart ausgeloffen?
Tür und Tor steht euch wieder offen.
Ihr secht, daß ich hab vor im Haus
viel ehrlicher Gäst überaus.
Ich darf nicht solcher losen Gäst.

Der Pfaff spricht:

Mein lieber Herr, auch tut das Best!
Ich will Euch untern Kelch stürzen;
wann wir wölln Euch die Weil fein kürzen;
wann wir sind ahngfähr auf dem Feld
zusammkommen; an barem Geld
vermög wir kaum drei Haller all.

Mein milder Herr, gewährt uns ball!
Kalt ists, so sei' wir marterarm.

Der Hausherr spricht:

Geh, Magd! mach ihn' die Stubn warm!
Besetz ien' Tisch mit Brot und Wein!
Ich merk, daß gut Stallbrüder sein.
Mein Pfäfflein, sag! was liegt dir an?

Der Pfaff spricht:

Herr, wißt! ich bin ein arm Kaplan.
Mein Herr nehmt drei Teil in Absent,
der Vierteil bleibt mir in der Händ.
Darmit soll ich mein Pfarr verwesen
mit Singen, Predigen und Lesen
und ist vorhin ein arme Pfarr.
Da muß ich sein der Bauren Narr,
die mir gar nicht mehr opfern wölln.
Kein Seelmeß sie auch mehr bestelln.
So ist das Beichtgeld gar verdorben
und ist der Bann vorlängst gestorben,
darmit ich Bauern bracht zum Barn.
Jetz muß ich erst fasten und sparn.
Der Visitator mich oft kehrt,
wann ich bin schlecht und seicht gelehrt.
Der Offizial mich auch schindt.
Geht denn mein Köchin mit eim Kind,
erst muß ich für des Bischofs Loch.

Vor Jahren hätt ichs besser noch:
Kirchweih und Ablaß tät mir wohl,
Kreuzfahrt und Wallfahrt steckt mich voll,
die Bauern gaben viel Präsents.
Da aß ich Hühner, Vögl und Gäns,
gesotten, backen und Bratfisch,
trank Wein und Bier an meinem Tisch.
Jtz iß ich Brei, muß Wasser saufen,
das macht der Luther und sein Haufen.
Ich wollt, er hätt St. Urbans Plag.

Der Bauer spricht:

Herr Domine, es liegt am Tag:
du willt nur zu den Bäurinn naschen.
Und wenn wir Bauren dich erhaschen,
sing' wir dir denn Panschadi wohl.
Ihr Pfaffen stecket nur zu voll
und lieget auf der faulen Seiten.
Geht auch jetz ab zu unsern Zeiten,
daß euch auch lauft ein Spulen leer,
so klagt ihr sehr und ist euch schwer
und wollt nur fahren aus der Häut.
So arbeit' auch wie ander Leut!
Wie soll mir armen Baurn gschehen?
Ich muß ackern, schneiden und mähen,
dreschen, Holz hacken auch darzu,
hab weder Tag noch Nacht kein Ruh.
Mich peinigt Rent, Gült, Steur und Fron,
muß schier ernähren iedermann.

Adel, Pfaff, Bettler und Landsknecht
sucht alles bei mir sein Erbrecht.
Wolf, Fuchs, Marder, Krahen und Raben
will alls sein Nahrung von mir haben.
Ich arbeit hart und lieg nicht sanft.
Von groben Brot iß ich ein Ranft.
Mein Trank ist Wasser, Milch und Schotten
und muß mein iedermann lan spotten.
Ein Kittel grob mich auch anerbt,
der Krieg mich oft in Grund verderbt,
das Ungewitter plaget mich.
Ist einer hie ärmer wann ich,
dasselb ich geren hören will.

Der Handwerksmann spricht:

Ei Bauer, schweig ein Weile still!
Du klagest ungebleuten Ars.
Willt dus nicht glauben, so erfahrs!
Ihr Bauern liegt stets bei dem Wein
und schlacht' im Jahr viel feiste Schwein
und eßt der Rotwürst nach der Paus
und halt in allem Vollen haus.
Im Winter geht ihr in d' Rockenstuben,
da scherzen Maid und die Roßbuben.
Zu Nacht die Bauernknecht erst fenstern;
habt gut warm Stubn, so es tut glänstern.
Im Sommer stecket ihr die Maien,
habt Kirchweih, Hochzeit, Tänz und Reihen,
Kugeln, Hahnensteigen und Laufen.

Ihr tut auch ländisch Kleider kaufen.
Was soll ich treiben viel Geschwätz?
Ihr Bauern sammlet große Schätz
aus Habern, Koren, Rüben und Kraut,
aus Gersten, Flachs und was ihr baut.
Holz, Schmalz und Eir mit allen Dingen,
was ihr nur in die Stadt tut bringen,
das gilt euch alles Gelds genug
und treibt darmit doch groß Betrug,
daß man euch nicht gnug strafen kann.
Ich bin ein armer Handwerksmann,
mein Haut muß ich gar hart dran strecken.
Noch will mein Arbeit nicht erklecken,
daß ich auskäm in meinem Haus.
All Ding ist spitzig überaus.
Kommt schier alls in die vierten Händ,
eh denn es mir wird zugewendt.
Viel muß ich von Ehalten leiden.
Mein Nachtbaurn mich hassen und neiden,
mein Kaufleut und Kunden absetzen.
Verleger und Kaufleut mich bücken.
Losung und Hauszins tut mich drücken.
Derhalb mein Werkzeug und Bett
zu Schnaittach untern Juden steht,
daß ich darmit bin fast bereit
gen Straßburg auf die Hochzeit.
Kein Ärmer ist hie unter euch.

Der Landsknecht spricht:

Potz Marter, Handwerksmann, verzeuch!
Was du über die Armut klagst,
ist nicht als heftig, als du sagst.
Deinr Armut machst dir selber viel,
wo du liegst bei dem Wein und Spiel
und den Montag zum Sonntag feierst,
etwan mit loser Rott umleierst,
gehst um mit Vögeln und mit Tauben
und kaufst der Frauen köstlich Schauben.
Viel neuer Gattung ihr aufbringet,
darmit ihr aneinander dringet,
und tut auch viel Lehrjungen lehren,
darmit sichs Haufenwerk tut mehren,
gebt hin zu Neid auch aneinander,
bis ihr verderbet allesander,
auch wollt ihr leben den Reichen gleich.
Doch werden euer etlich reich.
Ihr habt gut machen; welcher will,
ihr arbeit in der Ruh und Still
unter dem Obdach in dem Schatten,
so muß ich in der Welt umwaten
zu Wasser, Land, ein arm Landsknecht.
Bin aller Ding verwegen schlecht.
Mein Leben trag ich allzeit feil.
Ich lauf oft etlich hundert Meil,
eh wann ich find ein Herren bald.
Werd oft kaum halb von ihn' bezahlt.

Ein Stund drei Häller mir gebührt
Darum man mich zun Feinden führt.
Da muß ich hart zu Felde liegen.
Die eisern Mücken um mich fliegen.
In Schanzen, Graben und Schildwachten,
in Scharmützln, Stürmen und Feldschlachten,
auf dem Mummplatz muß ich mich balgen.
Oft geht mein Geldlich allsan Galgen.
Eh mir ein Schanz geratet doch,
So hat der lausig Krieg ein Loch.
Bring etwan zu Beut ein lahme Hand.
Alsdenn durchlauf ich alle Land
und auf den Bauren ich denn gart.
Da friß ich übel und lieg hart.
Wie könnt eur einer ärmer sein?

Der Bettelmann spricht:

Hör, Landsknecht! du machst dir allein
dein Armut, lauft von Kind und Weiben
und möchst doch wohl daheim beleiben,
dein Handwerk treiben mit Gemach.
Groß Mutwill treibt dich zu der Sach,
daß d' weder Treu noch Ehren achtst.
Sag, ob du nicht fröhlich anlachst,
wo du ein Sturm hilfst gewinnen,
da dir ein gute Beut wird innen?
Auch tust den Bauren Kisten fegen.
Dem besten Wirt tust du nachfrägen.
Froh bist auch, wenn du hörst die Trommen,

daß du sollt zu dem Hauptmann kommen
und einnehmen ein Monat Sold.
Fürsten und Herren sind dir hold,
so du ihn' hilfst ihr Feinde kriegen.
Ich armer Bettler muß mich schmiegen.
Bei iedermann bin ich unwert.
Zu herbergen mich niemand bgehrt.
Dörfer und Städt man mir verbeut.
Man spricht, ich verrat Land und Leut.
Einer spricht, ich leg Feuer ein.
Des andern Diebe muß ich sein.
Der dritt spricht, ich sei stark und faul.
Der viert mir scheißen will ins Maul.
Solch Brocken muß ich alle schlicken.
Man sagt, ich muß am Galgen ersticken.
Und wo ich zu eim Dorf eingohn,
die Bauernhund mich laufen an.
Die Bäurinn' mich grob anzannen,
agen mich oft mit Stecken dannen,
noch darf ich der Schmach keine rächen.
So tut auch niemand mich versprechen.
Muß auch Sommer und Winter wandern
von einem Lande zu dem andern.
m Winter muß ich hart erfrieren.
m Sommer tut mich d' Hitz vexieren.
Zu Nacht lieg ich in Heu und Stroh
mit Weib und Kind, des bin ich froh
o fressen mir mein Brot die Mäus
und peining mich die Haderläus.

Derhalb ich wohl der Ärmest bin,
mein frommer Herr, hie unter ihn'
trotz einem, der es widersprech.

Der Bauer spricht:

Ei Bettelmann, sei nicht zu frech!
Du führest hie die größten Klag
und hast doch gute faule Tag.
Im Sommer untern Zäunen hausest,
im Schatten deine Kleider lausest.
Du stellst dich krank, du hinkst und kreist,
bis du die Leut umbs Geld bescheißt.
Du achtst dich keins Gewalts noch Ehr,
so kannst du nicht verderben mehr.
Du hättst nie viel, wie du selb sprichst,
und sobald du ein Dorf ansichst,
so hast du schon das Hauptgut drin.
Was du erbettelst ist lauter Gwinn.
Derhalb magst du der Reichst wohl sein.
Ists nicht wahr, lieber Herre mein?

Der Hausherr spricht:

Ihr Gselln, ihr klagt euch alle fast,
wie ihr habt wenig Ruh noch Rast,
groß Müh und Angst mit kleinem Gwinn
und könnt das Maul kaum bringen hin.
Ich glaub euch nur wohl überaus,
ich bin selber der Herr im Haus,
dennoch die Armut mich geheit.

Der Bettelmann spricht:

Mein frommer Herr, weil Ihr auch seid
unser Genoß in der Armut,
so bitten wir: uns geben tut
ein guten Rat, wie wir mit Ehren
uns all fünf weiter solln ernähren!

Der Hausherr spricht:

So gib ich euch mein treuen Rat.
Welcher kein Roß am Baren hat,
derselbig soll zu Fußen laufen;
und welcher nicht hat Wein zu kaufen,
der trink Wasser an seinem Tisch;
und wer nicht hat Wildbret und Fisch,
der eß Rindfleisch odr Haberbrei;
und wen die Armut drücken sei,
der kehr den Mantel nach dem Wind,
den Sack zu halbem Teil zubind
und nehm für das Mehrer das Minder,
damit er hinbring Weib und Kinder,
so lang bis ihm das fröhlich Glück
auch etwan schein und mach ihn flück!
Denn wird er Leids ergetzet ganz.
Mach auf, Spielmann, ein fröhling Tanz!
Laß sie haben ein guten Mut!
Wer weiß, wanns ihm mehr wird so gut!

Nach dem Tanz beschleußt der Handwerksmann:

Wohlauf, wohlauf! laßt uns hinaus!
Den frommen Herren raumt das Haus!
Der uns hat geben gute Lehr,
uns auch bewiesen Zucht und Ehr
mit warmer Stuben, Speis und Trank,
des sagen wir ihm großen Dank.
Vergessn hab wir alls Ungemachs.
Ein selig Nacht wünscht euch Hans Sachs.

Der Teufel mit dem alten Weib.

Die Personen, so in diesem Spiel reden, seind diese:

Der Mann
Sein Weib
Der Teufel
Die alt Unhold

Der Mann tritt ein und spricht:

Gott grüß euch all, ihr Biederleut!
Verargt mirs nit, und daß ich heut
zu euch komme, das ist mein Bitt.
Es ist wahrlich ohn Ursach nit;
ich hätt heint einen schweren Traum,
den ich euch künnt erzählen kaum,
ob einer allhie wär entgegen,
der mir diesen klar aus tät legen
und mir zum besten würd beschieden,
daß ich käm wiederum zu Frieden.
Dieweil mag ich nit fröhlich werden
weder mit Worten und Gebärden.

Das Weib kommt und spricht:

Ach lieber Mann, was machst du hinnen?
Ich suchet dich, kunnt dich nit finnen.
Wie sichst du also gar betrübet?
Bitt: sag mir, was dich darzu übet!

Hat iemand dir ein Schaden tan?
Oder ficht dich sunst etwas an?
Sag mirs! ich hilf, so stark ich mag,
weil ich all Unmut mit dir trag,
wie ich dann hab getan bisher.

Der Mann spricht:

Ich hab gehabt ein Traum so schwer,
der hat mich also gar entsetzt.

Das Weib spricht:

Herzlieber Mann, davon du redst,
das peinigt mich schier alle Nacht,
daß ich oft heimlich hab gedacht,
wovon mir solch schwer Träum herkommen,
der ich so viel hab eingenommen
und allermeist, mein Mann, mit dir.

Der Mann spricht:

So hat erst heint geträumet mir,
mein liebes Weib, wie du ohn Laugen
mir hast auskratzet meine Augen.
Als ich erwacht, ich gleich um das
auf dich warf heimlich einen Haß;
hab drum hie gfragt die Biederleut,
was der erschröcklich Traum bedeut.
Deshalb ich so unmutig bin.

Das Weib spricht:

Herzlieber Mann, laß fahren hin!
Bekränk dich nichts! sei Mutes frei!
Ein Traum ist nichts dann Fantasei,
welches sich begibt ohngefähr.
Mir hat auch oft getraumet schwer,
du habst mir dies und jens getan;
hat mich doch nie gefochten an.
Hab dir allmal alls Guts getraut
und gar nit auf die Träum gebaut.
Darum tu des Traumes vergessen!
Komm heim, laß uns die Suppen essen!
Es hat gleich ietzt dreie geschlagen.

Der Mann spricht:

Mein liebes Weib, durch dein Ansagen
hast mir geringert mein Unmut.
Ich vertrau dir auch alles Gut.
Nichts Arges hast du mir bewiesen.
Das sollt du auch bei mir genießen.
Und wie wir haben dreißig Jahr
in Freuden gelebt offenbar,
daß eins dem andern an keim Ort
nie geben hat ein böses Wort,
also wöll' wirs, ob Gott will, treiben,
dieweil wir leben, einig bleiben,
wie dann die frommen Ehleut söllen.

Das Weib:

Ja, mein herzlieber Mann, wir wöllen,
ob Gott will, leben in Einigkeit.
Komm zu der Suppen! es ist Zeit.

Sie gehen beide ab.

Der Teufel kommt und spricht:

Ich bin ein Geist, der die Zwietracht
zwischen frommen Ehleuten macht.
Ich hab diesem Ehvolk dermaßen
wohl dreißig Jahr einblasen lassen
durch Träum und Gsicht, doch in der Stillen,
und sie gereizt zu Widerwillen
mit mein listig Gspenst und Lügen,
hab sie doch nie bewegen mügen
zu Uneinigkeit oder Zänk.
Derhalb ich mich vor Scham bekränk.
O hätt ich jemand zu den Sachen,
der dieses Volk künnt uneins machen!
Dem wollt ich geben guten Lohn.

Das alt Weib kommt, loset
seinen Worten zu, spricht:

Ich bin, die diese Kunst wohl kann.
Ich mach durch meine List und Ränk
zwischen dem Ehvolk ein Gezänk,
sie seind so einig als sie wöllen,

laß sie einander schlagen söllen
ıoch den Tag bei scheinender Sonnen.

Der Teufel:

Wann du das endst, so hast gewunnen.

Das alt Weib:

Was?

Der Teufel:

Das, daß ich dann will dein Freund sein.

Das alt Weib:

Ei nun, bin ich doch vorhin dein!
Was willt mir aber schenken mehr?

Der Teufel:

Mit einer Schenk ich dich verehr,
ıämlich ein schön neues Paar Schuch.
Darum fachs an und es versuch
ınd brauch all dein Arglist und Tück!
ch fahr dahin und wünsch dir Glück.

Der Teufel fährt aus. Das Weib kommt.

Die alt Hex spricht:

Wann her, herzliebe Nachbäurin?
Mit Euch ich auch betrübet bin.
Ei, ei, wer soll trauen eim Mann?

Das Weib spricht:

Ei, liebe Nachtbäurin, sagt an!
Warum betrübt Ihr Euch um mich?

Die alt Unhold:

Ach, wißt Ihrs nit, so schweig auch ich.
Ihr sollts ie selber wissen billig.

Das Weib:

Mein Nachbäurin, seid so gutwillig!
Was Ihr dann wißt, zeigt mir es an!

Die alt Hex spricht:

Ach, wißt Ihr nicht, daß Euer Mann
sich an sein Gvattern hat gehenkt,
ihr neulich sieben Taler gschenkt
zur Steur an ihrer grünen Schauben?

Das Weib:

Ja wohl, das kann ich ie nicht glauben.
Ich weiß: ich hab ein frommen Mann.

Die alt Unhold:

Den Schalk er gar wohl decken kann.
Ich weiß den Grund; es ist also,
dann ich hab ihn selber alldo
bei ihr in solcher Gstalt ergriffen,
da wollt ich haben aufgepfiffen.
Ein Gschenk verhieß er mir zu Lohn,
daß ich nichts sollt sagen darvon.
Tus doch im besten Euch anzeigen.
Doch bitt ich Euch, Ihr wöllet schweigen,
daß mir kein Unglück daraus komm.

Das Weib kratzt sich im Kopf und spricht:

Ach, ist mein Mann dann also fromm?
Daß ihn Bock schänd an Seel und Leib!
Er soll an mir nicht han ein Weib,
sonder ein Teufel, weil ich leb!
Daß ihm Gott die Franzosen gäb!
Will heim gehen den Schelmen suchen.
Find ich ihn, so will ich ihm fluchen
und ihn ein Hurenjäger schelten,
und soll es mir mein Leben gelten.

Das Weib lauft aus und schlägt die Tür
ungestüm ein.

Die alt Breckin redt wider sich selbst:

Das Feur hab ich halb aufgeblasen.
Nun will ich weiter nit nachlassen,
bis daß der ander Teil auch brinn.
Also ich mein Paar Schuch gewinn.

Der Mann tritt ein und spricht:

Schaut, Nachbäurin! was tut Ihr hinnen?

Die alt Breckin:

Ich tu Euch gleich eben recht sinnen,
hätt Euch langst geren angeredt,
wann Ihr mir nichts verargen tät.

Der Mann:

Mein Nachbäurin, sagt, was Ihr wollt!
In Arg Ihrs nicht entgelten sollt.

Die alt Hex spricht:

Ach lieber Nachbaur, tus nit geren.
Ich kann sein doch auch nicht entbehren,
sonder ich muß Euch treulich warnen
vor Eures Weibs Stricken und Garnen,
wann sie hat endlich ie im Sinn,
sie wöll Euch lassen richten hin.

Der Mann:

O Nachbäurin, das ist nicht wahr.
Ich hab sie nun ins dreißigst Jahr,
hab sie nie gspürt an keinem Ort
untreulich mit Werken und Wort.
Ich hab ein frummes Biederweib,
vertrau ihr mein Ehr, Gut und Leib.
Drum schweigt nur still mit diesen Schwänken!

Die alt Wettermacherin:

Nachbaur, das tät ich vor bedenken,
daß Ihr mir nicht gelauben würdt.
Doch mir zu schweigen nicht gebührt,
weil Euer Frau um Hilf und Rat
mich selber angesuchet hat,
wie man soll einem Mann vergeben.
Darum fürsehet Euch nur eben,
daß Ihr nicht kommt in groß Unglück!

Der Mann:

Ach, wer hätt' traut der bösen Stück
von meim vermaledeiten Weib?
Ich will deshalben ihren Leib
reißen, martern und übel bleuen,
daß sie ihr Leben muß gereuen.
Potz Marter, was soll einer sagen?
Hat sie den Tück bei ihr getragen
und den verborgen also gar?

Jetzt merk ich: es ist gwißlich wahr;
dann als sie ietzt für mich tät gahn,
sach sie mich also tückisch an;
und als ich wollt reden mit ihr,
da schnurrt sie trutzig hin von mir.
Ich merkt, sie hätt' ein Laun auf mich.
Nun, ich bedank mich fleißiglich
Eur treuen Warnung auf den Tag.
Ich wills vergelten, wo ich mag.
Ich will heim zu meim fallend Übel,
will sie reißen so marterübel,
und sollt ich kommen auf ein Rad.
Der Teufel schlag zu, nimmt sie Schad.

Der Mann geht aus und schlägt die Stubntür ungestüm zu.

Die alt Wettermacherin:

Ich hoff: das Feur soll auch angehn,
die Schuch werden mir noch zustehn.

Der Teufel kommt und spricht:

Dein Kunst ist gerecht überaus.
Wie brummt das Weib um in dem Haus!
Lang ich ihr zugehöret hab,
lauft ein Stieg auf, die ander ab
und schnurret im Haus hin und für,
schlägt ungstüm zu Kalter und Tür.
Wie wird es heint werden ein Strauß,

vann nun der Mann kommet zu Haus,
len ich jetzt heimwarts sahe laufen,
rblichen und vor Zoren schnaufen!
ch muß gehn schauen den Scharmützel.

)er Teufel lauft ab, die alte Hur schreiet nach:

Gib her mein Lohn! ich trau dir lützel.
)b du mir gleich fahrest darvon,
ch dich bald wieder bringen kann.

)ie Alte macht einen Kreis um sich herum,
eschwört den Teufel und spricht:

ch gebeut dir, du böser Geist,
ei deinem Namen, wie du heißt,
völlst kommen beim höllischen Fluch,
nir bringen mein verdiente Schuch,
um ersten, andren, dritten Mal!
Comm und mich meiner Schuld bezahl!

)er Teufel kommt und trägt die Schuch an
im geschälten Stab über die Achsel, spricht:

Ei, wie hast mich, du alte Stut,
erstört von meinem guten Mut!
Wie hat das Ehvolk gmacht ein Haufen
nit reißen, zerren, schlagen, raufen,
aß die Haar in der Stub umfliegen!
Ein jedes tät ein Weil obliegen.
Wie hat sie den Mann tun zerkratzen,

als haben ihm gestrählt die Katzen!
Wie hats ihn zerkrällt und zerrissen.
Und hat ihm auch ein Ohr abbissen!
Wie hats ihm dann sein Bart erzaust!
Er hat ihr mit eim Prügel glaust,
daß s' um die Augn ist blau und schwarz.
Ich hoff, er laß noch nicht vom Hatz,
so wird sie auch noch nit ablassen.
Es blut' ihn' beiden Mund und Nasen.
Sobald der Lerman hat angfangen,
seind Bänk und Stühl zu Boden gangen
und war ein solch ungstümer Strauß,
daß sich erschütt' das ganze Haus.
Zuloffen die Nachbaurn der Nähen,
hätten desgleich vor nie gesehen
von ihn', kamen zur Stubentür.
Ich stieß heimlich den Riegel für,
auf daß nur keiner hinein käm
und Fried von diesem Ehvolk nähm.
Sogleich der Scherz am besten was,
bannst du mich her. O Liebe, laß
mich wieder fahren hin behend,
wie's mit ihn wöll nehmen ein End!
Ich will bald zu dir kommen wieder.

Die alt Breckin:

Leg nur die Schuch all hieher nieder,
und fahr du hin an lichten Galgen!

Der Teufel:

Ich darf mir dir ja gar nicht balgen;
du bist mir viel zu herb und bös.
Darum ich mich hie von dir lös.
Bleib du in deinem Kreis allein!
Die Schuch will ich dir langen nein
an diesem langen häslin Stab,
den ich vorhin geschälet hab,
auf daß ich sicher sei vor dir.

Das alt Weib:

Warum schälst du den Stab vor mir?

Der Teufel:

Wann der Stab ungeschälet wär,
so möchtst du zu mir kriechen her
zwischen dem Holze und der Rinden
und mich alsdann fahen und binden,
dann solcher alter Weiber drei
fingen im Feld den Teufel frei.
Ich förcht dein Betrug und Arglist,
weil du tausendmal ärger bist,
dann ich, der Teufel aus der Hell.
Darum ich billig dich bestell,
daß du seist des Teufels Jaghund.
Was ich in dreißig Jahrn nie kunnt
zuwegen bringen, den Zwietracht
hast du in eim Tag zwegen bracht,

das frumm Ehvolk zu Hader zwungen
mit deinr verlognen giftig Zungen.
Du alte Zaubrin und Unhuld,
du hättst das Feur langest verschuld,
jedoch darf ich dein etwan mehr.
Nimm hin die Schuch, ich dich verehr!
Kommst du mir in die Hell geladen,
so sollt du desto wärmer baden
mit deinesgleichen Schwadergreten,
die frommen Leuten übel reden,
sie hinterrücks zusammen knüpfen
und heben sich dann aus der Trüpfen,
lassens darnach im Lotter kleben.
Nimm hin dein Schuch! quittier mich eben!

Er reicht ihr die Schuch ab dem Stab in Kreis und stellt sich flüchtig.

Die alt Hex spricht:

Wie reckst die Schuch so weit von mir?

Der Teufel spricht:

Ja, ich förcht mich so hart vor dir.
Ich bin ein einiger Satan,
du hast ein ganze Legion
Teufel, so dir all wohnen bei
mit argen Listen allerlei.
Die Fisch im Meer, Vögel im Flug
unsicher sind vor deim Betrug.

Gib Urlaub mir und daß ich fahr!
Mir stehn gen Berg all meine Haar
vor deim giftigen, bösen Maul.

Die Alt zuckt ihm die Schuch vom Stab, schlägt mit der Gabel auf ihn und schreit:

So wehr dich mein und sei nit faul!
Seh, seh, nimm hin und hab dir das!
Kommst wieder, so miß ich dir baß.

Sie schlägt den Teufel zur Tür hinaus,
laufen also alle beide darvon.

Der Mann tritt ein, zerkratzt, mit strobletem Haar und Bart, beschleußt das Spiel und spricht:

Secht zu, ihr ehrbarn Biederleut!
Mir hat umbsunst nit traumet heut,
mein Frau hab mir mein Augn auskratzt;
ist auch also auf mich geplatzt,
wiewohls nit ist des Traumes Schuld.
Wo ist die häutig alt Unhuld,
daß ich sie tät mit Füßen treten?
Die hat mit ihren falschen Räten
mein frummes Weib mir abgericht,
mich hinter ihr so hart verpicht,
sam ich ein großer Buhler sei,
mit Lügen auch anzeigt darbei,
gesagt, mein Frau wollt mir vergeben.
Hat mich entrüstet auch darneben,

daß ich und mein Frau alle beid
entzündt wurden in Haß und Neid
und auch einander übel schlugen,
bei den Haarn einander umzugen.
Das Zeichen sicht man mir wohl an,
daß ich der Schlacht nicht laugnen kann.
Dies alls hat angricht an den Orten
die Alt mit ganz verlognen Worten.
Drum schauet mich an all ingmein
und laßt mich euch ein Spiegel sein
samt meiner frumm ehlichen Frauen!
Tut keinem bösen Maul vertrauen,
welchs die Leut verleugt hinterrück
durch schmeichlete, arglistig Tück,
tut ihnen auch kein Glauben geben!
Sondern erfahrt euch wohl und eben,
obs sei erlogen oder wahr.
Niemand so ungestüme fahr
auf bloße Wort so grimm und gäch,
daß ihm nicht auch wie mir geschäch,
daß zum Schaden ihm Spott erwachs!
Ein gute Nacht wünscht euch Hans Sachs.

Der fahrend Schüler mit dem Teufelbannen.

Die Person':

Der Bauer
Die Bäurin
Der Pfarrer
Der fahrend Schüler

Die Bäurin geht ein, redt mit ihr selbs:

Es ist mein Mann heut in den Wald
gefahren und kommt nit so bald,
wann er hat heut schon Suppen gessn,
ein' Brei und kalte Milch gefressn,
auch ein Ranft Brots mit ihm genommen.
Er wird vor Nachts nicht wiederkommen.
O daß es unser Pfarrer weßt,
der allerliebst für alle Gäst!
Ich weiß, daß er mir eilends käm.
Nun darf ich's ie nicht sagen dem.
Uns sicht ahn das der Nachbarn Hauf
im ganzen Dorf so spitzig drauf
und treiben mit uns ihr Gespei,
sam treib' wir Buhlerei all zwei,
wiewohl's wahr ist, und tut mir Zorn.
Ich habs oft aus den Augen gschworn
meim Mann, noch will ihm der Argwohn

und die Eifersucht nicht vergohn.
Sicht mich oft sauer an und spricht:
der Hund geht mir um vor dem Licht.
Komm ich einmal auf wahre Tat,
ich will dein Balg dir striegeln glatt.
Potz Tropf, er schleicht gleich selbs daher.
Seid mir willkomm, mein liebr Pfarrer!
Wie? seid Ihr hinten hereinkommen?

Der bucklet Pfarrer hinket hinein:

Ich hab mir ein' Umschwank genommen,
bin übern Zaun gestiegn beim Stadel,
wann du weißt wohl, mein liebe Madel,
die lausing Bauern sehen drauf;
wann heut, als ich vor Tag stund auf,
sah ich gen Holz fahren dein' Mann.

Die Bäurin:

O mein Herr, wie recht habt Ihr tan!
Wann mein Mann hat wohl vor acht Tagn
ein feiste Sau ins Haus geschlagn.
Da müßt Ihr essen meiner Würst.
Auf daß Ihr darnach nicht erdürst,
will ich holen ein Viertel Wein,
und wöllen gutes Mutes sein.
Mein Herr, setzt Euch ein Weile nieder!

Der Pfarrer:

Ja, du komm aber eilends wieder,
daß nicht dein Mann komm in das Haus
und dresch mir den Hundshaber aus!
Wann er sicht mich so sauer an,
wenn er etwan tut für mich gahn,
trägt allmal ein verborgne Wehr.
Derhalben trau ich ihm nicht mehr.
Er stecket voll tückischer List;
sollt mich wohl bleuen auf seim Mist.
Er hat mir das Jahr hart gedroht,
nächst, do er mir das Haus verbot.

Die Bäurin:

Herr, laßt Euch die Weil nicht lang sein!
Ich bring bald Semmel, Würst und Wein.

Die Bäurin geht ab.

Der Pfaff redet wider sich selbs:

Und wenn halt jetzt der Bauer käm
und mich bei meinem Halse nähm
und setzet mir ein alte Schmurrn,
dennoch dörft ich darum nit murrn,
dörft ihn beim Pfleger nicht verklagn.
Ich müßt geleich die Schmurren tragn
und müßt's stillschweigend in mich fressn.
Ich bin zwar mit eim Narrn besessn,

daß ich weit lauf nach Huren aus,
hab doch selb eine in dem Haus!

Die Bäurin bringt Würst, Semmel und Wein:

Nun eßt und trinkt! Seid guter Ding
und sorgt nit, daß uns misseling!
Vor Nachts so kommet nicht mein Mann.

Der Pfarrer:

Hör! Wer tut durch den Gattern gahn?
Ich hör klingen die Kühglocken.

Die Bäurin schaut:

Mein Herr, seid nit so gar erschrocken!
Es geht ein Bettelmann herein.
Es wird ein fahrend Schüler sein.

Der Pfarrer:

So gib ihm resch und laß ihn gehn
und laß ihn nit lang hinnen stehn!

Der fahrend Schüler:

O Mutter, gib dein milde Steur
mir armen fahrnden Schüler heur;
wann ich sammel mit diesen Dingen,
daß ich mein erste Meß tu singen!

Der Pfarrer:

Du sammlest leicht zu einem Schalk.
Heb dich hinaus, du Lasterbalg!

Der Schüler:

Mein Herr, von wegen aller Buhler
steuert mir armen fahrnden Schuler,
der ich im Land hin und her fahr!

Der Pfarrer:

Du wirst so lang fahren fürwahr,
bis du zuletzt fährst an den Galgen.

Der Schüler:

Mein Herr, ich kann mit Euch nit balgen,
sonder mir ein paar Kreuzer leicht!
Und wenn ich einmal werd geweicht,
möchte ich Euer Kaplan wer'n.

Der Pfarrer:

Man muß dir vor ein Platten schern
daußen wohl auf dem Rabenstein.
Du störzt um auf dem Land gemein
und kannst nichts, denn die Baurn bescheißn,
mit Lüg und List ihn's Maul aufspreißn
und stiehlst ein wenig auch darzu.
Was nit will gehn, das trägest du,
als Flachs, Eier, Schmalz unde Käs.

Der Schüler:

Ach mein Herr, seid mir nicht so reß!
Ich bin ie auch ein guter Schlucker.

Der Pfarrer:

Du bist ein rechter Beutelrucker.
Heb dich naus! Hab dir Drüs und Beuln!

Der Schüler:

Mein Herr, tut Euch nit ob mir mäuln!
Gebt mir armen Schüler Eur Steur!

Die Bäurin stößt ihn:

Heb dich hinaus! Hab dir's blau Feur,
du unverstandner grober Büffel,
du fauler Störzer und du Schlüffel,
und laß mich ungheit in meim Haus!

Der Schüler:

Nun will ich geren gehn hinaus.
Doch sag ich euch bei meinen Treuen:
Der Hochmut wird euch beide reuen.

Ich will mich in dem Haus verstelln
und sehen, was sie machen wölln,
heimlich in ein Winkel verborgn.
Kommt der Bauer heint oder morgn,
will ihn' zurichtn ein feines Spiel,
mich redlich an ihn' rächen will.

Der fahrend Schüler geht ab.

Der Pfarrer:

Geh! Sperr die Haustür eben zu,
daß nicht ein ieder Bettler tu
uns überlaufen in der Stuben!

Die Bäurin:

Habt Ihr nicht gehört von dem Buben,
wie er die Haustür hat eingschlagen?

Der Pfarrer:

Ei das wär recht; erst wöll' wir's wagen,
essen, trinken und fröhlich sein.
Mein Madl, es gilt dir so viel Wein.

Der Bauer klopft an. So spricht der Pfarrer:

Potz Leichnam, Madl, wer klopfet daus
so ungestüm an deinem Haus?

Die Bäurin schauets:

Potz Leichnamangst, es ist mein Mann!
Wie soll' wir unsern Dingen tan?

Der Pfarrer:

Potz Kürn Marter, wo soll ich hin?

Die Bäurin:

Mein lieber Herr, bald schliefet in
den Ofen, so will ich untern Barn
den Wein, Semmel und Würst bewahrn.
Und sobald heint entschläft mein Mann,
will ich Euch helfen wohl darvon.

Der Pfaff laufet aus. Die Frau tut auf.
So spricht der Bauer:

Wie, daß du das Haus sperrest zu?

Die Bäurin:

Mein Mann, wiß, daß ichs darum tu,
wann unsers Nachbarn Säu mit Haufn
mir täglich an den Tennen laufn
und tun mir Schadn. Wie, daß d' so bald,
mein Mann, heut kommest aus dem Wald?

Der Bauer:

Soll ich dir nit von Unglück sagen?
Wir haben beide Hackn zerschlagen.
Nun kunnt wir fällen keinen Bäum.
Da mußt ich wohl wieder erheim.
Der Hunger trieb mich auch darzu.
Mein, brat mir ein Wurst oder zwu!
Gib mir'n Säusack mit feisten Grieben,
der nächten z'Nacht ist überblieben,
und laß mich weidlich darin schrotn!

Die Bäurin:

Ich tu dir für die Würst ein Knorn.
Habn erst vor acht Tagn die Sau gschlagn.
Hast ie die Würst schier gar vertragn.
Wir müssen auch auffressn die Knockn.

Der Bauer:

Ich hör klingen unser Kühglockn.
Schau! Wer geht durch den Gattern rein?

Die Bäurin lauft:

Es wird ein fahrnder Schüler sein.
Ich will ihn bald fertigen ab.
Nit gern solch Leut im Haus ich hab.

Die Bäurin will ihm geben, aber er geht zum Bauren:

Ein guten Abend, lieber Vater!
Ohngfähr so stund offen dein Gatter,
da ging ich fahrnder Schüler rein.
Bitt, vergünn mir, im Stadel dein
im Heu zu schlafen diese Nacht!

Die Bäurin:

Hat dich der Teufel wiedr rein bracht?

Der Schüler:

Mein Mutter, schweig! so schweig ich auch.

Der Bauer:

Mein Schüler, was ist Euer Brauch,
daß ihr also umfahrt im Land?

Der Schüler:

Es ist uns aufgesetzt allsant,
daß wir stetigs im Land umwandern
von einer hohen Schul zur andern,
daß wir lernen die schwarzen Kunst
und dergleich ander Künste sunst.
Wo man eim etwas hat gestohln,
das können wir eim wieder holn.
Wen Augenweh und Zahnweh kränken,
dem könn' wir ein Segn an Hals henken.
Fürs Gschoß Wundsegen wir auch habn.
Wir könn' wahrsagen und Schätz grabn,
auch zu Nacht auf dem Bock ausfahrn.

Der Bauer:

Hab ich doch wohl gehört vor Jahrn,
ihr Schüler künnt den Teufel bannen.

Der Schüler:

Ich wollt ihn wohl beschwern und bannen,
daß er uns alles das müßt sagn,
was wir ihn nur möchten gefragn,
darzu Bratwürst, Semmel und Wein
leibhaftig uns müßt bringen rein
in diese Stuben in ein' Kreis.

Der Bauer:

Mein Mann, kein Ding auf Erd ich weiß,
das ich wollt lieber (mag ich jehen),
wann den Teufel leibhaftig sehen.

Der Schüler:

Ei, so schau nur dein Frauen an!

Der Bauer:

Laß Scherzen liegen, lieber Mann!
Kannst, so bring uns den Teufel her.

Der Schüler:

Ja, wenn es nit so gfährlich wär;
wann wo ich ihn brächt an das Ort
und euer eines redt ein Wort,
so dörft er uns wohl all zerreißn.

Die Bäurin:

Es sollt uns wohl der Teufl bescheißn?
Laßt den Teufel daus! ist mein Rat.

Der Bauer:

Was schadt's? Es ist in d' Nacht gar spat.
Lieber, bring ihn her in das Haus!

Der Schüler:

So geht beide ärsling hinaus
und steigt auch ärsling auf die Dielen!
So will ich beschwern durch die Brillen
den Teufel. Bald ich schrei: Kummt wieder!
So steiget ärsling herab nieder!
Alsdenn ich euch zu bringen weiß
den Teufel herein in den Kreis.

Der Bauer und Bäurin gehen ärsling hinaus.
Der Schüler bringet den Pfaffen:

Pfaff, Pfaff, soll ich dein vorigs Scheltn
dir jetzt auf deinen Kopf vergeltn?
Sobald ich ruf den Bauren rab,
der wird dir weidlich kerren ab.
Nun will ich gehn dem Bauren schreien.

Der Pfaff zittert:

Ach, mein Freund, was wollst du mich zeihen?
Ich bitt dich sehr: hilf mir davon;
Ich gib zwölf Taler dir zu Lohn,
und bleib den after Wintr bei mir!
Will ich gut Herberg geben dir.

Der Schüler:

Pfaff, so gib die zwölf Taler her!
So hilf ich dir aus dem Gefähr.

Der Pfaff gibt ihms:

Seh! ich will dir daheim mehr schenken.

Der Schüler:

Pfaff, so tu dich nit lang bedenken!
Geh! zeuch dich mutternacket ab!
Beruß dich kohlschwarz wie ein Rab
und schick dich eilends in den Handel!
Nimm unterm Barn Würst, Semml und Kandel!
Nimm an dem Tennen die Roßhaut!
Da wickl dich ein! Und wenn ich laut
schrei zum dritten Mal: Teufel, kumm!
So komm bald gelaufen und brumm
gleich eben wie ein wilder Bär!
Setz Semmel, Würst und Kandel her
in Kreis! und wenn ich dich heiß gohn,
so nimm dein Gwändlich! Schmitz darvon
in der Roßhaut hinten hinaus!
So kommst mit Freuden aus dem Haus.

Der Pfarrer:

Ich will mich rüsten allergstalt.
Hilf mir nur hinaus schnell und bald!

Der Pfarrer geht ab. So schreit der Schüler:

Nun steigt beide ärsling herab!
Den Geist ich schon beschworen hab.

Sie gehen beide ärsling ein. So spricht der Schüler:

Nun setzt euch niedr und euch nit rührt!
Kein Wort zu reden euch gebührt.
Doch wo eur eines reden wollt,
mit Fingern ihr das deuten sollt.

Sie setzen sich. So macht der Schüler mit dem Schwert einen Kreis und stellet sich darein:

Nun ruf ich dir zum ersten Mal:
Komm her aus dem hellischen Saal!
Bring mir in Kreis ein Kandl mit Wein,
Würst und neubachen Semmellein!
Zum andern Mal so ruf ich dir,
daß du kommst in den Kreis zu mir.
Zum dritten Mal beschwer ich dich,
du wollst nit länger saumen mich,
und komm in den Kreis zu mir her
und bring mir, was ich hab Begehr!

Der Teufel lauft hinkend und buckelt ein, brummt, setzt Kandel, Semmel und Würst in Kreis. So spricht der Schüler:

Nun, Teufel, laß von deim Rumorn!
Laß dich wohl schauen hintn und vorn!

Der Teufel geht um den Kreis herum. So spricht der Schüler:

Teufel, nun hab wir dein genung.
Tu nur bald aus dem Kreis ein Sprung
und schmitz denn hinten aus dem Haus
oder fahr zu dem First hinaus
oder im Kühstall durchs Kühloch,
daß jedermann ohn Schaden doch!

Der Teufel springt aus dem Kreis. So spricht der Bauer:

Mir geht vor Ängsten aus der Schweiß.
Ach, Lieber, wisch bald ab den Kreis,
daß nur der Teufl nit wiederkumm!

Der Schüler:

Mein lieber Sohn, sag mir, warum
tätst du doch sein so hart begehrn?

Der Bauer:

Ich dacht nicht, daß die Teufel wärn
so schwarz, zottet und ungeschaffn;
er war gleich bucklet unserm Pfaffn,
hank auch also auf einem Bein.
Ja, wär ich gwesen hinn' allein,
ich glaub, ich wär von Sinnen kummen
mit seinem Scharrn, Krohnen und Brummen.
Mich deucht, gleich er hätt Eberzähn,
die täten ihm zum Maul ausgehn.

Die Bäurin:

Soll ich aber die Wahrheit jehen,
den Teufl möcht ich wohl öfter sehen
in unserm Haus ohn alle Scheu.

Der Schüler:

Ich glaub dirs gar wohl auf mein Treu.
Ei frisch auf, frisch auf, lieber Mann!
Willt du, so wöll' wir schlafen gahn?

Der Bauer:

Ich förcht mich wahrlich ingeheim,
mir komm der Teufel für im Träum.
Ich hab mirn wohl einbildt so stark.

Der Schüler:

Mein Mann, die Sach ist nicht so arg.
So henk den Segen an den Hals!
So versprich ich dir gwiß nachmals:
Der Teufel kommt nit in dein Haus,
es sei denn Sach, daß du seist draus.
Er war froh, daß ich ihn ließ hin.
Er fürcht dich übler, denn du ihn.

Der Bauer:

Ei Lieber, förcht der Teufel mich?

Die Bäurin spricht:

Komm, mein Mann, und leg schlafen dich!
Laß fahrn den Teufel, lieber Gsell!
Er sitzt längst wieder in der Hell.

Der Bauer henkt den Segen an den Hals:

Ich will den Segen an Hals henken
und dir zu Lohn den Gulden schenken,
daß ich forthin sicher und frei
vor dem hinkenden Teufel sei.
Ein gute Nacht! ich geh dahin.

Der Bauer geht ab. So spricht die Bäurin:

In Ängsten ich gewesen bin.
Hätt immer Sorg, Ihr würdt was sagn;
mein Mann den Pfaffen hätt' erschlagn.
Er ist ihm wohl so spinnenfeind.

Der Schüler:

Ja, Frau, der Pfaff verhieß mir heint,
Ihr würdt mir z' Lohn fünf Gülden gebn,
daß ich ihm fristen hülf das Lebn.
Derselben wart ich ietzt von Euch.

Die Bäurin:

Mein Mann, nur diese Nacht verzeuch!
Morgen früh sollt du sie gwiß habn.
Ich habs Geld hinterm Haus eingrabn.
Ein gute Nacht! ich leg mich nieder.

Die Bäurin geht ab.

Der Schüler nimmt Semmel, Würst und Kandel:

Würst, Semmel, Wein, die nimm ich wieder.
Will mit hinaus gehn auf das Heu,
essen und trinken. O ich freu
mich der Kirchweih; ich bring davon
achzehn Güldn; mehr Gwinns ich hon,
denn Pfaff, Baur, Bäurin die all drei;
wann ich gedenk mir auch dabei,
der Pfaff hab auch ums Geld nit droschn,
so hab die Bäurin die altn Groschn
dem Bauren auch heimlich abtragn.
Was soll ich vons Baurn Gülden sagn?
Bhält mein Segen den Teufel dauß,
daß er ihm nit mehr kommt zu Haus,
so unterkäm er viel Ungmachs.
Träger Mark wird gut, spricht Hans Sachs.

Das heiß Eisen.

Die drei Personen in das Spiel:

Der Baur
Die Bäurin
Die Gevatterin

Die Frau tritt ein und spricht:

Mein' Mann hab ich gehabt vier Jahr,
der mir von erst viel lieber war.
Dieselb mein Lieb ist gar erloschen
und hat im Herzen mir ausdroschen.
Weßt geren, wes die Schulde wär.
Dort geht mein alte Gvatter her,
die ist sehr alt und weiß gar viel.
Dieselbigen ich fragen will,
was meiner Ungunst Ursach sei,
daß ich werd der Anfechtung frei.

Die alt Gevatterin spricht:

Was redst so heimlich wider dich?

Die Frau spricht:

Mein liebe Gvattr, es kümmert mich:
Mich dünkt mein Mann halt nit sein Eh,
sonder mit andern Fraun umgeh.
Des bitt ich von Euch einen Rat.

Die alt Gevatter spricht:

Gvatter, das ist ein schwere Tat.

Die Frau spricht:

Da rat zu, wie ich das erfahr!

Die Gevatter spricht:

Ich weiß nicht, mir fällt ein fürwahr,
wie man vor Jahren Gwohnheit hätt,
wenn man ein Mensch was zeihen tät,
wenn es sein Unschuld wollt beweisen,
so mußt es tragn ein glühend Eisen
auf bloßer Hand aus einem Kreis,
dem Unschulding war es nicht heiß
und ihn auf bloßer Hand nit brennt,
darbei sein Unschuld würd erkennt.
Darum hab Fleiß und richt auch an,
daß dies heiß Eisen trag dein Mann!
Schau, daß du ihn könnst überreden!

Die Frau spricht:

Das will ich wohl tun zwischn uns beeden.
Kann wein' und seufzen durch mein List,
wenns mir schon um das Herz nicht ist,
daß er muß alls tun, was ich will.

Die Gevatter spricht:

So komm dem nach und schweig sonst still,
darmit du fahest deinen Lappen
und ihm anstreifst die Narrenkappen!
Jtzund geht gleich herein dein Mann.
Ich will hingehn; fah mit ihm an!

Die alt Gevatter geht ab.

Die Frau sitzt, hat den Kopf in der Händ.
Der Mann kommt und spricht:

Alte, wie sitzt du so betrübt?

Die Frau spricht:

Mein Mann, wiß, daß mich darzu übt
ein Anfechtung, welche ich hab,
der mir kann niemand helfen ab,
mein herzenlieber Mann, wenn du!

Der Mann spricht:

Wenns an mir leit, sag ich dir zu
helfen, es sei wormit es wöll.

Die Frau spricht:

So ich die Wahrheit sagen söll,
so dünkt mich, lieber Mann, an dir,
du hältst dich nicht gar wohl an mir,
sonder buhlest mit andern Frauen.

Der Mann spricht:

Tust du ein solches mir zutrauen?
Hast du dergleich gmerkt oder gsehen?

Die Frau spricht:

Nein, auf mein Wahrheit mag ich jehen.
Du abr bist mir unfreundlich gar,
nicht lieblich, wie im ersten Jahr.
Derhalb mein Lieb auch nimmet ab,
daß ich dich schier nicht mehr lieb hab.
Dies alls ist deines Buhlens Schuld.

Der Mann spricht:

Mein liebes Weib, du hab Geduld!
Die Lieb im Herzen liegt verborgen!
Müh und Arbeit und täglichs Sorgen
tut viel Scherz und Schimpfens vertreiben.
Meinst drum, ich buhl mit andern Weiben?
Des denk nur nit! ich bin zu frumm.

Die Frau spricht:

Ich halt dich vor ein Buhlr kurzum;
sei denn Sach, daß du dich purgierst,
der Zicht von mir nicht ledig wirst.

Der Mann reckt zwei Finger auf, spricht:

Ich will ein härten Eid dir schwern,
daß ich mein Eh nit tät versehrn
mit andren schönen Frauen jung.

Die Frau spricht:

Mein lieber Mann, das ist nicht gnung,
Eidschwern ist leichtr, denn Rübengrabn.

Der Mann spricht:

Mein liebes Weib, was willt denn habn?

Die Frau spricht:

So trag du mir das heiße Eisen!
Darmit tu dein Unschuld beweisen!

Der Mann spricht:

Ja, Frau, das will ich geren ton.
Geh! heiß die Gvattern umher gohn,
daß sie das Eisen leg ins Feur!
Ich will wagen die Abenteur
und mich purgieren, weil ich leb,
daß mir die Gvatter Zeugnus gäb.

Die Frau geht aus. Er spricht:

Mein Frau die treibt gar seltsam Mucken
und zäpft mich an mit diesen Stucken,
daß ich soll tragen das heiß Eisen,
mein Unschuld hiemit zu beweisen,
daß ich nie brochen hab mein Eh.
Es tut mir heimlich auf sie weh.
Ich hab sie nie bekümmert mit,
ob sie ihr Eh halt oder nit.
Nun ich will ihr ein Schalkheit ton,
in Ärmel stecken diesen Spohn.
Wenn ich das Eisn soll tragn dermaßen,
so will ich den Spahn heimlich lassen
herfürhoschen auf meine Händ,
daß ich vom Eisen bleib unbrennt.
Mein Frömmkeit ich beweisen tu.
Da kommen sie gleich alle zwu.

Die Alt trägt das heiß Eisen in einer Zangen und spricht:

Glück zu, Gvatter! das Eisn ist heiß.
Macht nur da einen weiten Kreis!
Da legt ihm's Eisen in die Mitt!
Tragt Ihrs heraus und brennt Euch nit,
so ist Euer Unschuld bewährt,
Wie denn mein Gvattern hat begehrt.

Der Mann spricht:

Nimm hin! da mach ich einen Kreis.
Legt mir das glühend Eisen heiß
daher in Kreis auf diesen Stuhl!
Und ist es Sach und daß ich buhl,
daß mir das heiß Eisen alsdenn
mein rechte Hand zu Kohlen brenn.

Der Mann nimmt das Eisen auf die Hand, trägets aus dem Kreis und spricht:

Mein Weib, nun bist vergwißt forthin,
daß ich der Zicht unschuldig bin,
daß ich mein Eh hab brochen nie,
weil ich das glühend Eisen hie
getragen hab ganz ungebrennt.

Das Weib spricht:

Ei, laß mich vor schauen dein Händ!

Der Mann spricht:

Seh hin! Da schau mein rechte Hand,
daß sie ist glatt und unverbrannt!

Die Frau schaut die Hand, spricht:

Nun, du hast recht; das merk ich eben.
Man muß dir dein' Küh wiedergeben.

Der Mann spricht:

Du mußt mir unschuldigen Mann
vor meinr Gvattern ein Widrspruch tan.

Die Frau spricht:

Nun, du bist fromm, und schweig nur still!
Nichts mehr ich dir zusagen will.

Der Mann spricht:

Weil du nun gnug hast an der Prob,
will ich nun auch probieren, ob
du dein Eh bisher habst nit brochen
von Anfang, weil d' mir warst versprochen.
Mein Gvattern, tut darzu Eur Steur!
Legt das Eisn wieder in das Feur,
daß es erfeur und glühend wer'!
Darnach so bringt mirs wieder her,
auf daß es auch mein Frau trag mir,
darmit ihr Frömmkeit ich probier!

Die Gevatter spricht:

Ei, was wollt Ihr Eur Frauen zeihen?
Tut sie des heißen Eisens freien!

Der Mann spricht:

Ach, liebe Gvatter, was ziech sie mich?

Die Frau spricht:

Mein herzlieber Mann, wiß daß ich
das hab aus lauter Einfalt tan!

Der Mann spricht:

Gvatter, legt bald das Eisen an!
Darfür hilft weder Fleh noch Bitt.

Die Gevatterin geht hin mit dem Eisen.

Die Frau spricht:

Mein lieber Mann, weiß du dann nit,
ich hab dich lieb im Herzengrund?

Der Mann spricht:

Dein Tat laut't anders, denn dein Mund,
da ich das heiß Eisen mußt tragen.

Die Frau spricht:

Ach, mein Mann, tu nicht weiter fragen,
sonder mir glauben und vertrauen
als einer aus den frömmsten Frauen!
Laß mich das heiß Eisen nicht tragen!

Der Mann spricht:

Was darfst dich lang wehren und klagen?
Bist unschuldig, so ists schon Fried,
so brennt dich das heiß Eisen nit
und hast probiert dein weiblich Ehr.
Derhalb schweig nur und bitt nicht mehr!

Die Gvatter bringt das glühend Eisen, legts auf den Stuhl im Kreis, spricht:

Gvattern, da liegt das glühend Eisen,
Euer Unschuld mit zu beweisen.

Der Mann spricht:

Nun geh zum Eisen! greif es an!

Die Frau spricht:

Ich bitt dich, mein herzlieber Mann,
mein Schuld will ich dir hie verjehen,
daß ich mich fert hab übersehen
heimlich mit unserem Kaplan.
Dasselbig wöllst du mir nachlan,
daß mich's Eisn nit drum brennen tu.

Der Mann spricht:

Ja, ja, da schlag der Teufel zu!
Hast selber brochen dein Eh?
Nimm flugs das Eisen hin und geh!
Will dir gleich den Pfaffen nachgeben.

Die Frau spricht:

Mein lieber Mann, ich bitt darneben,
wöllst mein in aller Treu gedenken,
zum Pfaffn mir noch zween Männer schenken,
mit den' ich mein Eh brochen hab.

Der Mann spricht:

Nöten nahm dein Lieb gen mir ab,
weil du ihr drei hast liebr, dann mich?
Ei schäm des in dein Herze dich,
der du wolltst sein so keusch und frumm
und triebst mich mit dem Eisen um!
Doch will ich dirs all drei nachlon.
Nimm flugs das Eisn und komm darvon!

Die Frau hebt die Händ auf, spricht:

Mein Mann, ich hab ie noch ein Bitt:
Ich hab ein Schatz, den weißt du nit!
Vier gulden Zwölfer, die ich doch hart
hab selb an meinem Maul erspart,
den Schatz will ich auch geben dir.
Laß mir noch nach der Männer vier!
Alsdenn will ich's heiß Eisen tragen.

Der Mann spricht:

Was soll ich von dem Schleppsack sagen?
Pfui, schäm dich vor der Gvattern dein!
Hast du denn Buhlschaft hinter mein
heimlich mit so viel Mannen triebn?

Die Frau spricht:

Wie tust? nun sind ihr ahn dich ie nur siebn!

Der Mann spricht:

Es solltn ihr leicht ein Dutzet sein.
Nun ich will auch nichts reden drein
um diese sieben und ohn mich,
sollt mit dem Eisn purgieren dich
auf Erden sonst vor alle Mann.

Die Frau spricht:

Ja lieber Mann, das will ich tan.
Jedoch in dieser Männer Summen
sind die jungen Gselln ausgenummen.
Vor die das Eisen ich nicht trag.

Der Mann spricht:

Schweig und kein Wort darwider sag!
Flugs nimm das Eisn, weil es ist heiß,
und trag es sittlich aus dem Kreis,
daß ich darbei mög nehmen ab,
was vor ein frommes Weib ich hab!

Die Frau spricht:

O Gvatter, tragt das Eisn vor mich!

Die Gevatter spricht:

O es taug nit; dazu würd ich
am Eisen mein Händ brennen zwar,
daß mir würd abgehn Haut und Haar.
Ich war vor Jahren auch nicht rein.

Der Mann spricht:

Flugs nimm das Eisn und trags allein,
du zunichtiger Bubensack!
Oder ich leg dir auf dein Nack
mein Faust, daß dir das Licht erlischt.

Die Frau spricht:

Das Eisen ist heiß, daß es zischt,
nun weil es mag nicht anderst sein,
so ergib ich mich duldig drein.

Die Frau hebt das Eisen auf, will gehn und tut ein' lauten Schrei, läßt das Eisen fallen, spricht:

Auweh, Auweh der meinen Händ!
Wie übel hat mich's Eisen brennt
von meiner Hände Haar und Haut!

Der Mann spricht:

Schau, du Unflat! hast mir nicht traut,
und so mans bei dem Licht besicht,
bist selbs an Haut und Haar entwicht.
Ich dörft dir wohl dein Haut vollschlagen.

Die Frau spricht:

So wollt ichs meinen Brüdern klagen.

Die Gevatter spricht:

O Gvatter, trollt Euch und schweigt still!
Ihr habt hie ein verloren Spiel.
Ihr habt ein Handel, ist mistfaul.
Darum nehmt nur Süßholz ins Maul!
Ziecht auf gut Saiten wiederum,
auf daß nicht heint Sankt Kolbmann kumm
und Euch um Euer Unzucht straf.

Die Frau geht aus. Der Mann spricht:

Mein Frau meint, ich wär gar ein Schaf,
stellt sich so fromm und keusch (versteht!),
sams nie kein Wasser trübet hätt,
wollt mich nur treibn in ein Bockshorn,
bis ich doch auch bin innen worn
ihrer Frömmkeit, drein sie sich bracht
mit ihrem Eifern Tag und Nacht,
des sie mit Ehrn wohl hätt geschwiegen.

Die Gevatter spricht:

Mein Gvatter, laßts best bei Euch liegen!
Wöllt meinr Gvattern vergeben das!
Wer ist der, der sich nie vergaß?
Kommt! wir wöllen dran gießn ein Wein!

Der Mann spricht:

Nun, es soll ihr verziehen sein!
Mein Frau bricht Häfn, so brich ich Krüg.
Und wo ich anderst red, ich lüg.
Doch, Gvatter, wenn Ihr Bürg wollt werden,
dieweil mein Weib lebet auf Erden,
daß sie solches gar nimmer tu.

Die Gevatter spricht:

Ei ja, Glück zu, Gvatter! Glück zu!
Ich will Euch gleich das Gleit heimgeben.
Und wöllen heint in Freuden leben
und auf ein neues Hochzeit halten
und gar Urlaub geben der alten.
Das kein Unrat weiter draus wachs
durch das heiß Eisen, wünscht Hans Sachs.

Der Baurenknecht will zwo Frauen haben.

Die Personen in dem Spiel:
Hermann Lötsch, der Alt
Heinz Lötsch, sein Sohn
Fritz, Öheim, der Vetter
Konz Tötsch, der Schwäher

Hermann Lötsch, der Alt, tritt mit seinem Sohn Heinz Lötschen ein und spricht:

Heinz, mein Sohn, ich hab mich bedacht:
Es geht jetzt gegen der Faßnacht,
daß man viel Hochzeit hat fürwahr.
Weil du, mein Heinz, bist auch der Jahr,
wann eines Weibs bist du wohl wert.
Wiewohl ich dir abschluge fert
Konz Tötschen Tochter, die dich wollt,
wiewohl du sie hättst heimlich hold
Dasselbig weßt ich aber nit.
Mein Heinz, ist dir noch wohl darmit,
so wollt wir dir's zum Weib noch geben
und die Faßnacht in Freuden leben.
Nun willt du Gredn, so zeig mir's an!

Heinz Lötsch, der Jung:

Ja, Vater! Ich will geren han
die Gredn und auch die Christn darzu,
des Baders Tochter; die all zwu
will ich beide zu Weibern habn.
Zu den zweien wirst mich begabn
mit eim ziemlichen Heiratgut.

Hermann Lötsch, der Alt, spricht:

Mein Heinz, was hast in deinem Mut,
daß du zwei Weiber haben wöllst?
Wenn du gescheit wärest, du söllst
wohl sehen, daß ich als ein Mann
mit einer kaum auskommen kann
und täglich mit ihr lieg zu Haar.

Heinz Lötsch, der Jung:

Ja, Vater, dasselb ist wohl wahr.
Die Mutter ist dir z'groß und stark
und ist dir auch zu reß und arg;
die zwo aber die sind gar klein.
Der beider Mann wollt ich wohl sein.
Hat unser Hahn doch wohl zwölf Hennen,
die ihm sind ghorsam an dem Tennen!
So ghorsam müßten's mir sein allzeit.

Hermann Lötsch spricht:

O lieber Heinz, dein Kunst fehlt weit;
die Klein'n sind böser als die Großen.
Sie wür'n dich unter d' Bank noch stoßen
und ein Eirenschmalz auf dir essen.
Mein Heinz, sei nicht also vermessen
und nimm einweil das ein Weib zuder!
Du hast als gnug, als hättst'r ein Fuder.
Drum laß dir an der ein' begnügen!
Zwo würden dir viel Zanks zufügen,
Sie wür'n beid ob einander halten.

Heinz Lötsch, der Jung:

So müßt ihr beid der Teufel walten!
Ich wollt ihn' wohl den Leimen klopfen
und ihn' ihr böses Maul verstopfen,
wann ich bin Heinzlein frischer Knecht,
spring über all Misthaufen schlecht,
allmal der Freudigst an dem Tanz.
Drum, Vater, mach nicht viel Gramanz!
Gib mir zwei Weibr! Laß mich drum sorgen!

Hermann Lötsch spricht:

Mein Heinz, bedenk dich doch auf morgen!
Schau! Da kommt unser Öheim Fritz.
Den wöll' wir auch ratfragen jetzt.

Der Öheim Fritz kommt und spricht:

Ihr Öheim, Gott grüß euch beidsander!
Was schreit ihr so laut miteinander?

Hermann Lötsch spricht:

Hör, Öheim Fritz! Heinz Lötsch, mein Sohn,
der will nur schlecht zwei Weiber han.
Dem tu ich mit Händen und Füßn wehrn.

Fritz, Öheim, spricht:

O Heinz, du kannst kaum eine nährn.
Die Weiber fressen leichnamsehr.

Heinz Lötsch spricht:

Mein Oheim Fritz, was ist's denn mehr?
Wann wo ich sie nehm alle zwu,
gibt man zu jeder mir ein Kuh,
darvon ich Käs und Millich hab.
Mein Vater gibt sein Mähren grab.
Meinst nit, ich könn mich ernähren mit?

Fritz, Öheim, spricht:

Hein Lötsch, ich rat fein wahrlich nit.
Es ghört leichnamviel in das Haus.
Der Mahl sind viel im Jahr durchaus.
Ei, Lieber, nimm einweil die ein!
Gehts dir wohl in dem Ehstand dein
mit eim Weib, so d' aufs Jahr tust leben,
so wöll' wir dir noch ein Weib geben.
Versuchs mit einer dieses Jahr!

Hermann Lötsch spricht:

Heinz, Fritz Öheim red't recht fürwahr.
Es ist dir wahrlich wohl zu tun.

Heinz Lötsch spricht:

So g'lobet mir all beide on,
daß ihr mir von jetzt übr ein Jahr
wollt geben noch ein Weib fürwahr!
Des Tötschen Greden gebt mir jetzt!

Sie g'loben ihm beid an.

Hermann Lötsch spricht:

Nun sei du betn, mein Öheim Fritz,
und wirb uns um die weidlich Dirn!

Fritz, Öheim, spricht:

Ich hoff, ich darf nicht lang hofiern.
Sie ist ihm lang gewesen feil.

Heinz Lötsch spricht:

Geh hin! Glück sei auf unserm Teil!
Und saum dich nit! Ding's alls wohl aus!
Wir wöllen einweil heim zu Haus.

Sie gehn all drei ab.

Konz Tötsch kommt, red't mit ihm selbs und spricht:

Der Hermann Lötsch, der schickt an mich
um mein Tochter Gredn, die soll ich
seim Sohn, dem jungn Heinz Lötschen geben.
Die Heirat ist nit fast uneben.
Sie sind fast gleich in einer Summ,
der Heinz ist toll, mein Gred ist dumm,
und arbeitn beide nit fast gern.
Es wär schad, daß zwei Häuser wärn
mit ihn' verrütt und überlaufen.
Der Dreck ist gleich auf den Misthaufen.
Die Heirat ist nit abzuschlagen.
Sie habn lang Holz mitnander tragen.
Sie wür'n beide (ist wohl zu muten)
eitel jung Lötschn und Tötschn ausbruten
und würdn unser beide Gschlecht mehrn.
Drum will ich auch helfen zu Ehrn.

Dort kommen gleich die Heiratsleut,
die Heirat zu beschließen heut.

Sie kommen all drei. Fritz, Öheim, spricht:

Konz Tötsch, wie wir nächten allbeed
haben gehabt ein lang Abred
einr Heirat halben deiner Greden
und des Heinzen halb aller beeden,
sag, ist dasselb dir noch zu Sinn?

Konz Tötsch spricht:

Ja, gleich ich des noch willens bin,
hab mich auch anderst nit bedacht;
denn, wie ich dir sagt nächten z'Nacht,
ich gib meinr Gredn die schwarzen Kuh,
stoß ihr die scheckten Geiß darzu,
die alt Brutgans und zwo Leghennen,
die besten, so ich hab am Tennen,
ein Noppensack ich ihm auch zusag,
ins Haus tägliche Hülf all Tag.

Fritz, Öheim, spricht:

Es ist gnug, mein Öheim Hermann!
Wormit willt deim Sohn helfen tan?

Hermann Lötsch spricht:

Ich will ihm gebn das hinkend Pferd,
ist wohl vierthalben Gülden wert,
ein paar Säu und den graben Bock,
auf d' Hochzeit ein neu blaben Rock,
ein Heppn, ein Hacken, ein Holzschlegel,
ein Heugabl, Mistgreil und zween Flegel.
Mich dünket zwar in meinem Mut,
es sei ein ehrlich Heiratgut.

Konz Tötsch spricht:

Wenn du darzu noch wirst ein Pflug,
so wöll' wir's gleich sein lassen gnug.

Fritz, Öheim, spricht:

Tau nach! Sollt's abgehn, es wär schad.

Hermann Lötsch spricht:

Ich hab ein Pflug, der hat kein Rad,
Den will ich gleich dazu noch geben.

Konz Tötsch spricht:

Nun ist d' Heirat beschlossen eben,
mein Tochter soll dein eigen sein.
Nun wölln wir ins Wirtshaus zum Wein,
mit Braut und Bräutgam Freuden walten.

Heinz Lötsch spricht:

Wir wölln gleich alsbald Hochzeit halten,
so gehts in einem Unkost hin.

Konz Tötsch spricht:

Jawohl, darwider ich nicht bin.
Mein Gred ist auch willig darzu,
die ich im Fußtritt holen tu.
Den Pfarrer aber hol' der Fritz,
daß er's vollend zusammenschmitz!
Denn wöll' wir schlemmn und fröhlich sein
bis auf die Mitternacht hinein.

Sie gehen all ab.

Fritz, Oheim, kommt, red't mit ihm selbs und spricht:

Gott geb der Hochzeit den Jahrritten!
Den größtn Hunger hab ich erlitten.
Eins war versottn, das andr versalzn,
eins verbraten, das andr ungschmalzn,
und hätt der Wirt den Wein vergossen,
macht uns auch mit der Kreidn ein Possen.

Nun ich will ihn auch wieder treffen,
ihn um ein ganze Örten äffen.

Konz Tötsch kommt geloffen und spricht:

Ach Fritz, Öheim, ich laß dich wissen:
Der Wolf hat mir ein Kuh zurissen.
Wohlauf! Er ist noch in dem Hag.

Fritz, Öheim, spricht:

Er hat mir auch am vordern Tag
ein Gans hin auf meim Haberacker.
Komm! So will ich meim großen Wacker
mitnehmen. So nimm du dein Rüden!
Und wöllen den Wolf als ein Jüden
zureißen mit allen Ungnaden,
weil er am Vieh uns tut groß Schaden.
Hat nun dem Bader auch sein Geiß
zurissen; der Stück ich viel weiß.
Ich glaub, daß er ein Nährwolf sei.

Konz Tötsch spricht:

Komm eilends (was darfs viel Gespei?),
wöll' wir ihn noch ob der Kuh finden!
Ergreif wir'n, wölln ihn lebndig schinden.

Sie laufen beide aus.

Heinz Lötsch, der Jung, kommt, red't mit ihm selbs traurig und spricht:

Herrgott, wie ist nur in der Eh
so viel Trübsal, Sorg, Angst und Weh,
so viel Armut, Hunger und Kommer.
Müh und Arbeit Winter und Sommer!
Was mein Vater sagt', glaubt ich's nit.
Mich hats Herzleid und der Jahrritt
wohl mit dem ehling Stand beschissen.
Und solltens all jung Gsellen wissen,
was für ein Kraut ist um die Eh,
keinr nehm ihm kein Weib nimmermeh.

Hermann Lötsch, der Alt, kommt und spricht:

Sohn Heinz, wie sichst so bleich und gelb
und redst also wider dich selb?
Was fehlt dir und was liegt dir an?

Heinz Lötsch spricht:

Mir fehlt, das niemand wenden kann.

Hermann Lötsch spricht:

Heinz, dir stolzt etwan noch der Leib
itzund auch nach dem andern Weib,
weil ietzt das Jahr auch herzu geht?

Heinz Lötsch spricht:

Wollt Gott, daß ich des Weibs nicht hätt.
Wollt sie wär ein Wolf, lief gen Holz.

Hermann Lötsch spricht:

Hat sie geleget dir dein Stolz?
Tätst dich doch vor so tückisch blähen!

Heinz Lötsch spricht:

Ich mein zwar, d' sollst mir's wohl ansehen,
wie wohl mir's in der Eh ist gehn,
daß ich kaum decken kann mein Zähn.
Mir sind vergangen all mein Rosen.
Schau zu, wie schlottern mir mein Hosen;
fert band ich's mir Seiden also,
heuer so bind ich sie mit Stroh.
Fert strählet ich mein Bart und Haar,
heuer hängt es voll Federn gar.
Jetzt freut mich weder Tanz noch Kranz.
Gott geb dem Wesen Sankt Veitstanz!

Hermann Lötsch spricht:

Hat dich ein Weib so g'richtet zu?
Und hättst du ihr genummen zwu,
wie würdst denn ob dem Ehstand klagen!

Heinz Lötsch spricht:

Ich glaub, ich könn der Haut kaum tragen.

Hermann Lötsch spricht:

Wolltst doch fert nur zwei Weiber hon.

Heinz Lötsch spricht:

Da hab ich gleich eim Narren ton.
Hab wahrlich der Sach nit verstanden,
bis es mir gangen ist zuhanden.
Ich hätts gar keinem Menschen glaubt,
daß die Eh ein allr Freud beraubt.

Hermann Lötsch, sein Vater, spricht:

Da kommt dein Schwähr und Öheim Fritz.
Was meinst du, daß sie wöllen ietzt?

Konz Tötsch, sein Schwäher, kommt mit Fritz, Öheim, und spricht:

Nun tretet zsamm und haltet Rat!
Wir beide haben nächten spat
den Wolf in der Wolfsgruben gfangen,
der so viel Schadens hat begangen
an Gänsen, Säuen, Küh und Schafen,
auf daß wir ihn aufs härtigst strafen
und uns aufs schärpfest an ihm rächen.

Hermann Lötsch spricht:

Wir wöllen ihm sein' Zähn ausbrechen,
daß unsr Vieh sicher vor ihm sei.

Fritz, Öheim, spricht:

Du gehst nur um mit Phantasei.
Wir wölln uns schärpfer an ihm rächen
und ihm beide Augen ausstechen
und wöllen auf ein Tisch ihn binden
und ihn also lebendig schinden,
darnach ihn bei dem Schwanz aufhenken.

Konz Tötsch, sein Schwäher, spricht:

So rat ich, daß wir ihn ertränken
in einem Brunnen und alsdenn
in einem Backofen verbrenn',
darmit wir ihn lang martern wölln,
Ohrn und Schwanz ihm abschneiden sölln.
Mein Eidn, was rätst du darzu wohl?

Heinz Lötsch, der jung Ehemann, spricht:

Wenn ich ie darzu raten soll
und ihr den Wolf mit scharpfer, harter,
herber und langwieriger Marter
wollt töten, so gebt ihm ein Weib!
Die wird wohl peinigen sein Leib
in eim Jahr, daß er wird ganz mager,

dürrbacket, hangdrüselt und hager,
daß man ihm all sein Ripp möcht zähln.
Wird Tag und Nacht ihn also quäln,
daß er hat kein geruhte Stund.
Was wärs? wenn ihr ihn gleich ietzund
tät schinden, brennen oder henken
oder in eim Brunnen ertränken,
nimmt bald End der Schmerz an seim Leib;
gebt ihr aber dem Wolf ein Weib,
so wird er peinigt sein Lebtag.

Konz Tötsch, sein Schwäher, spricht:

Mein lieber Eiden, mir ansag!
Wer sagt dir von den Weibern das?

Heinz Lötsch spricht:

Erfahrung mich das lehren was.

Konz Tötsch spricht:

Lebt denn mein Tochter übl mit dir?

Heinz Lötsch spricht:

Ja, lieber Schwäher! glaubet mir!
Sie ist ein Teufl und gar kein Weib,
die täglich quälet meinen Leib
mit Kiffen, Zanken und mit Krohnen.

Konz Tötsch spricht:

Mein lieber Eidn, du mußt gewohnen
der bösen Wort als wohl, als ich.

Heinz Lötsch spricht:

Die Wort so hart nicht kränken mich.
Sie tut mich oft in d' Kammer sperrn
und tut mich als ein Laubfrosch kerrn.
Dasselb mir erst hart setzet zu.

Konz Tötsch spricht:

Mein lieber Eiden, so sollt du
um Hülf anrufen Sankt Kolbmann.

Heinz Lötsch spricht:

Ich habs wohl an dem ersten tan.
Da lag ich allmal überwunden,
mußt allmal fliehen und lag unten,
konnt vor ihrn Streichen nicht hinzu.

Konz Tötsch spricht:

Ach lieber Eiden, was sagst du?
Ist mein Gred so ein böser Teufel?
Sie schlägt ihr Mutter noch ohn Zweifel,
daß ich mich gleich ihr' beider schäm.
Wie, wenn ich mein Gredn wieder nähm?
heim in mein Haus in einer G'heim?

Heinz Lötsch hebt beide Händ auf und spricht:

O lieber Schwähr, nehmts wieder heim!
Ich will Euch wieder gebn darzu
mein hinkend Pferd, Säu, Schaf und Kuh,
daß ich ihr' nur wieder abkumm.

Fritz, Öheim, spricht:

Mein lieber Öheim Heinz, warum
kämst du deins Weibs so geren ab,
das ich dir kaum erworben hab?

Heinz Lötsch spricht:

Mein Öheim, sollt ich nicht froh sein?
Ein Mensch ist froh, wenn er allein
abkommet das viertäglich Fieber,
daran doch einer hat, mein Lieber,
oft dennoch einen guten Tag.
Bei meim Weib aber kann und mag
ich nit Ruh habn ein einig Stund.
Meinst nicht, ich wär auch gern gesund?

Konz Tötsch beschleußt:

Nun von den Dingen wöll' wir beed
ein ander Zeit haben ein Red.
Jetzund wöll' wir den Wolf hinrichten,
daß er beschäding tu mit nichten
fort unser Küh, Gäns, Säu und Schaf.

Mit was Pein, Marter, Tod und Straf,
da wöllen wir mit andern alten
Bauern im Dorf Rat drüber halten,
daß uns kein Nachreu daraus wachs.
Ein gute Nacht wünscht uns Hans Sachs.

Der Krämerkorb.

Die Person' in das Spiel:

Der verspielt Krämer
Kratz-Els, die Krämerin
Der Herr
Die Frau
Knecht Heinz
Die Köchin

Der Hausknecht tritt ein, trägt ein Kandel und spricht

Ich soll meim Herren holen Wein.
Wo mag nur heut das Weisen sein?
Ich will bei der Brotlauben fragen,
da mirs die alten Weiber sagen,
auf daß ich nur bald wiederum
mit dem Wein heim zu Hause kumm,
daß ich versaum das Essen nicht,
weil man doch schon hat angericht.
Schau, schau, schau, schau! Was ist da vorn
vor der Tür bei dem „Gülden Horn"?
Es ist ein Krämer mit seinr Frauen,
ich muß das Wunderwerk auch schauen.

Krämer setzt den Krämerkorb nieder und spricht zum Weib:

Nehm bald den Korb und laß uns gohn!

Die Krämerin:

Ich sech dich durch ein Zaun nit an,
daß ich den Korb trüg überfeld,
weil du hast nächtn verspielt das Geld.
Wenn du tätst deines Handels warten
gleich als der Würfel und der Karten,
alsdenn nähm unser Kram wohl zu.
Aber gleich wie haushältest du,
so hat auch unser Haus ein Giebel.

Der Krämer spricht:

Du hast mir lang gelesn die Bibel,
hast mich heint kifft die langen Nacht,
ei, sei doch nit so ungeschlacht!
Hor auf! hab ich verspielet schon,
hab ichs ie von Gwinns wegen ton,
wenn d' mich gleich lang drum freten willt:
Hab etwan auf fünf Pfund verspielt,
hab oft doch wohl gewunnen mehr.
Warum brummst du denn itz so sehr?
Ein andrmal will ichs wieder gwinnen.
Nehm den Korb und laß uns von hinnen!
Es ist itz fast hoher Mittag.

Die Krämerin:

Ei, wart ein Weil, bis ich dir trag
den Korb, du leidenloser Mann;
du wirst mit Spiel das Unser ohn.

Schlägst es doch alles in den Wind;
der fünf Pfund wir ie ärmer sind.
Darmit hätt' wir wohl kaufet ein
Baurenleckkuchn und brennten Wein,
Haarband, Gürtel, Nestel und Nadel;
an solcher War hab' wir groß Zadel,
unser Korb ist leer solcher War.
Was Gelds künnt' wir denn lösen dar,
wo wir auf die Dorfkirchweich kummen!

Der Krämer spricht:

Ei, Liebe, hör doch auf zu brummen,
ich will forthin kein Spiel mehr ton.
Nehm doch den Korb und laß uns gohn,
was willt mit Worten uns betörn?
Sichst nit, daß uns die Leut zuhörn?
Stehnt da und spottn unser darzu.

Die Krämerin:

Sag an, du Tropf, wie oft hast du
verschworen und verredt das Spiel?
Das hältst du so lang und so viel,
bis du kümmst zu dein' losen Gselln,
den Spitzbuben, die dir nachstelln.
Und bald du sichst Würfel und Karten,
so tust du aller Schanzen warten
und hast doch weder Fall noch Glück.
Du kennst nit die Spitzbubenstück,

derhalb du allemal verleußt.
Dasselb mich hart auf dich verdreußt,
daß dus allmal tust wieder wagen.
Drum will ich kurz den Korb nit tragen.
Willt du'n nit tragn, so laß ihn stohn.

Der Krämer:

Ei, liebe Alte, laß uns gohn!
Nehm nur den Korb auf deinen Rück;
uns wird noch kummen groß Gelück,
wir wer'n noch beide gar reich werden.

Die Krämerin:

Das gschicht nit, weil du lebst auf Erden;
ich hab mich Glücks verwegn mit dir.
Gar wenig Barschaft haben wir.
Nun hab wir ie das Jahr nichts gwunnen;
brinn doch und brat an heißer Sunnen
und muß auf all Dorfkirchweich wandern
von einem Dorfe zu dem andern,
und dennoch so gar nichtsen gwinnen,
sunder ie länger mehr einrinnen
und uns stecken in Angst und Sorgen;
die War wir in der Stadt aufborgen,
daß wir schier sind allenthalb schuldig.
Das macht mich erst gar ungeduldig.
Das macht alls dein verfluchtes Spiel.
Darum ich weder wen'g noch viel
den Korb mehr überfeld will tragen.

Der Krämer:

Hör, liebe Kratz-Els, laß dir sagen,
daß mir wen'g haben, da merk du,
hilfst auf deim Teil redlich darzu.

Die Krämerin spricht:

Warmit hilf ich dir zum Verton?
Du loser unglückhafter Mann,
bist ehrenfrumm, so sag mir das.

Der Krämer:

Ei, wo wir ziehen auf der Straß,
hast du stets an der Gürtl dein Flaschen,
darmit du tust dein Gorgel waschen.
Wiewohl du bist zum Tragen faul,
kannst wohl auswarten deinem Maul,
ist an deim großen Ars wohl Schein.

Die Krämerin:

Hättst du als viel blasen hinein,
als ich heraus hab blasn das Jahr,
er wär noch großer, glaub fürwahr.
Was darfst dich denn um mein Ars kiffen?

Der Krämer:

Was darfst mich denn um mein Spiel niffen,
gleich wie ein Laus ein altes Wammes?
Du kannst wohl auswarten dein Schlammes
und trinkest also leichnamgern,
wo wir rasten in einer Tafern.
Will ich ein Maß, so willt du zwu
und auch gute Bißlein darzu,
kann dich nit aus der Herberg bringen.
Meinst, wir reichen mit solchen Dingen,
ich mit Spiel, du mit übring Zechen?
Ich tu Häfen und du Krüg brechen.
Des sind wir zwo Hosen eins Tuchs.
Drum nehm den Korb und troll dich flugs
darmit hinaus, du volle Blas!

Die Krämerin spricht:

Du wirst mich zwar nit noten das,
und wenn du als ein Zeislein süngest
und als ein Bock hüpftest und sprüngest.
Drum trag den Korb oder laß ihn stehn;
ich will heut noch gen Forchheim gehn.

Sie geht.

Er geit ihr'n Korb, spricht:

So trag den Korb, du voller Balg!

Die Krämerin würft den Korb hin, spricht:

Trag ihn selb, du verspielter Schalk!

Sie schlagen einander mit den Säcken: der Knecht scheidet, sie laufen beide hin.

Der Krämer geht wieder zurück und trägt den Korb hin.

Der Knecht spricht:

Die Krämrin hat den Kampf gewunnen.
Ich mein, daß ich sei unbesunnen,
steh da, tu dem Narrnwerk zugaumen,
sollt wohl daheim das Essn versaumen.
Nun ich will itz dest fester streichen,
ob ich das Frühmal möcht erschleichen.

Der Knecht geht ab.
Herr und Frau gehnt ein.

Der Herr spricht:

Wo ist so lang unser Knecht Heinz?
Ich denk, er hol den Wein zu Mainz.
Nun sei wir ie zu Tisch gesessen
und haben das Mittagmahl gessen
fast auf ein Stund guter drei Richt,
noch sech wir unsers Heinzen nicht.
Was hat er nur für Vitztum-Händel?

Die Frau spricht:

Ich halt, daß er etwan umländel,
sicht die Hahnen einander beißen.
Was wird er für Ausred uns weisen?
Glaub nit, daß der Dienstboten Meng
beim Weisen haben ein Gedräng,
dieweil doch dieses Jahre heuer
der Wein ist übermaßen teuer.
Secht, dort kummt gleich der faule Schlüffel
mit trägem Gang gleich einem Büffel.

Der Knecht Heinz kummt:

Gott gsegne Euch den kühlen Wein!

Der Herr spricht:

Wohl rein, ins Henkers Namen rein!
Du wärst gut nach dem Tod zu senden.
Du tätst nit bald dein Botschaft enden;
sind fast ein Stund zu Tisch gesessen,
haben untrunken müssen essen.
's Mahl hast versaumt, hab dir die Franzen!
Nun mußt du um den Brotkorb tanzen!
Zum nächsten bälder wiederkumm!

Der Knecht spricht:

Ach, mein Herr, zürnet nit darum!
Ich kam zu eim seltsamen Strauß,
des mußt ich gleich gar warten aus:
Dort oben bei dem „Gülden Horn“,
da hätt ein Krämr mit Spiel verlorn
sein Geld, drum tät sein Weib ihn plagn
und wollt den Krämerskorb nit tragn,
und gaben also Wort um Wort,
bis doch der Krämer an dem Ort
den Korb sie wollt zu tragen nöten.
Sie tät sich bsinnen und anröten
und warf ihm den Korb wieder dar,
kamen zuletzt zu Streichen gar,
täten einander weidlich puffen,
bis ich und ander Leut zuluffen
und rissen sie kaum von einander.
Da luffens darvon beidesander,
ließen Korb liegen an der Gassen,
den doch der Krämer auf mußt fassen.
Dem Kampf hab ich so lang zugsehen.

Die Frau spricht:

Dem Krämer ist nit unrecht gschehen,
daß er den Korb hat müssen tragen,
weil er in den vorigen Tagen
sein Bargeld alles hätt verspielt,
mit Würfl und Karten vermutwillt.

Wär ich die Krämerin gewesen,
wollt ihm den Text auch habn gelesen,
wollt den Korb auch nit tragen hon.

Der Herr spricht:

Wär ich denn gwest der Krämersmann,
wenn ich gleich hätt verspielt das Geld,
hätt drum nit tragen überfeld
den Korb; es ghört den Frauen zu,
das ide den Korb tragen tu,
weil sie zu tragen sind verpflicht
Tag und auch Nacht, wie man denn spricht:
Der Mann der soll sein Herr im Haus,
die Herrschaft bhalten gar durchaus.
Das Weib aber sei untertänig,
gehorsam und nit widerspänig
dem Mann und tu den Korb nachtragen.

Die Frau spricht:

Mein Mann, ich muß dir auch eins sagen:
Wenn aber ein Mann ist auf Erd
verspielt und sunst auch nichtsen wert
und seinem Haus nit wohl vorsteht,
meinst nicht, ob derselb billig tät
wie ein Esel den Korb selb tragen?

Der Herr:

Kannst nit auch von den Weibern sagen,
die auch mit den Kleidern fürwitzen
und hinter den Männern popitzen?
All neu Tracht wöllens habn mit Haufen,
die wieder mit Schaden verkaufen,
darmit sie auch viel Gelds vernarren.
Heißt das auch nit vom Haufen scharren?
Meinst nit, den Korb sie billig trügen?

Die Frau spricht:

Ja, der Fraun tät der Korb wohl fügen,
die also märkelt heimeleich,
daß es dem Mann zu Schaden reich.
Ich bin aber derselben keine.

Der Herr spricht:

O, du bist auch nit gar ein reine,
mußt mit dem gmeinen Haufen traben.
Du müßt den Korb mir tragen haben,
oder du müßt mir sein entloffen.

Die Frau spricht:

Du hättst ein rechte an mir troffen;
ich hätt währlich den Korb nit tragen,
und was du halt darzu tätst sagen,
du mich nit überreden sollt.

Der Herr spricht:

Wenn ich es aber haben wollt
und es ernstlich zu dir tät sagen?

Das Weib:

Dennoch wollt ich den Korb nit tragen,
und stellest du dich noch so wild,
voraus wenn du's Geld hättst verspielt.

Der Herr spricht:

Wenn ichs wollt habn, wolltst du's nit ton?

Das Weib:

Ich säch dich nit an, lieber Mann,
wenn du gleich alles tätst darzu.
Dennoch sollst mich nit noten du,
daß ich den Krämerskorb wollt tragen.

Der Herr spricht:

So wollt ich d' Faust an Kopf dir schlagen,
wollt nur sehen, wer noch Herr wär.

Die Frau spricht:

Ei, bist du bös, so schlag nur her!

Er schlägt, sie schlägt hinwider.

Zuletz fleucht sie und spricht:

Ich wills gehn meinen Freunden klagen,
daß d' mich von Narrnwerks wegn tust schlagen.

Der Herr spricht:

Um dein bös Maul hab ich dich bleut,
das mir so trutzig Antwort beut,
sam habst du mich funden im Dreck.

Die Frau spricht:

Schau, schlag du mich mehr, bist du keck.

Der Herr lauft, sie fleucht, gehnt also beide ab.

Der Knecht spricht:

Soll einer nicht von Wunder sagen?
Was Haders hat sich da zutragen
von dieses Kramerkorbes wegen?
Ich glaub, der Teufel sei drin g'legen.
Zum nächsten will ich schweigen still,
kein neue Mär heim bringen will.

Die Köchin
kummt mit dem Kochlöffel und spricht:

Ei, lieber Heinz, tu mir doch sagen,
warum haben einander gschlagen
Herr und Frau, ghabt ein solchen Strauß?
Nun hab ich ie in diesem Haus
gedienet nun auf sieben Jahr,
hab doch gesehen nie fürwahr,
daß eins das andr mit Werk noch Worten
beleidiget hätt an den Orten.
Ei, lieber Heinz, was soll das sein?

Knecht Heinz:

Ei, vor hab ich geholt den Wein,
da kam ich bei dem „Gülden Horn“
zu einem seltsamen Rumorn:
Ein Krämer hätt sein Geld verspielt,
drob war die Krämerin so wild
und wollt den Krämerskorb nit tragen,
täten drob aneinander schlagen.
Als ich das herheim sagen tät,
unser Frau lacht und darzu redt
und gab halt der Krämerin recht;
so lobt' der Herr den Krämer schlecht,
daß ers zum Korb genöt wollt haben.
Also sich Wort um Wort begaben,
bis sie sich gar darob zutrugen

und endlich an einander schlugen
ob dem lausigen Handel schlecht.

Die Köchin:

Ja, ich gib auch der Frauen recht;
ich hätt gehabt der Krämerin Sitt;
den Korb hätt ich auch tragen nit,
weil das Geld hätt verspielet er.

Knecht Heinz:

Und wenn ich denn der Krämer wär,
so müßt du mir den Korb habn tragen,
oder wollt dich rein und wohl schlagen.

Die Köchin:

Wen? mich?

Der Knecht:

Ja, dich.

Die Köchin:

O, deins Schlagens! du wärst zu krank.
Ich wollt dich schieben unter Bank
und ein Eir im Schmalz auf dir essen.

Der Knecht:

Ei, wir redst du so gar vermessen,
du rußig-gschmierter Küchenratz?
Wie beutst du mir so Trutz und Tratz?
Und ich wollt deiner drei nit fliehen,
wollt euch wohl bei den Zöpfn umziehen
und euers Hochmuts sein ein Brecher.

Die Köchin:

Was wolltst du tan, du Spinnenstecher?
Du dörftst dich mein allein nit wehrn,
wenn ich das Rauch herfür tät kehrn.
Ich wollt dich niederwerfen vor
und dir selb brunzen in ein Ohr,
wolltst du mich nötn den Korb zu tragen;
ich wollt dich stoßn, daß du tätst ragen.
Was darfst du dich denn rühmen sehr?

Der Knecht Heinz:

Du Balg, schweig; ich sag dir nit mehr.
Halt's Maul, aller unendling Kotzen!
Oder ich hau dich mit der Plotzen,
daß die Sunnen durch dich muß scheinen.

Die Köchin spricht:

Ei, Lieber, schau, hätt ich den meinen,
den mir heut hat die Sau hintragen,
ich wollt dir'n in dein Waffel schlagen
und wollt dich wohl nöten darzu,
daß den Korb selb müßt tragen du.
Ich wollt dich gar wohl Mores lehren.

Der Knecht Heinz:

Ei, den Korb trägst du wohl mit Ehren;
des Tragns hast gewohnt, ich mein,
du hast getragen den Schandstein
um den Mark; so tut man auch sagen,
du habst vor Jahrn ein Bankhart tragen.
Der Korb ziemt dir, du Hurenbalg.

Die Köchin:

Du leugst mich an, du diebscher Schalk,
wollst mich an meinen Ehren schmähen,
das kann ich dir nit übersehen.
Seh hin, ich woll dir'n Korb aufladen,

daß du zu dem Spott hast den Schaden.

Sie schlägt ihn über d' Leut mit dem
Kochlöffel und er sie mit Fäusten,
bis sie entläuft.

Der Knecht beschleußt:

Wie hat der Korb ein Jammr zugricht,
es künnt eim seltsamer träumen nicht.
Ich bin auch kummen in die Reis,
hat mir austrieben den Angstschweiß,
mir ist mein Teil auch darvon worn;
die Köchin hat mir sauber gschorn
mit dem Kochlöffel an dem Ort.
Es ist noch wahr das alt Sprichwort,
sagt, daß sich soll ein weiser Mann
keins fremden Haders nehmen an
und sich gar nichts darmit bekümmer,
daß nit an ihn springen die Trümmer,
teilhaft wär Haders, Ungemachs.
Den treuen Rat geit auch Hans Sachs.

Der bös Rauch.

Die Personen in das Spiel:
Der Mann
Das Weib
Der Nachbaur

Der Mann geht ein, neigt sich und spricht:

Ihr ehrbarn Herrn, ein guten Tag!
Ich bitt, vernehmet hie mein Klag
über mein bitterböses Weib,
die täglich peinigt meinen Leib!
Bei Tag und Nacht, zu Bett und Tisch
sind mir Kifferbeis allzeit frisch,
und füllt mich der so voll und spott',
wiewohl mich gar oft brennt der Sod.
Eh ich ein Richt verdäuet han,
so richt sie mir ein andre an.
Kifferbesspeis gibts mir mit Haufen,
daß mir oft d' Augen überlaufen.
Derhalb wär mir nützer und lieber,
daß ich hätt das viertäglich Fieber,
hätt ich etwan ein guten Tag;
aber bei meinem Weib ich mag
haben gar kein geruhte Stund.
Nicht weiß ich, wie ihm wär zu tun,
daß ich möcht haben Fried und Ruh.

In Treuen bin ich kummen zu
euch allen, um Hülf und um Rat.

Der Nachbaur:

Nachbaur, du schreist um Hülf zu spat,
wann du hast deim Weib allermaßen
erstlich den Zaum zu lang gelassen.
Da sie dein Einfalt hat gemerkt,
ist sie dardurch worden gestärkt,
der Herrschaft sich genommen an,
ist also blieben Herr und Mann.
Derhalben ist die Schuld selbs dein.

Der Mann:

Du sagst wahr, lieber Nachbaur mein!
Ich hab mich ja darmit versaumt,
daß ichs erstlich nicht hab gezaumt.
Ich hätt sie lieb, ließ mir gefallen,
was sie nur wollt und tät, in allen,
und ließ mein Weib sein Herr und Mann,
nahm mich der Herrschaft gar nicht an.
Derhalb ich seither gar durchaus
der Narr hab müssen sein im Haus.
Des ich seither hab dieser Sachen
im deutschen Hof den Schweinenbachen
nit holen dürfen, auf mein Eid.

Der Nachbaur:

Mein Nachbaur, dein Elend ist mir leid.
Ich hab längst wohl gemerkt allein,
daß du der Narr im Haus mußt sein.

Der Mann:

Ich bitt: gib aber Rat nach dem,
wie ich doch selber überkäm
die Herrschaft und würd Herr und Mann.

Der Nachbaur spricht:

Mein Nachbaur, du mußt also tan:
nimm ein Mannsherz in deinen Leib
und beut ein Kampf an deinem Weib,
du wöllst dich weidlich mit ihr schlagen,
weliches söll die Bruch antragen;
und welches in dem Kampf erlieg,
daß das ander gewinn den Sieg
und sei denn Herr und Mann im Haus!
So kummst du auf das kürzt daraus.
Ich weiß kein ander Hülf noch Rat.

Der Mann:

Ich förcht mich aber in der Tat,
weil noch der Sieg steht in dem Zweifel.
Mein Weib ist gar ein böser Teufel.
Doch rätst du mirs, so will ichs wagen.

Das Weib kummt, so spricht der Nachbauer:
Dein Weib kummt; tu ihrn Kampf ansagen!
Der Nachbauer geht aus.

Der Mann:

Hör, Weib! du bist bisher durchaus
gewesen Herr und Mann im Haus,
dasselb ich nicht mehr leiden kann.

Das Weib:

So leg dich an Rück, lieber Mann,
und zappel dich darum zu Tod!

Der Mann:

Ich will nicht mehr leiden den Spott,
ich will dich auf dein Maul klopfen.

Das Weib zeigt ihm die Feign:

Zeuch mir den herdurch, allers Tropfen,
und knüpf mir einen Knoten dran!

Der Mann:

Ich will ietzt auch sein Herr und Mann,
wie du vor bist gewest bisher.

Das Weib zeigt ihm den Esel:

Schau, mein Mann! rat! wieviel sind der'?

Der Mann ist zornig:

Ich will sein Herr, das sollt du wissen.

Das Weib krümmts Maul:

Schau, wie hat mich der Hahn gebissen!

Der Mann noch zorniger:

Kurzum, du mußt mich halten tan
für deinen Herren und dein' Mann,
und heut, ich will nicht länger harrn.

Das Weib:

Ich halt dich gleich für einen Narrn,
wie ich dich denn bisher auch hielt.

Der Mann:

Wenn d' mich nit anderst halten willt,
so wöll wir miteinander schlagn,
weliches soll die Bruch antragen.
Wer obliegt, der sei Herr im Haus!

Das Weib:

So mach nur nicht viel Teidung draus!
Geh! bring zween Prügel mir und dir!
So wölln einander bleuen wir.
Und welches in dem Kampf obleit,
sei darnach Herr und Mann allzeit
und trag die Bruch ohn alls Einreden.

Der Mann:

Das sei beschlossen zwischn uns beeden!
Ich will gehn naus, zween Prügel bringen.

Der Mann geht aus. So spricht sie:

Mein Mann der tut nach Unglück ringen,
hat ein Herz wie ein Wassersuppen.
Ich will ihn bringen recht in d' Kluppen.
Mit Worten tu ich ihn erregen,
wieviel mehr will ich ihn mit Schlägen
überwinden, schiebn unter d' Bank!
Er ist wahrlich dem Kampf zu krank.
Weil ihn mein Zung tät überwinden,
soll er auch meiner Händ entpfinden.

Der Mann bringt die Prügel:

Seh, Weib! zween gleich Prügel wir han.
Welchen du willt, den nimme an
und tu mich in dem Kampf nicht sparn!

Das Weib zuckt ein Prügel:

Ja, endlich du sollt es erfahrn,
daß ich dein mitnichten will fehln.
Ich will die Flöch dir fein absträhln,
daß du lang wirst mein darbei denken.

Der Mann henkt die Bruch auf:

Die Bruch die will ich da aufhenken,
darnach die Hälmlein ziehn vorab,
wer unter uns den Vorstreich hab.

Das Weib schlägt auf ihn:

Ich kann auf dein Hälmziehn nicht harrn.
Flugs wehr dich nur, mein allers Narrn!

Der Mann wehrt sich ein wenig, fleucht, darnach reckt er beide Händ auf:

Hör auf, liebs Weib! ich gib dir gwunnen.
Es ist mir je der Kunst zurunnen.
Sei du nur fürbaß Herr und Mann!
Ich will dir gar sein untertan,
im Haus wie ein alt Weib umzaspen,

spinnen, Garn winden und abhaspen,
spülen, kehren, betten und waschen,
sudeln und prudeln in dem Aschen,
will kein Faust über dich mehr zucken.

Das Weib:

Tut dich der Buckel wieder jucken,
so magst du dich wohl an mich reiben.
Du sollt mir in dem Haus nit bleiben.
Heb dich naus, weil ich gwunnen hab!
Odr ich wirf dich all Stiegen ab.
Flugs, troll dich, weil es ist so gut!
Also man Windelwaschern tut.

Der Mann geht aus; sie nimmt die Bruch, hebt sie in der Hand auf:

Nun ich die Bruch gewunnen han
und aushin bissen meinen Mann;
der sitzt da unten vor dem Haus,
Ich will gehn in die Küchen naus
und mit Spülwasser ihn begießen,
daß über sein Leib ab muß fließen,
will ihm gleich den Weichbrunnen geben
und ihn darmit laben darneben.

Sie geht aus, der Mann kummt und setzt sich traurig:

Ach Gott, wie hab ich nur ein Weib!
Wie hat sie mir zugricht' mein Leib
voll Beulen und voll blaber Flecken!
Und als ich entrann ihrem Stecken,
aus den grausamen Donnerschlägen
kam hernach auf mich ein Platzregen.

Der Nachbaur:

Sich, Nachbaur! wie sitzt du allein
so traurig hie auf deinem Stein?
Wie tropfst und bist so gar triefnaß?
Was ist die Ursach? sag mir das!

Der Mann:

Ach, mein Schlat der fing an zu brinnen.
Da hab ich lang gerettet innen
und ward also durchnetzet auch,
bis mich zuletzt doch der bös Rauch
gar hat aus meinem Haus gebissen.

Der Nachbaur:

Warum hast michs nit lassen wissen?
Ich wollt dir sein gestanden bei.
Ich will gehn sehen, ob doch sei
in deinem Schlat gedämpft das Feur.

Der Nachbaur geht aus. So spricht der Mann:

Lauf hin! besteh dein Abenteur!
Ich aber hab der Biren gnung.
Dir wird auch werden ein Ehrtrunk.
Ich will nachschleichn und hören zu,
wie dich mein Weib empfahen tu.

Der Mann schleicht nach hinaus. So geht das Weib ein:

Mein Narr sitzt unten vor dem Haus
und sicht wie ein getaufte Maus.
Sein Mannheit ist ihm gar erlegen.
Nach der Bruch wird er nit mehr frägen.
Mich dünkt, ich hör ihn aufher sappen.
Kummt er, ich kauf ihm noch ein Kappen.

Der Nachbaur kummt mit eim Schaff mit Wasser; die Frau schlägt auf ihn, so spricht er:

Ach, Nachbäurin, tut Ihr mich schlagen?
Ich wollt Euch Wasser hiezutragen.
Eur Mann sagt, der Schlat brinn im Haus.

Das Weib:

Du wärest zwar wohl blieben daus.
Hab dir halt diese Schlappen dran!
Wiewohl ich meint, es wär mein Mann.
Troll dich! Willt du das Feuer löschen,
so will ich um den Kopf dich wäschen.

Der Nachbaur:

Alde, alde, ich scheid mit Wissen:
Der bös Rauch hat mich auch nausbissen.
Ich mein, ich hab sein auch entpfunden.

Er geht aus. Die Frau:

Ich will naus; sitzt mein Mann noch unten,
so will ich ihm gleich noch verwegen
auch geben Sankt Johannes' Segen,
mit einer warmen Kammerlaugen
erfrischen ihm die seinen Augen.

Das Weib geht aus. So kummt der Mann und redt zu ihm selbs:

Nun freu ich mich, daß ich allein
nicht förchten tu die Frauen mein,
sonder mein Nachbaur sie auch fleucht
und gmachsam vor dem Garn abzeucht.

Der Nachbaur:

O Nachbaur, du hast mich betrogen,
mit Worten in dein Haus gelogen.
Ich meint, darin dein Schlat zu leschen.
Dein Weib tät um den Kopf mich wäschen.
Ich meint, du hättst das Feuer dämpft,
so hast mit deinem Weib gekämpft.
Mein Nachbaur, wie ist dir geschehen?
Wie hast du den Kampf übersehen,
daß sie hat so durchschlagen dich?

Der Mann:

Ach, sie hat übereilet mich.
Ich wollt erst viel mit ihr ausdingen,
da täts mit Streichen auf mich dringen.

Der Nachbaur:

Wie, daß d' nicht tapfer kämpfest du?

Der Mann:

Ich kunnt vor ihrn Streichen nicht darzu,
so ungefüg schlug sie zu mir.
Eh ich ein Streich tät, tät sie vier,
daß mir geleich das Licht erlasch,
dieweil sie immer auf mich drasch,
bis ich doch endlich mich ergab.

Der Nachbaur:

Nachbaur, ich wollt nicht lassen ab,
um die Bruch noch einmal zu kämpfen,
ob du dein Weib darmit möchtst dämpfen,
daß du doch selbs wärst Herr im Haus.

Der Mann:

O lieber Nachbaur, es ist aus.
Eh ich mein Weib noch mehr wollt schlagen,
wollt eh kein Bruch nicht mehr antragen.
Ich hab des Kampfs eben genung.
Mein Nachbaur, mach mir ein Teidung,
daß mich mein Weib wieder einnühm!

Der Nachbaur:

Wenn sie nicht wär so ungestüm.
Da kummts; ich will sie gleich anreden.

Das Weib:

Was fehlet hie euch allen beeden?
Soll ich euch beid noch baß ableuen?

Der Nachbaur:

Mein Nachbäurin, bei meinen Treuen,
laßt Euern Zorn! Ich wollt Euch bitten,
wollt an Euch nehmen weiblich Sitten,
still sein mit Worten, hören zu!

Das Weib:

Ich tu itzt, wie ich allmal tu.
Sollt ich dir ietzt ein anders machen?
Ei, daß sein mög ein Sau gelachen!
Wie ist mein Nachbaur so nasweis!

Der Nachbaur:

Mein Nachbäurin, ich bitt mit Fleiß,
wollt Euern Mann einnehmen wieder!
Er ist ie nichts denn fromm und bieder.

Das Weib:

Schau! Hab ich mein Ohren auch noch?
Nur war er heut so freidig doch!
Meint, mir die Bruch gar abzugwinnen.

Der Nachbaur:

Von Frieds wegen bin ich hinnen.
Wöllt das best bei Euch lassen stehn,
Schaden gen Schadn ablassen gehn!
Was gschehen ist in den Gezänken,
keins dem andern in Arg zu denken.

Das Weib reckt die Bruch auf:

Die Bruch ist gwunnen und ist mein.
Will mein Narr wieder kummen ein
und mein Genad wieder erhaschen,
so muß er darzu Messr und Taschen
mir selber gürten an mein Seiten,
daß ich das trag zu allen Zeiten,
daß ich im Haus sei Herr und Mann.
Sonst will ich ihn nicht nehmen an.

Der Mann legt die Händ zusammen:

Ach liebes Weib, nicht weiter such,!
Weil du gewunnen hast die Bruch,
laß mir das Messer und die Taschen!
Man wird mich sonst genug auswaschen.
Ich muß mich schämn vor allen Mannen.
Weil du hast den rechten Hauptfahnen,
so nimm mich ein und sei zu Ruh!

Das Weib:

Schweig nur und halt dein Waffel zu!
Willt nicht, so will ichs wieder wagn
und mich noch einmal mit dir schlagn
um die Bruch, Taschen und das Messer.

Sie hängt die Bruch wieder auf.

So spricht der Mann:

Nein, nein, mir ist weger und besser,
ich geb dir darzu Messer und Taschn,
denn d' mich baß um den Kopf tätst waschn.

Der Nachbaur:

Ei, Lieber, sei nicht so verzagt!
Ich hätt ein Gänglein noch gewagt
mit ihr; gilts doch nicht Leib und Lebn.

Der Mann:

Seh, ich will dir mein Stecken gebn.
Bist du so bös, schlag dich mit ihr!
Wo du die Bruch gwinnst wieder mir,
Will dir ein Dutzet Taler schenkn.

Der Nachbaur:

Nein, unverworren mit den Schwänkn!
Sie hat zum Schlagn ein schwere Hand,
der ich vor durch zween Streich empfand.
Ich hab ihr gnug, ich geh dahin.

Der Mann gürt' Messer und Taschen ab und reicht ihrs:

Weil ich denn überwunden bin,
so hab Taschen und Messer dir!

Das Weib:

Da mußt sie selbs umgürten mir
frei öffentlich vor Mann und Frauen,
daß sie mit ihren Augen schauen,
daß ich hab ritterlich gewunnen
und dir sei deiner Kunst zerrunnen.

Der Mann gürt' ihrs um:

Ich wills auch tun, mein liebes Weib,
auf daß ich nur zufrieden bleib!
Willt, ich leg dir die Bruch auch an.

Der Nachbaur:

Ei, was bist für ein Lumpenmann!
Ei, wirst denn gar zu einem Torn?
Ei, schlag sie selber um die Ohrn!
Wie magst so gar ein Füttin sein!

Das Weib lauft auf ihn:

Du Maulauf, so wehr dich auch mein!

Der Nachbaur fleucht, sie jagt ihm nach.

Darauf beschleußt der Mann:

Ach fahr aus, du böses Unziefer,
unter die Erd, ie längr je tiefer,
auf daß ich Armer werd erlöst!
Du hast mich ie wohl plagt und g'röst'
nun fast bis in die dreißig Jahr.

O junger Mann, nimm eben wahr!
Zeuch erstlich dein Weib an den Orten
zu Gehorsam mit guten Worten!
Wo gute Wort nit helfen wöllen,
so tu dich etwas ernstlich stellen,
zu wehrn ihr eigensinnig Art!
Wo sie dir noch hält Widerpart,
so magst du's strafen mit der Zeit,
doch mit Vernunft und Bscheidenheit,
wie man denn spricht: ein frommer Mann
ein ghorsam Weib ihm ziehen kann.
Ich hab es erstlich übersehen;
darum ist mir ietzt das geschehen,
daß ich hab so ein böse Ehe,
voll Hader, Zank und Herzenwehe,
voll Widerwillens und Ungmachs.
Hüt dich darfür! rät dir Hans Sachs.

Das Narrenschneiden.

Die Person in das Spiel:
Der Arzet
Der Knecht
Der Krank

Der Arzt tritt ein mit seinem Knecht und spricht:

Ein guten Abend! Ich bin dort nieden
von einem worden rauf beschieden,
wie etlich krank heroben wärn,
die hätten einen Arzet gern.
Nun sind sie hie, Frau oder Mann,
die mügen sich mir zeigen an.
Sie haben faul Fleisch odern Stein,
die Husten odern Zipperlein,
den Meuchler oder trunken z'viel,
den Grimm gewunnen ob dem Spiel,
Eifersucht oder das Sehnen,
das Laufend, Krampf, mit bösen Zähnen,
auch sunst für Krankheit was es sei,
dem hilf ich durch mein Arzenei
um ringe Soldung unbeschwert,
weil ich des bin ein Arzt bewährt,
wie ihr des Brief und Siegel secht.

Er zeigt Brief und Siegel. Der Knecht sicht hin und her und spricht:

O Herr, wir sind nit gangen recht;
ich sich kein Kranken an dem Ort.
Secht Ihr die Leut nicht sitzen dort
all fröhlich, frisch, gesund und frei?
Sie bedürfen keiner Arznei.
Hättens ein Hofierer darfür
und wär wir daußen vor der Tür,
das deucht uns beiden sein am besten.

Der Arzt neigt sich und spricht:

Gott gsegn den Wirt mit seinen Gästen!
Weil wir haben verfehlt das Haus,
bitt' wir: legt uns zum besten aus!
Das nehm wir an zu großem Dank.

In dem kummt der großbauchet Krank an zweien Krücken; der Knecht spricht:

Mein Herr, schaut zu! hie kummt der Krank.

Der Krank:

O Herr Doktor, seid Ihr der Mann,
von dem ich lang gehöret han,
wie Ihr helft iedermann so fein?
So kumm ich auch zu Euch herein,
weil groß geschwollen ist mein Leib,

als sei ich ein großbauchet Weib,
und rührt sich Tag und Nacht in mir.
O mein Herr Doktor, schauet Ihr,
ob es doch sei die Wassersucht,
oder was ich trag für ein Frucht!
Und schaut, ob mir zu helfen sei
durch Euer heilsam Arzenei
weil Euch der Kunst nie ist zerrunnen.

Der Arzet spricht:

Hast du gefangen deinen Brunnen,
so gib und laß mich den besehen!

Der Krank gibt ihm das Harmglas und spricht:

Ja, lieber Herr, das soll geschehen.
Nehmt hin und bschaut den Brunnen selb!

Der Arzt besicht den Brunnen und spricht:

Gesell, dein Brunn ist trüb und gelb,
es liegt dir wahrlich in dem Magen.

Der Krank greift den Bauch und spricht:

Es tut mich in dem Bauch hart nagen
und ist mir leichnamhart geschwollen.

Der Arzt:

Gesell, wenn wir dir helfen sollen,
so mußt du wahrlich für den Tod
ein Trünklein trinken über Not.
Das will ich dir selbert zurichten.

Der Krank:

Ja, lieber Herr, sorgt nur mitnichten!
Ich hab oft vier Maß ausgetrunken,
daß ich an Wänden heim bin ghunken.
Sollt ich erst nicht ein Trünklein mügen?

Der Arzt:

Gesell, dasselb wird gar nicht tügen.
Du hast forthin her in viel Tagen
gesammelt ein in deinen Magen.
Das ist dir alls darin verlegen.
Des muß ich dir dein' Magen fegen.

Der Krank setzt sich und spricht:

Ja, Herr, und wenn Ihr das wollt tan,
So heißt hinausgehn iedermann!
Es würd gar leichnamübel stinken.

Der Knecht:

Ei merk! du mußt ein Trünklein trinken:
Das wird dir fegn den Magen dein.

Der Krank:

Was wird es für ein Trünklein sein?
Ist es Wein, Met oder weiß' Bier?
Mein lieber Herr, und hätt ichs schier,
Jetz hätt ich eben gleich ein Durst.

Der Arzet:

Du mußt vor essen ein Roselwurst.
Darnach nehmst du den Trunk erst billig,
nämlich ein Vierteil Buttermillich,
Tempriert mit eim Viertl Summerbier.
Das mußt einnehmen des Tags zwier.
Dasselb wird dir dein Magen raumen.

Der Krank:

Herr, nun fraß ich zweihundert Pflaumen,
trank Bier und Buttermilch darzu.
Das macht mir im Bauch ein Unruh
und rumplet mir in meinem Bauch
und raumt mir wohl den Magen auch,
trieb mich wohl zwölfmal auf den Kübel
und riß mich in dem Leib so übel.
Noch ist mir ietzund nichts dest baß.

Der Arzet spricht:

Knecht, lang mir her das Harmglas!
Laß mich der Krankheit baß nachsehen!

Er schaut den Harm und spricht:

Soll ichs nit zu eim Wunder jehen?
Der Mensch steckt aller voller Narrn.

Der Knecht spricht:

Mein Freund, so ist gar nicht zu harrn.
So muß man dir die Narren schneiden.

Der Krank spricht:

Dasselbig mag ich gar nit leiden.
Der Arzet hat nit wahr gesprochen.
Wo wollt'n die Narrn in mich sein krochen?
Das weßt ich armer Kranker gern.

Der Arzet spricht:

Die Ding will ich dir baß bewährn.
Seh hin und trink dein eigen Harm.
Dieweil er noch ist also warm!
So werdn die Narrn in dir zappeln,
wie Ameis durcheinander krabbeln.

Der Krank trinkt den Harm und spricht:

O Herr Doktor, ietz prüf ich wohl,
und daß ich steck der Narren voll.
Sie haben in mir ein Gezösch,
als ob es wären lauter Frösch.
Ich glaub, es werdn die Würm sein.

Der reicht ihm ein' Spiegel und spricht:

Schau doch in diesen Spiegel nein!
Du glaubst doch sunst dem Arzet nicht.

Der Krank schaut in Spiegel und greift ihm selb an die Narrenohren und spricht:

Erst sich ich wohl, was mir gebricht.
Helft mir, es gschech gleich, wies wöll!

Der Knecht:

Soll man dich schneiden, lieber Gsell,
so muß du dich dem Arzt voran
ergeben für ein toten Mann,
dieweil das Schneiden ist gefährlich.

Der Krank spricht:

Für ein totn Mann gib ich mich schwerlich.
Stürb ich, das wär meiner Frauen lieb.
Für kein totn Mann ich mich dargib.

Der Knecht:

Wo du denn wirst zu lang verharrn,
daß überhand nehmen in dir die Narrn,
so würdens dir den Bauch aufreißen.

Der Krank:

Da würd mich erst der Teufel bscheißen.
weil es ie mag nit anderst sein,
so facht nur an und schneidet drein!
Doch müßt ihr mich vorhin bescheidn:
Was gibt man Euch vom Narrenzschneidn?

Der Arzet:

Ich will dich schneiden gar umsunst,
an dir bewähren diese Kunst.
Mich dünkt, du seist ein armer Mann.
Knecht, schick dich nur! so wöll wir dran.

Der Knecht legt seinen Zeug aus und spricht:

Herr, hie liegt der Zeug allersammen,
Zangen, Schermesser und Blutschwammen,
zu Labung Säft und köstlich Würz.

Der Krank spricht:

Nein Herr, daß man mich nit verkürz,
gebt mir doch vor zu Letz zu trinken.

Der Arzet:

Knecht, schau! sobald ich dir tu winken,
so schleich ihm d' Handzwehel um den Hals!
So will ich anfahen nachmals.

Der Knecht bindt den Kranken mit der Handzwehel um den Hals und spricht:

Gehab dich wohl! ietz wird es gehn.
Beiß aufeinander fest die Zähn!
So magst du es dester baß erleiden.

Der Arzet spricht:

Halt für das Beck! so will ich schneiden.

Er schneidt. Der Krank schreit:

Halt, halt! potz Angst! du tust mir weh.

Der Knecht spricht:

Das hat man dir gesaget eh,
es wer nit sein wie Küchlein z'essen.
Willt dich die Narren lassen fressen?

Der Arzt greift mit der Zangen in Bauch, zeucht den ersten Narren heraus und spricht:

Schau, mein Gsell, wie ein großer Tropf!
Wie hat er so ein gschwollen Kopf!

Der Krank greift sein Bauch und spricht:

Jetz dünkt mich gleich, es sei mir baß.

Der Arzet:

Wie wohl will ich dir glauben das!
Der Narr hat dich hart aufgebläht.
Er übet dich in Hoffart stet.
Wie hat er dich so groß aufblasen,
hochmütig gemacht übermaßen,
stolz, üppig, eigensinnig und prächtig,
rühmisch, geudisch, sam seist du mächtig.
Nicht Wunder wär, und willt du's wissen,
er hätt dir längst den Bauch zurissen.

Der Knecht:

Mein lieber Herr, schaut baß hinein,
ob nicht mehr Narren drinnen sein!
Mich dünkt, sein Bauch sei noch nichts kleiner.

Der Arzet schaut ihm in Bauch und spricht:

Ja freilich, hierin sitzt noch einer.
Halt, Lieber, halt! ietz kummt er auch.

Der Krank schreit:

Du tust mir weh an meinem Bauch.

Der Knecht spricht:

Potz Leichnam, halt und tu doch harrn!
Schau, wie ein viereckichten Narrn!
Sag! hat er dich nit hart gedrücket?

Der Krank spricht:

Ja freilich; nun bin ich erquicket.
Nun weßt ich ie auch geren, wer
der groß viereckt Narr auch wär.

Der Arzt reckt ihn in der Zangen auf und spricht:

Das ist der Narr der Geizigkeit,
der dich hat drücket lange Zeit
mit Fürkauf, Arbeitn, Reitn und Laufn,
mit Sparen, Kratzen alls zu Haufen,
das noch ein ander wird verzehren,
der dir gunnt weder Guts noch Ehren.
Ist das denn nit ein bitter Leiden?
So laß dir kein Narren mehr schneiden!

Der Krank greift in die Seiten und spricht:

Herr Doktor, hie tut mich noch nagen
ein Narr; den hab ich lang getragen.

Der Knecht:

Hört, hört! der nägt gleich wie ein Maus.

Der Arzt greift hinein, zeucht ihn mit der Zangen heraus und spricht:

Schau! ich hab diesen auch heraus.

Der Krank:

Mein lieber Herr, wer ist derselb
Narr, so dürr, mager, bleich und gelb?

Der Arzet spricht:

Schau! dieser ist der neidig Narr.
Der machet dich so untreu gar.
Dich freut des Nächsten Unglück
und brauchest viel hämischer Tück.
Des Nächsten Glück das bracht dir Schmerz.
Also nugst du dein eigen Herz.
Mich wundert, daß der gelb Unflat
dein Herz dir nit abgfressen hat.

Der Krank:

Herr Doktor, es ist endlich wahr;
er hat mich fressen lange Jahr.

Der Knecht:

Mein Gsell, schau selb und prüf dich sehr,
ob du nit habst der Narren mehr!
Es ist dir ie dein Bauch noch groß.

Der Krank greift sich und spricht:

Da gibt mir einer noch ein' Stoß,
was mag das für ein Narr gesein?
Nur her! greift mit der Zangen nein!

Der Arzt greift nein und reißt. Der Krank schreit:

O weh! laßt mir den länger drinnen!

Der Arzt zeigt ihm den Narren und spricht:

Ei halt! du kämst von deinen Sinnen.
Schau! wie kummt so ein groß Gemeusch?
Das ist der Narr der Unkeusch.
Mit tanzen, buhlen und hofieren,
meiden und sehnen tät dich vexieren.
Meinst, dein Sach wär heimlich aufs best,
so es all Menschen von dir weßt.
Des mußt noch Schand und Schaden leiden,
tät ich den Narrn nit von dir schneiden.

Der Krank:

Ich mein, daß d' ein Zigeuner seist,
weil all mein Heimlichkeit du weißt.
Noch dünkt mich, so steck einer hinten.
Mein Herr, schaut, ob Ihr ihm möcht' finden!

Der Arzt greift mit der Zangen hinein und spricht:

Potz Angst, wie ist der Narr so feucht!
Er wehret sich und vor mir fleucht.
Ich muß ihn mit Gewalt rauszucken.

Der Krank schreit:

O weh! du tust mir weh am Rucken.
Laßt mir'n! er hat mich lang ernährt.

Der Arzet reckt den Narren auf und spricht:

Der hat dir schier dein Gut verzehrt.
Es ist der Narr der Füllerei,
der dir lang hat gewohnet bei
und dich gemachet hat unmäßig,
vernascht, versuffen und gefräßig,
dein Leib bekränkt, dein Sinn beschwert,
dein Magen gfüllt, dein Beutel gleert,
bracht dir Armut und viel Unrats.
Was wolltst du länger des Unflats?

Der Krank:

O dieser Narr reut mich erst sehr.

Der Knecht:

Meinst, du hast keinen Narren mehr?

Der Krank:

Ich hoff: sie sind nun all heraus.
Heft' mich zu! laßt mich heim zu Haus!

Der Knecht lost und spricht:

Mich dünkt, ich hör noch einen krohnen.
Herr Doktor, Ihr dürft sein nit schonen.
Er ist noch stark und mags wohl leiden.
Tut ihm den Narren auch rausschneiden!

Der Arzet greifet nein und spricht:

Halt her! laß mich den auch rausbrechen!
Der tut mir in die Zangen stechen.
Knecht, hilf mir festhalten die Zangen!
Laß uns den Narren herausfangen!

Der Krank:

O weh! der sticht mich in die Seiten.
Reißt ihn heraus! helft mir beizeiten!

Der Arzet spricht:

Halt still! sei guter Ding und harr!
Das ist der schellig, zornig Narr,
daß du mochtst niemand übersehen,
viel Häder und Zänk tätst du andrehen,
in Gsellschaft machtest viel Aufruhr,
dein Haut dir oft zerbleuet wur.
Was wolltest du denn des Dildappen?

Der Krank:

Ei Lieber, laßt mich heimhin sappen!
Es hats ietz gar; heft mich nur zu!

Der Knecht:

Mein guter Freund, hast du ietzt Ruh?
Zwickt dich ietzund gar keiner meh?

Der Krank:

Im Ruck tut mir noch einer weh.
Der ist wohl als ein groß Packscheit.
Helft mir des ab! es ist groß Zeit.

Der Arzet greifet nein und spricht:

So halt nur stet und sei auch keck!
Schau zu! wohl wehret sich der Geck.

Er zeucht ihn raus. Der Knecht spricht:

Schau zu, wie hächt der Narr den Kopf!

Der Arzet spricht:

Es ist der allerfäulest Tropf.
Hat dich gemacht in alle Weg
hinlässig, werklos, faul und träg,
langweilig, schläfrig und unnütz,
verdrossen, aller Ding urdrütz.
Hätt ich dir'n nit geschnitten ab,
Er hätt dich bracht an Bettelstab.
Mein guter Mann, nun sag an mir!
Entpfindst du keins Narrn mehr in dir?

Der Krank greift sich und spricht:

Kein Narr mich in dem Bauch mehr kehrt.
Doch ist mein Bauch noch groß und härt.
Was das bedeut, ist mir verborgen.

Der Arzt greift den Bauch und spricht:

Sei guter Ding und laß mich sorgen!
In dir steckt noch das Narrennest.
Sei keck und halt dich an gar fest!
Du mußt noch ein Walkwasser leiden.
Ich will das Nest auch von dir schneiden.

Der Krank:

O langt mir her ein Rebensaft!
Mir ist entgangen all mein Kraft.
Ich sitz da in eim kalten Schweiß!
Zu halten ich gar nit mehr weiß.
O laßt mir nur das Nest zufried!

Der Knecht:

Mein Freund, du verstehst wahrlich nit.
Schnitt man das Nest dir nit heraus,
So brütest du jung Narren aus.
So würd dein Sach denn wieder bös.

Der Krank spricht:

So schneid mich nur nit in das Kröß!
So will ich gleich die Marter leiden,
Das Nest auch von mir lassen schneiden.

Der Arzt greift mit der Zangen nein und spricht:

Halt fest, halt fest, Lieber! halt fest!
Es ist so groß und ungelachsen
und ist im Leib dir angewachsen.
Schau! ietzund kummt der groß Unfurm.
Schau wie ein wilder wüster Wurm!
Schau, wie tut es voll Narren wimmeln,
oben und unten alls von krimmeln!
Die hättst du alle noch geborn.

Der Krank:

Was wären das für Narren worn?

Der Knecht:

Allerlei Gattung, als falsch Juristen,
Schwarzkünstner und die Alchamisten,
Finanzer, Alifanzer und Trügner,
Schmeichler, Spottfehler und Lügner,
Wundrer, Egelmayr und Läunisch,
Grob, Ölprer, Unzüchtig und Heunisch,
Undankbar, Stocknarrn und Gech,
Fürwitzig, Leichtfertig und Frech,
Krohnet und Grämisch, die allzeit sorgen,
bös Zahler, die doch geren borgen,
Eifrer, so hüten ihrer Frauen,
die ohn Not rechten und ohn Nutz bauen,
Spieler, Bögschützen und Waidleut,
die viel vertun nach kleiner Beut,

Summa summarum, wie sie nannt
Doktor Sebastianus Brant,
in seinem Narrenschiff zu fahren.

Der Arzet spricht:

Vor solchen Narrn uns zu bewahren,
mein Knecht, so würfe das Unziefer
in die Pegnitz hinein, ie tiefer,
ie besser's ist, und laß sie baden!

Der Krank spricht:

Mein Herr, heft mir zu meinen Schaden!
Mich dünkt: ietz hab ich gute Ruh.

Der Arzet heft ihn zu und spricht:

So halt! ich woll dich heften zu.
Nun magst du wohl fröhlich aufstehn.
Schau! kannst du ahn dein Krücken gehn?

Der Krank steht auf und spricht:

Mein Herr, ich bin gar gsund und ring,
vor Freuden ich gleich hupf und spring.
Wie hätten mich die Narren bsessen?
Sagt! hätt ichs trunken oder gessen?
Fort wollt ich meiden solche Speis.

Der Arzt:

Weißt nit? man spricht nach alter Weis,
daß iedem gfällt sein Weis so wohl,
des ist das Land der Narren voll.
Von dem kamen die Narren dein,
daß dir gefiel dein Sinn allein
und ließt deim eigen Willen Raum.
Hieltst dich selbert gar nit im Zaum.
Was dir gefiel, das tätst du gleich.

Der Krank:

O Herr Doktor gar künstenreich,
ich merk: Euer Kunst die ist subtil.
Ich tät ie alls, was mir gefiel,
es brächt mir gleich Nutz oder Schaden.
Nun ich der Narren bin entladen,
so will ich fürbaß weislich handeln,
fürsichtiglich heben und wandeln
und folgen guter Lehr und Rat.
O wie ahn Zahl in dieser Stadt
weiß ich armer und reicher Knaben,
die auch mein schwere Krankheit haben,
die doch selber entpfinden nicht,
noch wissen, was ihn' doch gebricht.
Die will ich all zu Euch bescheiden,
daß Ihr ihn' müßt den Narren schneiden.
Da werdt Ihr Gelds gnug überkummen.
Weil Ihr von mir nichts hat genummen,

Sag ich Euch Dank Euer milden Gab.
Alde! ich scheid mit Wissen ab.

Er geht ab. Der Knecht schreit aus:

Nun hört! ob indert einer wär,
der dieser Arzenei begehr,
der such uns in der Herberg hie
bei eim, der heißt, ich weiß nit wie.
Dem wöll wir unser Kunst mitteiln
und an der Narrensucht ihn heiln.

Der Arzet beschleußt:

Ihr Herrn, weil Ihr ietz habt vernummen
viel Narren von dem Kranken kummen,
die bei ihm wuchsen vor viel Jahren,
vor solcher Krankheit zu bewahren,
laß ich zuletzt ein gut Rezept:
Ein ieglicher, dieweil er lebt,
laß er sein Vernunft Meister sein
und reit sich selb im Zaum gar fein
und tu sich fleißiglich umschauen
bei Reich und Arm, Mann und Frauen,
und wem ein Ding übel ansteh,
daß er desselben müßig geh,
richt sein Gedanken, Wort und Tat
nach weiser Leute Lehr und Rat!
Zu Pfand setz ich ihm Treu und Ehr,
daß alsdenn bei ihm nimmermehr

gemeldter Narren keiner wachs.
Wünscht Euch mit guter Nacht Hans Sachs.

Der schwanger Bauer.

Die Personen in das Spiel:
Merten,
Hans,
drei Bauren
Urban,
Kargas, der karg Baur
Simon, der Arzt

Merten, der Bauer, geht ein und spricht:

Ein guten Abnd, ihr ehrbarn Leut!
Ich bin herein beschieden heut.
Ich sollt mein' Nachtbaurn suchen hinnen,
wiewohl ich ihr noch kein' tu finnen,
ein guten Mut hinn anzuschlagen.
Unser Häfelein wollt wir zsamm tragen
und halten auch ein guten Mut,
wie man denn itz zu Faßnacht tut.
Potz, hie kommen eben die zween,
den' ich zulieb herein was gehn.

Die zween Bauren gehen ein.

Hans spricht zum Merten:

Schau, Merten! was ist dein Begehr?

Merten, der Bauer, spricht:

Du hast mich heut beschieden her.
Wir wollten hierinnen anschlagen,
unser Häfelein zsammentragen.
Wollt ich darvon mit euch itzt reden:
wenns euch gelegen wär alln beeden,
so wollt wirs tun auf morgen z' Nacht.

Urban spricht:

Ihr Nachtbaurn, ich hab eins bedacht.
Dem Nachtbaur Kargas ist zugstorben
ein großes Erb und hat erworben
dreihundert Gülden also bar,
der etwan unser Gsell auch war.
Tät uns derselb ein Vorteil geben,
so möcht wir dest fröhlicher leben.
Wie riet ihr, wenn wirn zu uns lüden?

Hans, der Baur, spricht:

Ei, schweig! was wollten wir des Jüden?
Er tut sein Geld so gnau einschließen,
daß sein gar niemand kann genießen.
Er ist viel härter, wann ein Stein.

Urban, der Baur spricht:

Ei, Hans, bei meinen Treuen, nein!
Tu ihn dennoch so hart nicht schmähen!
Ich hab ihn oft wohl mild gesehen,
wenn er den Zitterpfenning vertrunk.
Sonst sitzt er gleich wohl wie ein Unk.
Vielleicht ists also sein Natur.

Merten spricht:

Hätt' wir den seinen Vorteil nur,
ob er gleich nimmer fröhlich würd
und ob ihn gleich St. Urban rührt!
Was fragten wir denn nach dem Tölpen?
Schau, dort tut er gleich einherstölpen.
Soll ich ihn denn darum anreden?

Hans, der Bauer, spricht:

Du hast die Macht gut von uns beeden.

Kargas, der Bauer, geht ein und spricht:

Seid gegrüßt, ihr lieben Nachtbauren!
Auf wen tut ihr all drei hie lauren?
Was halt' ihr für ein engen Rat?

Merten, der Bauer, spricht:

Hör zu! ein Nachtbaurschaft die hat
an dich Kargas eine große Bitt.
Hoff, du werdst uns abschlagen nit.

Kargas, der Bauer:

Was ist die Bitt? das zeig mir an!
Dünkt mich es gut, so will ichs ton.

Merten, der Bauer:

Du weißt: dein Muhm die ist gestorben.
Du hast ein groß Erbgut erworben.
Da begehr wir von dir ein Steur
uns Nachtbaurn diese Faßnacht heur,
auf daß wir auch genießen dein
und miteinander fröhlich sein,
deins Glücks auch freuen uns mit dir.

Kargas spricht:

Ihr dürft euch freuen nichts mit mir,
weil mir Gott geben hat das Glück.
Ich denk noch wohl an euer Tück.
Da ich war elend mit den Armen,
tät euer keinr sich mein erbarmen,
der mir nur hätt ein Suppen geben.
Ihr ließt mich gar hartselig leben.
Sobald ich nimmer Pfenning hätt,

aus euer Gsellschaft ihr mich tät'.
O wie tät mir das Herz erkalten!
Des will ich ietzt das mein behalten.
Mit Schaden bin ich worden witzig.

Urban, der Bauer, spricht:

Ei Lieber, sei nicht so gar spitzig!
Veracht nicht gar all gut Geselln
und tu dich nicht so eutrisch stelln!
Einr möcht des andern dörfen noch.
Schenk ein paar Gülden uns ins Gloch,
im besten dein darbei gedenken!

Kargas, der karg Baur:

Ich wollt euch nicht ein Haller schenken.
Ihr seid gut Gselln und bös Kindsväter.
Im Wirtshaus findt man euch viel später.
Eur Freundschaft ist schlemmen und demmen.
Ihr tät es Gott von Füßen nehmen.
Ich will mein Geld wohl baß anlegen,
daß ich gut Gült einnehm dargegen.
Ich gib euch nicht ein Kuhmilz.

Hans, der Baur, spricht:

Kargas, du bist ein lauter Filz,
ein ganz geiziger Nagenranft.
Dieweil du nicht willt leben sanft,
so tu an deinen Klauen saugen,

und geh uns nur bald aus den Augen
und laß uns Nachtbaurn lebn im Saus!

Kargas geht ab und spricht:

Alde! so geh ich heim zu Haus.

Hans, der Bauer, spricht:

Ich sagt euch vor, es wär umsunst.
Wir müssen brauchn ein andre Kunst.
Ich riet, daß wir drei allesander
morgen früh kämen nacheinander,
bald er daheim ausgangen wär.
Jder ihn fragt sam ohngefähr
wie er so bleich und tödlich säch,
und fragt ihn denn, was ihm gebräch.
So wollt' wir ihn wider sein Dank
all drei wohl reden schwach und krank.
Ließ er denn seinen Harm sehen,
so wollt' wirs mit dem Arzt andrehen,
daß er käm aus der Stadt und sagt,
wie ihn ein schwere Krankheit plagt,
daß er zu solcher Arzenei
müßt habn ein Gülden oder drei.
Dasselbig Geld wollt' wir denn nehmen,
all drei samt unsrem Arzt verschlemmen.
So müßt' wir mit eim Schalk ihm decken,
Sein zähes Geld ihm abzuschrecken.
Also müß' wir den Katzen strählen.

Urban, der Baur:

Mich dünkt, der Rat könn ie nicht fehlen.
Schau, dort geht gleich der Kargas raus,
itz eben gleich aus seinem Haus.
Ich will die Sach gleich fahen an.
Tut ihr zween hintr dem Stadel stahn!

Kargas geht daher. Urban geht ihm entgegen und spricht:

Ein guten Morgn geb dir Gott dar!

Kargas spricht:

Dank dir. Gott geb dir ein gut Jahr!
Ei, wie sichst du mich also an?

Urban spricht:

O du bist nicht der gestrig Mann!
Mein Kargas, wie bist du erblichen?
Dein Farb die ist dir gar entwichen.
Ich glaub, dich hab angstoßn ein Fieber.

Kargas:

Bin ich so bleich? ei Lieber, Lieber,
mich dünkt gleich wohl, mir sei nicht recht,
hab ich ie nächten nichtsen zecht.

Urban, der Bauer, spricht:

Ei, Lieber schau, halt zu dir selb!
Du bist sehr wieselfarb und gelb.

Kargas geht, redt mit ihm selbs:

Was Krankheit muß ich mich besorgen?

Merten, der ander Bauer, kommt und spricht:

Gott geb dir einen guten Morgen!
O Kargas, sag! was fehlt dir hie?
So kränklich sah ich dich vor nie.
Du sichst, sam seist du halber tot.

Kargas spricht:

Ach weh, wann kommet mir die Not?
Urban hat mir auch erst erzählt,
wie ich mich hab so gar entstellt
nun ist mir ie so gar nicht weh.

Merten spricht:

Mein Kargas, du mich recht versteh!
Dein Wehtag ist so groß da innen,
daß du sein selbs nicht tust entpfinnen.
Darum pfleg eines Arztes Rat!

Hans, der Baur, kommt und spricht:

Ein guten Tag! wann her so spat?
Schau, mein Kargas! wie sichst so schmal?
Du bist entstellet überall,
gefarbt wie allverdorben Rosen.
Was Krankheit hat dich angestoßen
so gähling? wie, daß du gehst aus?
O Lieber, mach dich bald zu Haus,
eh daß du tust ernieder sinken!
O wie tut dir dein Atem stinken!
Ei Lieber, eil und kehr heimwärts!

Kargas greift an die Brust und spricht:

Es druckt mich etwas um mein Herz.
O weh mir meines Herzenleid!
O führt mich heim zu Haus all beid!
Mich dünkt, ich wöll noch schwächer wern.

Hans nimmt ihn und spricht:

Komm her! komm her! von Herzen gern.

Sie führen und setzen ihn auf ein Sessel nieder.
Urban der kommt und spricht:

Schau! das hab ich mir vor wohl dacht,
überhand nehmen würd mit Macht
dein Krankheit. Deckt ihn zu gar warm
und laßt ihn fahen einen Harm!
So will ich nein zum Arzet laufen.

Urban, der Bauer, geht ab.
So spricht der Krank:

O weicht! laßt mich ein weng verschnaufen!
Wie zittern mir mein Füß und Händ!
Es reißt mich hinten um die Lend.
Ich glaub, es sei der Lendenstein.
Mein Weh im Bauch ist auch nicht klein.
Es ist noch wahr, wie jener schreib,
daß Reichtum und gesunder Leib
gar nicht mögen sein beieinander.
O wie selig seid ihr beidsander!
Habt ihr kein Geld, seid ihr doch gsund.
Itzt kommt der Arzenei ein Grund.

Simon, der Arzt, kommt und spricht:

Ein guten Tag geb Gott euch allen!
Was Unglücks ist dir zugefallen,
O du tödlichkranker Kargas?

Der Krank spricht:

Herr Doktor, vor meim Haus ich was.
Ich weiß nicht, was mich hat berührt;
hättn mich die zween nicht reingeführt,
so wär ich vor dem Haus verdorben,
vergangen und gähling gestorben.
Mir ist vor großer Angst gleich warm.
Secht! hie ist mein gefangner Harm.
Daran erlernet mein Krankheit
und helft mir! es ist große Zeit.

Der Arzt beschauet den Brunnen und spricht:

O Kargas, du mein guter Freund,
dein Brunn gar wunderbar erscheint.
Ich muß den Puls auch greifen dir,
was der für Krankheit zeiget mir.

Der Arzt begreift den Puls und spricht:

O Kargas, dein Puls zeiget an
ein Krankheit, die vor hätt kein Mann.
Die darf ich dir nicht wohl anzeigen.

Der Krank spricht:

O mein Herr, tut mir nichts verschweigen,
es sei für Krankheit, was es wöll!

Der Arzt spricht:

Wenn ich die Wahrheit sagen söll,
so gehst du schwanger mit eim Kind.

Der Krank schlägt sein Händ ob dem Kopf zusamm und spricht:

Ach weh mir! weh! potz Laus, potz Grind!
O ich der unglückhaftigst Mann,
der ich mit einem Kind tu gahn!
An dem ist nur schuldig mein Weib.
Darum so will ich ihren Leib,
komm ich vom Kind, so rein zerbleuen,
daß sie ihr Leben soll gereuen.
Ach, wie soll ich das Kind gebärn?
Ich wird ohn Zweifel sterben wern.
Ich muß mich vor alln Männern schämen.
Wo soll ich nur ein Gvattern nehmen?
Es wird sein keiner geren tan.
Ich werd der hartseligest Mann.
Mich dünket schon, mir gschwell der Leib.
Ich bin schon ein großbauchet Weib.
Wo soll ich nehmn ein Kellnerin,
weil sie also vertrogen sin,
wie alle Weiber von ihn' zeugen?

Ach wie soll ich mein Kind denn säugen?
So hab ich ie darzu kein Brüst.
Ein Säugammen ich haben müßt.
Da ists auch wohl der Jahrritt;
niemand kann sich vertragen mit.
Ach meines Leids, ach meiner Not!
Nützer wär mir, daß ich läg tot.
Wie steck ich Herzenleids so voll!

Der Arzt spricht:

Ach mein Kargas, gehab dich wohl!
Ich trug dir allmal sonder Gunst.
Zu Hülf ich nehmen will mein Kunst
und will des Kinds abhelfen dir
ohn alls Gebärn; vertrau doch mir,
daß du darzu seist nimmer krank!
Ich will dir machen ein Getrank,
darmit so will ich dich wohl laben.
Darzu müß' wir gut Rheinfall haben
und ander köstlich Spezerei,
darzu feister Kapaunen drei.
Daran mußt etlich Unkost wenden.

Der krank Kargas spricht:

Kunstreicher Arzt, tut das vollenden!
Nehmt diese fünf Gülden zun Euch!
Habt an dem Ausgeben kein Scheuch!
Wollt Ihr, so nehmt ein größre Summ',

Auf daß ich nur des Kinds abkumm!
O, erst will ich den Frauen glauben.
Das Kind tut mich allr Freud berauben.
Mir war mein Lebtag nie so weh.
Wahr ist es, was ich höret eh,
Gsundheit der edelst Reichtum wär.
Des auch von Herzen ich begehr,
weil ich sein itzt beraubet bin.

Der Arzt geht von ihm und spricht:

Nun ruh ein Weil! ich geh dahin
und will das Trank dir zubereiten.

Merten spricht:

Mein Herr, ich will Euch heim beleiten.

Der Arzt gibt Merten das Geld:

Seh, Merten! nimm das Geld allein!
Geh an den Mark und kauf uns ein
drei Kapaunen, gemäst und feist,
Vögel und Fisch und was du weißt
Ziemlich zu einer Gasterei,
daß ich und darzu ihr all drei
morgen zu Nacht in meinem Haus
wollen wohl leben in dem Saus!
Da wöll wir Malmasier zugießen,
daß wir des Kranken auch genießen.
Hätt wir ihm nicht gemacht den Possen,

so hätt sein keiner nicht genossen.
Geh! bring dem Kranken an der Stätt,
daß er trink dieses gut Klaret!
Ich will an der Stätt nachhin kommen
und gar gesund machen den Dommen.

Sie gehen ab.

Der Krank geht ein an eim Stecken. Merten der bringt ihm den Trank:

Glück zu! hie bring ich dir den Trunk.
Den trink gar aus! sein ist genung.
Der Arzt bald kommen wird zu dir.
Verhoff auch, es werd besser schier.

Der Krank trinkt und spricht:

Mich dünkt, der Trunk hab mich beweget,
mein Grimmen haben sich geleget.
Es ist mir wahrlich baß dann vor.
Da kommt zu mir mein Herr Doktor.

Der Arzt kommt, greift ihm den Puls und spricht:

Mein Kargas, sag! wie steht dein Sach?
Mich dünkt, du seist nit mehr so schwach.
Dein Puls schlägt recht zu dieser Stund.
Du bist wahrhaft frisch und gesund.
Steh auf! geh nun hin, wo du willt!
Dein Krankheit die ist dir gestillt.
Das Kind ist hin samt allem Weh.
Keins Kinds wirst schwanger nimmermeh.

Der Krank steht auf, beut dem Arzt die Hand und spricht:

Herr Doktor, Euch sei Lob und Preis!
Eursgleichen ich im Land nicht weiß.
Doch will ich zahlen Euch zu Dank
Eur köstlich, edel, heilsam Trank,
Das mich so schnell machet gesund.
Des bin ich leicht, frisch, frei und rund,
als ob kein Kind nie hätt tragen,
gleich wie ich war vor dreien Tagen.
Nun will ich gehn Eur Lob ausschreien
mit Euern köstling Arzeneien.
Bewahr Euch Gott! an dieser Stätt
geh ich aus meinem Kindelbett.

Er beut den Nachbaurn die Händ nacheinander und spricht:

Ihr lieben Nachtbaurn, habet Dank,
daß ihr beistundt, weil ich war krank!
Ich dank euch nachbarlicher Treu.
Bis Montag werd ich stechen Säu,
So müßt ihr meiner Würscht auch essen.
Eur Treu kann ich euch nicht vergessen.

Der Arzt beschleußt:

Ihr Herrn, nehmt hie von uns zu Dank
das Faßnachtspiel in einem Schwank!
Daraus vernehmt drei kurzer Lehr!

Die erst: welch Mann zu karg ist sehr,
daß seins Guts niemand nießen kann,
demselben wird Feind iedermann.
Wer ihn kann vorteiln und betriegen,
meint, er tus an eim Heidn erkriegen,
und iedermann spricht, ihm gschäch recht,
und wird durch sein Kargheit verschmächt.
Zum andern: wer das Sein verschwendt,
Schlemmens und Prassens ist gewöhnt,
derselb mit Armut wird beladen
und hat das Gspött denn zu dem Schaden.
Wenn er denn sein Gselln an tut gelfen,
so können sie ihn selb nicht helfen.
Zum dritten sicht man das zuletzt:
Der Mittelweg noch ist der best.
Nicht gar zu mild, auch nicht zu karg!
Wann zu viel ist überall arg;
Sonder daß man im Mittel leb
Zu Notdurft, Nutz und Ehr ausgäb
und allen Überfluß vermeid,
ihn als ein Überbein abschneid,
auf daß daraus kein Unrat wachs,
wünscht euch zu guter Nacht Hans Sachs.

Der fahrend Schüler im Paradeis.

Die Person in das Spiel:

Der fahrend Schüler
Der Baur
Die Bäurin

Die Bäurin gehet ein und spricht:

Ach, wie manchen Seufzen ich senk,
wenn ich vergangner Zeit gedenk,
da noch lebet mein erster Mann,
den ich ie länger lieb gewann,
dergleich er mich auch wiederum,
wann er war einfältig und frumm.
Mit ihm ist all mein Freud gestorben,
wiewohl mich hat ein andr erworben.
Der ist meim ersten gar ungleich,
er ist karg und will werden reich,
er kratzt und spart zusamm das Gut,
hab bei ihm weder Freud noch Mut.
Gott gnad noch meinem Mann, dem alten,
der mich viel freundlicher tät halten;
künnt ich ihm etwas Guts noch tan,
ich wollt mich halt nit saumen dran.

Der fahrend Schüler gehet ein und spricht:

Ach liebe Mutter, ich kumm herein,
bitt, laß mich dir befohlen sein,
mit deiner milden Hand und Gab;
wann ich gar viel der Künste hab,
die ich in Büchern hab gelesen.
Ich bin in Venusberg gewesen,
da hab ich gsehen manchen Buhler;
wiß, ich bin ein fahrender Schuler
und fahr im Lande her und hin.
Von Paris ich erst kummen bin
itzund etwa vor dreien Tagen.

Die Bäurin spricht:

Secht, lieber Herr, was hör ich sagen,
kummt Ihr her aus dem Paradeis?
Ein Ding ich fragen muß mit Fleiß,
habt Ihr mein Mann nicht drin gesehen?
Der ist gestorben in der Nähen,
doch fast vor einem ganzen Jahr,
der so frumm und einfältig war;
ich hoff ie, er sei drein gefahren.

Der fahrend Schüler spricht:

Der Seel so viel darinnen waren;
mein Frau, sagt, was hat Euer Mann
für Kleider mit ihm gführt darvan?
Ob ich ihn darbei möcht erkennen.

Die Bäurin spricht:

Die kann ich Euch gar bald genennen:
Er hätt ach auf ein blaben Hut
und ein Leilach, zwar nit fast gut,
darmit hat man zum Grab bestätt'.
Kein ander Kleidung er sunst hätt,
wenn ich die Wahrheit sagen soll.

Fahrend Schüler spricht:

O liebe Frau, ich kenn ihn wohl,
er geht dort um ohn Hosn und Schuch
und hat an weder Hem noch Bruch,
sonder wie man ihn legt ins Grab;
er hat auf seinen Hut blitschblab
und tut das Leilach um sich hüllen.
Wenn ander prassen und sich füllen,
so hat er gar kein Pfenning nicht.
Alsdenn er so sehnlich zusicht
und muß nur des Almusen leben,
was ihm die andern Seelen geben;
so elend tut er dort umgahn.

Die Bäurin spricht:

Ach, bist so elend dort, mein Mann,
hast nit ein Pfenning in ein Bad?
Nun ists mir leid, auch immerschad,
daß du sollt solche Armut leiden.

Ach, lieber Herr, tut mich bescheiden,
werdt Ihr wieder ins Paradeis?

Der fahrend Schüler spricht:

Morgen mach ich mich auf die Reis'
und kumm hinein in vierzeh Tagen.

Die Bäurin spricht:

Ach, wollt Ihr etwas mit Euch tragen,
ins Paradeis bringen meim Mann?

Der fahrend Schüler spricht:

Ja, Frau, ich will es geren tan,
doch was ihr ton wöllt, tut mit Eil.

Die Bäurin spricht:

Mein Herr, verziecht ein kleine Weil,
zusammen will das suchen ich.

Sie geht aus.

Der fahrend Schüler redt mit ihm selb und spricht:

Das ist ein recht einfältig Viech
und ist gleich eben recht für mich,
wenn sie viel Gelds und Kleider brächt,
das wär für mich alls gut und recht,
wollt mich bald mit trollen hinaus,
eh wann der Bauer käm ins Haus.
Er wird mir sunst mein Sach verderben;
ich hoff, ich wöll den Alten erben.

Die Bäurin bringet ihm ein Bürlein und spricht:

Mein Herr, nun seid ein guter Bot,
nehmet hin die zwölf Gülden rot,
die ich lang hab gegraben ein
da außen in dem Kuhstall mein,
und nehmet auch das Bürlein an
und bringt das alles meinem Mann
in iene Welt ins Paradeis,
darin er finden wird mit Fleiß
zu einem Rock ein blobes Tuch,
Hosen, Joppen, Hem und Bruch,
sein Taschen, Stiefl, ein langes Messer.
Sagt ihm, zum nächsten wärs noch besser,
ich will ihn noch mit Geld nit lassen.
Mein Herr, fürdert Euch auf der Straßen,
daß er bald aus der Armut kumm,
er ist ie einfältig und frumm,
ist noch der liebst unter den zweien.

Der fahrend Schüler nimmet das Bürlein und spricht:

O wie wohl wird ich ihn erfreuen,
daß er mit andern am Feirtag
etwan ein Urten trinken mag,
auch spieln und ander Kurzweil treiben.

Die Bäurin spricht:

Mein Herr, wie lang werdt Ihr ausbleiben,
daß Ihr mir bringt ein Botschaft wieder?

Der fahrend Schüler spricht:

O ich kumm so bald nicht herwieder,
wann der Weg ist gar hart und weit.

Die Bäurin spricht:

Ja so möcht ihm in mittler Zeit
etwan wiederum Gelds gebrechen
zu baden, spielen und Wein zechen,
bringt ihm auch die alt böhmisch Groschen.
Wenn wir nun haben ausgedroschen,
kann ich bald wieder Geld abstehlen
und das vor meinem Mann verhehlen,
daß ichs in dem Kühstall eingrab
wie ich auch dies behalten hab.
Seht, habt Euch den Taler zu Lahn
und grüßt mir fleißig meinen Mann.

Der fahrend Schüler gehet ab.

Die Bäurin hebet an zu singen laut:

Bauren-Maidlein, laß dirs wohlgefallen.

Der Baur kummet und spricht:

Alta, wie daß so fröhlich bist,
sag mir bald, was die Ursach ist?

Die Bäurin spricht:

Ach lieber Mann, freu dich mit mir,
groß Freud hab ich zu sagen dir.

Der Bauer spricht:

Wer hat das Kalb ins Aug geschlagen?

Die Bäurin spricht:

Ach soll ich nit von Wunder sagen?
Ein fahrend Schüler mir zu frummen
ist aus dem Paradeis herkummen,
der hat mein alten Mann drin gsehen,
und tut auf seinen Eid verjehen,
wie er leid so große Armut,
hab nichts denn seinen bloben Hut
und das Leilach in jener Welt,
weder Rock, Hosen oder Geld.
Das glaub ich wohl, daß er nichts hab,
denn wie man ihn legt in das Grab.

Der Baur spricht:

Wollst nicht etwas schicken deim Mann?

Die Bäurin spricht:

O lieber Mann, ich habs schon tan,
ihm geschickt unser blabes Tuch,
Hosen, Joppen, Hem, Stiefl und Bruch,
auch für ein Gülden kleines Geld,
daß er ihms brächt in jene Welt.

Der Bauer spricht:

Ei, du hast der Sach recht getan.
Wo ist hinauszogen der Mann,
den du die Ding hast tragen lassen?

Die Bäurin spricht:

Er zog hinaus die untern Straßen,
es trägt der Schüler hocherfahrn
an seinem Hals ein gelbes Garn
und das Bürlein auf seinem Rück.

Der Baur spricht:

Ei nun walt dein alls Ungelück,
du hast ihm zu weng Geldes geben,
er kann nit lang wohl darvon leben.
Geh, heiß mirs Roß satteln beizeiten,
ich will ihm gehn eilend nachreiten,
ihm noch ein zehen Gülden bringen.

Die Bäurin spricht:

Mein Mann, hab Dank mit diesen Dingen,
daß du meim Altn bist günstig noch!
Wills Gott, ich wills verdienen doch,
dir auch nachschicken meinen Schätz.

Der Baur spricht:

Was darf es viel unnütz Geschwätz?
Geh, heiß mirn Knecht satteln das Roß,
eh dann der Fremd kumm an das Moos.

Die Bäurin gehet naus.

Der Baur spricht zu ihm selb:

Ach, Herr Gott, wie hab ich ein Weib,
die ist an Seel, Vernunft und Leib
ein Dildapp, Stockfisch, halber Narr,
ihrsgleich ist nit in unser Pfarr,
die sich läßt überreden leider
und schickt ihrem Mann Geld und Kleider,

der vor eim Jahr gestorben ist,
durch des fahrenden Schülers List.
Ich will nachreitn, tu ich ihn erjagn,
so will ich ihm die Haut voll schlagn,
ihn niederwerfen auf dem Feld,
ihm wider nehmen Kleidr und Geld,
darmit will ich denn heimwarts kehrn
und mein Weib wohl mit Fäusten bern,
des Bloben geben um die Augen,
daß sie ihr Torheit nit künn laugen.
Ach, ich bin halt mit ihr verdorben!
Ach, daß ich hab um sie geworben,
das muß ich mich reuen all mein Tag,
ich wollt, sie hätt Sankt Urbans Plag.

Die Bäurin schreit daußen:

Sitz auf, das Roß ist schon bereit,
fahr hin, und daß dich Gott beleit!

Sie gehen beide ab.

Der fahrend Schüler kummet mit dem Bürlein und spricht:

Wohl hat gewöllt das Glück mir heut,
mir ist geratn ein gute Beut,
daß ichs den Winter kaum verzehr.
Hätt ich der einfälting Bäurinn mehr,
die mich schickt' in das Paradeis!
Wär schad, daß sie all wären weis!

Potz Angst, ich sieh dort ein' von weiten
auf eim Roß mir eilend nachreiten.
Ists nicht der Baur, so ists ein Plag,
daß er mir's Dinglich wiedr abjag.
Ich will das Bürlein hie verstecken
ein Weil in diese Dorenhecken,
nun kann er ie mit seinem Roß
nit zu mir reiten in das Moos,
er muß vor dem Graben absteigen.
Ja, er tuts gleich, nun will ich schweigen,
mein Garn in Busen schieben frei,
auf daß er mich nit kenn darbei,
will leinen mich an meinen Stab,
sam ich auf ein' zu warten hab.

Der Baur kummt gesport und spricht:

Glück zu, mein liebs Männlein, Glück zu!
Hast nit ein' sehen laufen du,
Hat ein gelbs Strähnlein an dem Hals
und trägt auf seinem Ruck nachmals
ein kleines Bürlein, das ist blab?

Der fahrend Schüler spricht:

Ja, erst ich ein' gesehen hab,
der lauft ein übers Moos gen Wald,
er ist zwar zu ereilen bald,
ietzt geht er hinter jener Stauden
mit Blasen, Schwitzen und mit Schnauden,
wann er trägt an dem Bürlein schwer.

Der Baur spricht:

Es ist bei meim Eid eben der!
Mein liebs Männlein, schau mir zum Roß,
so will ich zu Fuß übers Moos
dem Böswicht nacheiln und ihn bleuen,
daß ihn sein Leben muß gereuen,
er soll es keinem Pfaffen beichten.

Der fahrend Schüler spricht:

Ich muß da warten auf ein Gweichten,
welcher kummt nachher in der Nähen.
Will Euch dieweil zum Roß wohl sehen,
bis daß ihr tut herwieder lenken.

Der Baur spricht:

So will ich dir ein Kreuzer schenken.
Hüt, daß mir's Pferd nit laufet werd.

Der Bauer gehet ab.

Der fahrend Schüler spricht:

Lauft hin, sorgt nur nicht um das Pferd,
daß Ihr ein Schaden findet dran.
Das Roß wird mir recht, lieber Mann.
Wie fröhlich scheint mir heut das Glück,
vollkummentlich in allem Stück:
Die Frau gibt mir Rock, Hosn und Schuh,
so gibt der Mann das Roß darzu,

daß ich nit darf zu Fußen gahn.
O, das ist ein barmherzig Mann,
der geht zu Fuß, läßt mir den Gaul,
er weiß leicht, daß ich bin stüdfaul.
O, daß der Baur auch solcher Weis
auch stürb und führ ins Paradeis,
so wollt ich gwiß von diesen Dingen
ein gute Beut darvon auch bringen.
Doch will ich nit lang Mist da machen;
wann käm der Bauer zu den Sachen,
so schlüg er mich im Feld darnieder
und nähm mir Geld und Kleider wieder;
will eilend auf den Grama sitzen
und in das Paradeis nein schmitzen,
ins Wirtshaus, da die Hühner braten,
den Baurn lassen im Moos umwaten.

Der fahrend Schüler nimmet sein
Bürlein, gehet ab.

Die Bäurin kummet und spricht:

Ach, wie ist mein Mann so lang aus,
daß der nit wieder kummt zu Haus.
Ich bsorg, er hab des Wegs verfehlt,
daß meim Alten nit werd das Geld. –
Potz Mist, ich hör den Schultheß blasen.
Ich muß gehn bald mein Säu auslassen.

Die Bäurin gehet ab.

Der Bauer kummt, sicht sich um und spricht:

Potz Leichnamangst, wo ist mein Pferd?
Ja, bin ich frumm und ehrenwert,
so hat mir's der Böswicht hingritten,
er daucht mich sein tückischer Sitten,
hat auch das Geld und Kleider hin.
Der größt Narr ich auf Erden bin,
daß ich traut diesem Schalk vertrogen.
Schau, dort kummt auch mein Weib herzogen,
ich darf ihr wohl vom Roß nit sagen,
ich drohet ihr vor hart zu schlagen,
daß sie so einfältig hätt eben
dem Landsbescheißr das Dinglich geben,
und ich gab ihm doch selb das Pferd,
viel größer Streich wär ich wohl wert,
weil ich mich klüger dünk von Sinnen.
Ich will etwan ein Ausred finnen.

Die Bäurin kummt und spricht:

Schau, bist zu Fußen wieder kummen,
hat er das Geld von dir genummen?

Der Baur spricht:

Ja, er klagt mir, der Weg wär weit,
auf daß er kumm in kurzer Zeit
ins Paradeis, zu deinem Mann,
das Pferd ich ihm auch geben han,
daß er geritten kumm hinein,

bring auch das Pferd dem Manne dein.
Mein Weib, hab ich nit recht getan?

Die Bäurin spricht:

Ja, du mein herzenlieber Mann,
erst vermerk ich dein treues Herz.
Ich sag dir das in keinem Scherz.
Wollt Gott, daß du auch stürbest morgen,
daß du nur sähest unverborgen,
wie ich dir auch geleicher Weis
nachschicken wollt ins Paradeis,
nichts ich so weit zu hinterst hätt,
das ich dir nit zuschicken tät:
Geld, Kleider, Kälber, Gäns und Säu,
daß du erkennest auch mein Treu,
die ich dir hintn und voren trag.

Der Baur spricht:

Mein Weib, nichts von den Dingen sag,
solch geistlich Ding soll heimlich sein.

Die Bäurin spricht:

Es weiß schon die ganz Dorfgemein.

Der Bauer spricht:

Ei, wer hats ihn' gesagt so bald?

Die Bäurin spricht:

Ei, eh du neinritts in den Wald,
hab ichs gesagt von Trum zu End,
was ich meim Mann hab hingesendt
ins Paradeis, gar mit Andacht.
Ich mein, sie haben mein gelacht
und sich alle gefreut mit mir.

Der Baur spricht:

Ei, das vergelt der Teufel dir!
Sie haben all nur dein gespott'!
Wie hab ich ein Weib, lieber Gott! –
Geh nein, richt mir ein Millich an.

Die Bäurin spricht:

Ja, kumm hernach, mein lieber Mann.

Die Bäurin gehet aus.

Der Baur beschleußt:

Der Mann kann wohl von Unglück sagen,
der mit eim solchn Weib ist erschlagen,
ganz ohn Verstand, Vernunft und Sinn,
geht als ein tolles Viech dahin,
baldglaubig, toppisch und einfältig,
der muß er liegn im Zaum gewältig,
daß sie nicht verwahrlos sein Gut.
Doch weil sie hat ein treuen Mut,
kann er sie dester baß gedulden,
wann es kummt auch gar oft zu Schulden,
daß dem Mann auch entschlüpft sein Fuß,
daß er ein Federn lassen muß,
etwan leid Schaden durch Betrug,
daß er auch ist nit weis genug.
Denn zieh man Schad gen Schaden ab,
darmit man Fried im Ehstand hab
und kein Uneinigkeit aufwachs;
das wünschet uns allen Hans Sachs.

Der gstohlen Faßnachthohn.

Die Personen in das Spiel:

Heinz Tötsch, *Hermann Grampas,*	*zween Bauren*
Martsch, *Schleckmetz,*	*zwo Bäurinn*

Heinz Tötsch, der Baur tritt ein und spricht:

Ein guten Abend, ihr zarten Herren!
Ich muß hie suchen in der Ferren
Den Hermann Grampas da in Zorn,
ich hab nächt mein Hahnen verlorn.
Nun hat mein Nachbaur solches Haus,
was man im ganzen Dorf durchaus
verleuret, das findt man darinnen.
Des kann ich mich nit anderst bsinnen,
er werd auch wissen von meim Hahn.
Dort kommt er; will ihn reden an.
Mich dünket, er werd ob mir rot.

Hermann Grampas kommt und spricht:

Mein lieber Nachbar, grüß dich Gott!
Mein Nachbar, wie sichst du so saur,
sam hab dirs Korn zerschlagn der Schaur
oder sei dir der Wein erfroren!

Hein Tötsch spricht:

Hermann ich hab mein Hahn verloren
nächten spat, meinen schwarzen Hahn,
den mein Frau nierget finden kann,
ist nächten nicht bei mir aufgsessen.
Wo er ist, kann ich nicht ermessen.
Sag, Lieber, weißt du nichts darum?

Hermann Grampas:

Wie? hältst du mich dann für unfrumm?
Bei meinem Eid kann ich wohl jehen,
daß ich dein Hahn nie hab gesehen.
Meinst du, ich sollt dir dein Hahn stehlen?

Heinz Tötsch:

Nein, doch ich will dir nit verhehlen,
mein Martsch tut auf ihr Wahrheit jehen,
sie hab mit ihren Augen gsehen
mein Hahnen fliegen in dein Haus,
aber nicht wieder kommen draus.
Drum gebet mir mein Hahnen wieder!

Hermann Grampas:

Ja, ich bin frumm und ehrenbieder.
Und wär dein Hahn wert einer Kuh,
wollt dir ihn wieder stellen zu,
ist er anderst in meinem Haus.

Jedoch mach nicht viel Teding draus!
Wir haben sunst ein bös Geschrei.
Wann wir eins tun, saget man zwei.
Und wollt mein Frau verhehlen mir
dein Hahn, ich wollt mit Fäusten ihr
fürwahr den Balg tapfer erknüllen,
daß sie zween Tag daran müß rüllen.
Ich will's gehn fragen; wart da mein!

Hermann Grampas geht aus.

Heinz Tötsch spricht:

Geh hin! An diesen Worten dein
dünkt mich, du gibst dich wohl halb schuldig;
du wirst sonst nicht sein so geduldig.
Mich dünkt, mein Hahn sich finden wer.
Was bringt mein Alte für neu Mär?

Die Martsch, sein Frau, kommt und spricht:

Ach, lieber Heinz, soll ich nit klagen?
Der Wahrsager tut mir wahrsagen,
unser Hahn sei worden gefressen
vom Nachbauren, bei uns gesessen,
derselb hab einen falben Bart
und sei von Natur Rabenart;
zum Wahrzeichen werden wir hinten
auf seim Mist des Hahn Federn finden.
Nun wußt ich wahrlichen sunst kein,

es müßt nur Hermann Grampas sein.
Darum so red ihn darum an!

Heinz Tötsch:

Mein Alte, ich hab es schon tan.
Er aber saget darzu nein,
schwöret auch darfür Stein und Bein,
er hab unsern Hahn nie gesehen.

Die Martsch:

Ja, willt dich kehren an sein Jehen,
so schwört er dir's ja aus den Augen.
Sein bestes ist schwören und laugen.
Auf seine Wort ist nichts zu bauen.

Heinz Tötsch:

Er lauft heim, will fragen sein Frauen.
Hat sie ihn, so wird er uns wieder.

Martsch spricht:

Ja, mein Heinz, sitz ein Weile nieder,
daß unser Hahn uns wieder wer.
Sein Weib ist noch ärger, dann er.
Meinst nit? Stehlen und wiedergeben,
spricht man, es sei ein hartes Leben.
Du hast den Hahn das letzt Mal gsehen.
Hörst, was der Wahrsager tät jehen,

er sei gefressen, helf kein Fluchen?
Komm! Wöllen des Hahn Federn suchen.
Finden wir sie, wöllen wir weger
beide verklagen vor dem Pfleger.
Müssen uns den Hahn gnug bezahlen.

Heinz Tötsch:

Du tust auch ietzt, wie zu viel Malen;
dir ist auch wohl mit Zank und Hader.
Von's Hahn wegen – samer potz Ader! –
Will ich ie für den Pfleger nit.

Die Martsch:

Ja, daß schütte dich der Jahrritt!
Du bist ein liederlicher Mann.
Und wann ich auch also hätt tan,
wär unser Katz das beste Viech.
Willt nicht gehn, so geh aber ich
und will das los' Gesind verklagen.

Heinz Tötsch:

So will ich dir dein Maul zerschlagen.
Bleib da! Hörst nit? bleib, Alte! bleib!
Schau einer zu dem bösen Weib!

Sie lauft hinaus, der Baur lauft ihr nach.

Hermann Grampas kommt, redt mit ihm selbst und spricht:

Ach, wie ist die Welt so untreu!
Wiewohl es heuer ist nicht neu.
Wo sich ein arm Gsell gern wollt nähren,
es wär gleich sunst oder mit Ehren, –
man kanns nit alls mit Ehren gwinnen –
beschert Gott eim was und tut finnen,
will man, er soll es wiedergeben,
wie mir hie tut mein Nachbar eben
mit seinem Hahn, der an mein Tennen
flog ungebeten zu mein Hennen,
fraß ihn' auf Korn und ander Frucht.
Den hab ich gstraft um sein Unzucht,
ihn gwürgt und in ein Hafen gsteckt;
er hat uns eben wohlgeschmeckt.
Ich wollt, ich hätt der Hahn noch einen.
Wollt ihm die Sachen wohl verneinen,
er sagt darzu gleich, was er wöll,
der Hahn ihm nicht mehr werden söll.
Das letzt Mal hat gekrähet er.
Was will mein Frau? Die lauft daher.

Die Schleckmetz, sein Weib, kommt und spricht:

O Hermann, bös Mär überaus!
Der Scherg ist kommen uns zu Haus,
hat uns geboten und gesagt,
vor dem Pfleger seind wir verklagt

vons Tötschen Weib um ihren Hahn.
Ach, hätt wir ihn nur fliegen lan,
ihn lassen haben den Jahrritten!

Hermann Grampas:

Du hast ihm den Kragn abgeschnitten!
Dein gnäschigs Maul bringt uns darzu.

Schleckmetz spricht:

Hast doch darzu geholfen du!
Da er im Haus flog hin und wider,
schlugst du ihn mit eim Besen nieder.
Jetzund willt mir geben die Schuld.

Hermann Grampas:

Schweig, Alte! hab ein klein Geduld!
Wöllen uns des Tötschen wohl wehren.
Das Lügen darf uns niemand lehren.
Ich will schwörn, hab ihn nie gesehen,
so magst du auch wohl also jehen,
mein aber den König von Frankreich.
So schwörn wir beide alle gleich.
Meint der Pfleger, es sei der Hahn.

Schleckmetz:

Ja, bei dem bleib es, lieber Mann!
Bekenn nichts! Bewahr unser Ehr!
Dann dieser Stücklein seind noch mehr.
Tät man uns mit dem Hahn ertappen,
der Turn sollt wohl nach uns aufschnappen
und mir beide Ohren abreißen.

Hermann Grampas:

Ei, können sie's doch nicht beweisen.
Darum befleiß aller List dich!

Schleckmetz:

Ja, kommt etwan die Martsch an mich,
mach ich mich gegen ihr demütig.
Wo ich's nicht mit kann machen gütig,
so will ich mich dann unnütz machen,
kein gut Wort geben in den Sachen.
Sagt sie, ihr Hahn sei zu uns gflogen,
so antwort ich, es sei erlogen.
Mein Nein ist so viel als ihr Ja.

Hermann Grampas:

Bleib auf der Meinung und harr da!
Ich will hin auf den Kirchtag gehn
und zu den andern Bauren stehn
auch horchen, was man saget an

von's Heinz Tötschen verloren Hahn.

Hermann Grampas geht aus.

Sein Weib spricht:

Geh hin! Da will ich warten dein,
förcht mich vor der Martschen allein.
Die hat sunst ein Häklein auf mich,
dieweil ihr Heinz Tötsch und auch ich
waren mit einander im Gschrei.
Pot, da kommet gleich das gschlacht Ei!

Die Martsch kommt und spricht:

Siehe! Stehst du da, du Schleckmaul,
du böses Tier, gfräßig und faul!
Warum hast du mein Hahn gefressen?

Schleckmetz spricht:

Nun bin ich ie daheim gesessen,
mein Hermann und mein Gsind darbei,
nichts gessen, dann ein Heidelbrei
und darzu auch eine blaue Millich.
Darum beschuldigst mich unbillig.
Du magst wohl all mein Gsind drum fragen.

Martsch spricht:

Ihr seid all über ein Leist gschlagen.
Es ist das Viech gleich wie der Stall
zwischen euch allen überall;
dein Haus ist wie ein Rabennest
.
Der Ding ich viel zu sagen weßt,
so in deinem Haus seind geschehen.

Schleckmetz spricht:

Mein Martsch, wie magst du mich so schmähen?
Nun laß ich mir's also saur werden.
Hab ich nit viel Glücks hie auf Erden,
daß ich mich hartseliglich nähr,
so hab ich dannoch lieb mein Ehr,
daß ich niemand nichts stehlen will.

Martsch spricht:

Laugen nur nit und schweig stockstill!
Gib her sechs Groschen, lauf darvon!
so ist bezahlet mir mein Hahn.
Also hat's der Pfleger geschafft.

Schleckmetz spricht:

Sag! Wer hat mich also verklafft,
daß ich dein Hahn soll han gefressen?
Sag an? Wer ist doch so vermessen?

Martsch spricht:

Das hat unser Wahrsager tan.

Schleckmetz spricht:

Daß geh ihn die Drüs' ins Maul an!
Er leugt mich an da, der Unflat.

Martsch zeigt ihr die Federn und spricht:

Er hat mit anzeigt wahre Tat.
Schau! Ich hab auf deim Mist dort unten
meins schwarzen Hahnen Federn funden.
Deine Wort sollen mich nicht triegen.

Schleckmetz spricht:

Tät er mich fert nit auch verliegen,
wie ich dir hätt zu Nacht verhohlen
den Flachs aus deiner Röst gestohlen?
Und wahrlich bin ich ehrenwert;
so ist in meim Haus heur noch fert
kein Reisten Flachs noch nie nit kommen.

Martsch spricht:

Wo hast so viel Haustuchs genommen?

Schleckmetz spricht:

Ja, das hat mir mein Mutter geben.

Martsch spricht:

Tut sie doch selbs armselig leben,
daß sie schier gar fudnacket geht!
Ja, wann sie übrig Haustuch hätt,
sie ging nit wie ein Bettelfrau.

Schleckmetz spricht:

Potz Leichnam, schaue zu, Baur! schau!
Ich denk wohl, der Unfall ritt dich,
daß du hättst so wenig als ich.
Hat dich der Teufel reich gemacht,
so will ich auch sein unveracht
von dir. Bist du reich, so bleib reich!

Martsch spricht:

Wollst du reich sein, so mußt mir gleich
mit Arbeit anhalten und sparen
und nit alls durch den Ars lan fahren.

Schleckmetz spricht:

Liebe, was kiffst du dich darum?

Hermann Grampas kommt und spricht:

Was habt ihr für ein Murren drum,
daß ihr so gen einander schreit,
als ob ihr beid unsinnig seid?
Was habt ihr miteinander z'tan?

Die Schleckmetz:

Nun hör du zu, mein lieber Mann!
Ich mein, die Martsch sei worden bsessen,
zeiht uns, wir han ihn nächten gfressen
ihren Hahn, der sei zu uns gflogen.
Nun weißt du, daß es ist erlogen.

Hermann Grampas:

Martsch, sagst, wir hon gfressen dein Hahn?

Martsch zeigt den Sack mit den Federn und spricht:

Ja, da schau die Federn darvon,
die ich auf deinem Mist tät finnen.

Hermann Grampas:

Es soll dir all dein Gut zerrinnen,
eh du auf uns brächtst dieses Stück!
Schweig still! hab dir alles Unglück,
eh daß ich dir und deinem Mann
auf dein Stadl setz ein roten Hahn!
Drum halt dein Maul! das rat ich dir.

Martsch spricht:

Wie? wollst du darzu dreuen mir?
Das will ich da dem Pfleger klagen.

Hermann Grampas zuckt die Faust und spricht:

Ich will dir da dein Kopf zerschlagen.

Martsch spricht:

Ich beut dir's recht, du grober Lötsch!

Hein Tötsch kommt, so spricht die Schleckmetz:

Schau! da kommt mein Nachbaur Heinz Tötsch.
Ach, lieber Nachbaur, red darzu,
daß die Sach komm zu guter Ruh
von deins verlornen Hahnen wegen!

Martsch spricht:

Man muß mich aber auch drum frägen
und mir vor zahln den Hahnen mein.

Heinz Tötsch:

Wir wöllen die Sach gut lan sein
und nit mehr nach dem Hahnen fragen.
Ihn hätt der Schelm ohn das erschlagen,
habt den Hahn gfressen oder nit.

Die Martsch:

Ei, das vergelt dir der Jahrritt!
Vergib das Dein und nit das Mein!
Mußt du so bald gutwillig sein?

Heinz Tötsch:

Ei, sie war mir auch oft gutwillig.
Des laß ich's jetzt genießen billig.
Nichts hast uns einzureden du.

Martsch spricht:

Ja, ja, da schlag der Teufel zu!
Das hab ich wohl gemerkt vorlangst.

Schleckmetz spricht:

Potz Leichnam, Hiren und potz Angst,
ich bin als gut als deiner zwu.
Hast auch nicht lang gehalten zu.

Martsch:

Mit wem?

Schleckmetz:

Mit dem
unserm schönen, jungen Kaplan.

Martsch spricht:

Du schnöder Balg, du leugst mich an;
ich sollt dir zerreißen dein Haut.

Heinz Tötsch spricht:

Alte, das hätt ich dir nicht traut,
daß du mir hättst ein solches tan.

Martsch spricht:

Glaub ihr nur nicht, mein lieber Mann!
Sie laßt niemand kein Ehren nicht.
Ist selbst an Haut und Haar entwicht,
vernascht, verrucht und gar studfaul.

Schleckmetz zuckt die Faust und spricht:

Schweig! Ich schlag dich in dein bös Maul.

Martsch spricht:

Wen? mich?

Schleckmetz:

Ja, dich.

Martsch spricht:

Wollst du mir meinen Hahnen fressen,
und mir's darzu mit Fäusten messen,
und mich darzu an Ehren schmähen?

Hermann Grampas stoßt sie voneinander und spricht:

Ei, das ist in eim Zoren gschehen.
Sie hat es nicht also gemeint.
Du aber bist so zornig heint.
Mein Martsch, laß es also gut sein!

Martsch spricht:

So zahl mir vor den Hahnen mein!
Oder du mußt mir in den Turn.

Schleckmetz spricht:

Zahl deiner Mutter ihn, der Hurn.
Dein Hahn war gar dürr, zäch und alt,
er wär mit dreien Hellern zahlt.
Was reißt dann also unnütz Zoten?

Martsch spricht:

Wollst mein erst zu meim Schaden spotten?
Ich wollt schier noch ein Hahn dran wagen
und dir die Federn ins Maul schlagen.

Schleckmetz spricht:

Schlag her und hab dir die Säusucht!

Martsch spricht:

So wehr dich mein, du faule Schlucht!

Sie schlagen einander. Heinz Tötsch wehrt ihnen beiden und spricht:

Was soll das sein? Potz Leichnamangst,
ich hab mir wohl gedacht vorlangst,
ihr würdt den Hahn mit Fäusten teilen.

Hermann Grampas spricht:

Laß sie nur miteinander geilen.
Wir wöllen gute Nachbaurn sein
und miteinander gehn zum Wein,
uns nit einlegen mit den Weiben.
Tu das Unziefer aushin treiben!
Wir müssen uns all beid ihr' schämen.
Ich will von Leuten Urlaub nehmen.

Heinz Tötsch treibt die Weiber vor ihm hinaus und Hermann Grampas beschleußt das Spiel und spricht:

Ihr ehrbarn Herrn, es ist unsr Bitt,
ihr wöllent uns verargen nit,
ob wir hie hon einander gscholten,
böse Wort mit bösen vergolten,
einander etlich Ding geziegen.
Doch haben wir das Gröbst verschwiegen,
damit wir all blieben bei Ehren,
Faßnacht beieinander verzehren
mit Freuden und mit guten Schwänken,
des Hahnen nimmermehr gedenken,
daß weiter kein Zank draus erwachs.
Ein gute Nacht wünscht euch Hans Sachs.

Das Kälberbrüten.

Die Person' in das Spiel:
Der Baur
Die Bäurin
Der Pfaff

Die Bäurin tritt ein, red't wider sich selb und spricht:

Ach, was soll ich Arme tan!
Ich hab ein liederlichen Mann,
verdrossn, hinlässig in alln Dingen,
ich kann ihn aus dem Bett nit bringen,
so träg ist er und ganz mistfaul
und schnarcht die ganz Nacht wie ein Gaul;
ich bat ihn nächtn früh aufzustahn,
sagt', ich wollt heut in die Stadt gahn,
Milch und Eir in die Stadt neintragen;
ich stund früh auf, eh es wollt tagen,
daß ich hineinkäm in der Fruh,
hab schon gemolken meine Kuh,
war schon fertig in d' Stadt zu gohn,
so will mein Narr noch nit aufstohn;
nit Wunder wär, daß ich allein
vor Zoren sprüng zu einem Stein;
ich will gehn, bei dem Haar aufwecken
und will dem Dötschn ein Sorg einstecken,
daß er's Haus tu ein Weil versorgen.

Der Baur kummet, gient auf, kratzt sich im Kopf und spricht:

Alta, Alta, ein guten Morgen!
Was tust du heut so früh aufstahn?

Die Bäurin spricht:

Wohl einher in des Teufels Nam!
Ich dacht, du künnst heut nit aufstahn,
wollt dich zwar ietzt gewecket han,
daß dir hätt dein Schwarten gekracht.

Der Baur spricht:

Das hätt ich mir bald gnug gelacht.
Ei, liebe Gred, es ist früh gnug,
weil noch kein Hahn noch Henn abflug.
Sag mir, was sollt ich so früh tan?

Die Bäurin spricht:

Was fragst, du fauler, loser Mann?
Waär ich nit, du wärst längst gehangen.
Was soll ich nur mit dir anfangen?

Der Baur spricht:

Ei schweig! ich bin nit so gar arg.
Geh, und bring viel Gelds raus vom Mark,
so will ich einweil häuslich sein,
die Stuben kehrn und heizen ein.
Das kann ich alls so wohl als du.

Die Bäurin spricht:

Setz auch das Kraut und Fleisch hinzu,
und merk, bald der Schultheiß tu blasen,
daß du Kuh und Säu aus tust lassen,
daß es zeitlich auf die Weid kumm.
Sei auch sunst häuslich umbadum,
wenn ich von Mark kumm, daß wir essen.

Der Baur spricht:

Der Ding will ich gar keins vergessen,
es soll als fein ör'nlich geschehen.

Die Bäurin spricht:

Wenn ich heimkumm, wird ichs wohl sehen,
wie du ein Weil daheim tust hausen.
Fehlst, ich will dir dein Golter zausen.

Die Bäurin gehet dahin.

Der Baur spricht:

Geh hin, du darfst nichts darum sorgen!
Es ist noch gar früh an dem Morgen,
ich will gehn heizen und zusetzen,
darnach meins Unmuts mich ergetzen,
will mich ein Stund ins Bett noch legen,
bis daß der Schultheiß sich tut regen,
daß ich auslaß mein Säu und Kuh,
weil es noch ist vor Tag und fruh.

Der Baur geht aus und kummt bald wieder und spricht:

Potz Leichnamangst, ich hab verschlafen.
Wie wird mein Weib nur schreien Wafen,
wenn's kummt! Der Schultheiß hat austrieben,
und ist mein Viech daheimen blieben,
ich muß währlich Kifferbes essen.
Potz Mist, ich hab des Krauts vergessen,
das strudlt und prudelt bei dem Feur,
ich muß gehn schaun die Abenteur.

Der Baur geht aus.

Die Bäurin kummt mit der Bürden und spricht:

Nun bin ich nahet bei der Stadt.
Wie hält daheim Haus mein Unflat?
Denk wohl, es wer' der heillos Mann,
was ich ihn heiß, kaum halber tan,

wie vormals ist wohl mehr geschehen.
Ich werd daheim mein Jammer sehen,
wenn ich kumm, wie er haus hab ghalten.
Ich muß gleich alls Glück lassen walten,
er wird nit anders bei sein' Tagen,
bis ihn der Schelm doch tut erschlagen.
Weiß mich am Narrn nit baß zu rächen,
denn daß ich ein Seidlein Weins tu zechen
in der Stadt, bald ich tu verkaufen,
will gleich dest flügser hineinlaufen,
ich bin nun von dem Tor nit weit.
Denk mir, es sei um Garauszeit.

Die Bäurin trollt darvon.

Der Baur kummt, kratzt im Kopf und spricht:

O, Herr Gott, wie bin ich ein Koch!
So ich kumm für das Ofenloch,
rinnt die Suppen gegn mir heraus,
und sitzt die Katz hinten im Haus
und hat das Fleisch alles vertragen;
der hab ich gleich die Lend eingschlagen.
Und so ich nimm das Kraut in d' Händ,
so ists an der ein' Seitn verbrennt
und gar zu einem Dreck versotten,
das mir doch hat mein Weib verboten.
Ich fürcht fürwahr bei meinen Treuen,
wenn sie heimkumm, sie werd mich bleuen.
Jedoch ich mich noch eines freu,

daß Kuh und Kälber und mein Säu
Ich hab in unsern Garten tan,
darin auch gnug zu fressen han.
Die will ich wieder allzumal
ein iedes tun in seinen Stall,
eh wenn mein Frau kumm aus der Stadt,
dieweil der Mittentag hergaht.

Der Baur geht aus, kummt bald wieder und spricht traurig:

Erst ist dem Schimpf der Boden aus!
So ich kumm in den Garten naus
zu meinen guten Viechlein allen,
so ist mirs Kalb in Brunnen gfallen
und ist leider darin ertrunken,
wiewohl mein Weib nach meim Bedunken
mit dem Kalb wollt zum Metzger laufen
und um das Geld ein Pelz ihr kaufen.
Das ist nun fehl. Wie soll's mir gehn?
Wie wird ich mit meim Weib bestehn?
O, wie wird sie fluchen und scharren!
Ich will ihr in dem Haus nit harren,
sie wird mich leichnamübel bern.
Ach, wie soll ich mein Sach ankehrn,
daß ich ein ander Kalb gewinn?
Es fällt mir gleich in einen Sinn,
weil Hühnr und Gäns in meinem Haus
aus Eiren brüten Junge aus,
so sie drob sitzen etlich Tag,

so glaub ich ie auch, daß man mag
Kälber aus Käsen brüten wohl,
voraus wo's Maden stecken voll;
ohn das sind halb lebendig sunst.
Was schadt's, ob ich versuch die Kunst?
Will gleich die Käs in Korb neinschmitzen
und auf die Dielen darmit sitzen
in d' Finster, daß mich niemand sech,
mich irr mach, wenn es mich ansprächen
in der Brut. Wird aus iedem Maden
ein Kalb, so kumm ich wohl zu Gnaden.

Der Baur sitzt in Korb.

Die Bäurin kummt, brummt wider sich selb und spricht:

Aus der Stadt ich heimkummen bin.
Ich glaub, der Teufl hab mein' Mann hin,
ich hab ihn gschrien ob' und unten;
hab kein Funkn Feurs im Ofen funden;
das Fleisch ist hin, der Hafn zubrochen,
das Kraut verbrennt, aus mit deim Kochen;
die Suppen schwimmt im Ofen um;
und so ich in den Garten kumm,
liegt das ein Kalb und ist ertränkt.
Ich glaub, mein Narr hab sich erhenkt.
Nit Wunder wär, ich tät mich verfluchen.
Ich will'n gehn auf der Dielen suchen.

Die Bäurin schreit:

Hans! Hans!

Die Bäurin sicht ihn im Korb sitzen und spricht:

Du Narr, was machst du auf der Dielen?

Der Baur:

Ch! Ch! (wie ein Gans.)

Die Bäurin spricht:

Ich mein, es stechen dich die Grillen.

Der Baur spricht:

Ch! ch! pff! pff!

Die Bäurin spricht:

Wie hast du kocht? Daß dich Bock schänd!
Das Fleisch verschütt, das Kraut verbrennt;
die Katzn erschlagn, das Kalb ertränkt!
Ich wollt und daß du wärst gehenkt.

Der Baur:

Zisch! zisch! pff! pff!

Die Bäurin spricht:

Wie? Wollst zum Schaden spotten mein?
Ich wollt dir wohl die Lenden dein
so weich schlagen als deinen Bauch.
Weißt, wie ich dich oft nieder stauch?

Sie tut die Erbel hinter sich, eilt auf ihn. Er schreit:

Ch! ch! pff! pff!

Die Bäurin spricht:

Was machst du in dem Korb, du Narr?

Der Baur:

Pff! pff!

Die Bäurin spricht:

Ich will dich bald rausbringen, harr!

Der Baur:

Ch! ch! pff! pff!

Die Bäurin spricht:

Flugs, troll dich! Gib den Säun zu essen!

Der Baur:

Zisch! zisch!

Die Bäurin spricht:

Wie tust? Bist mit eim Narren bsessen?
Halt, halt, ich will den Pfarrer bringen,
derselb kann baß zu diesen Dingen.

Der Baur:

Pff! pff! ch! ch!

Die Bäurin geht dahin.
Baur steht auf, tut ein Käs heraus, schaut
ihn, legt ihn, setzt sich.

Die Bäurin bringt den Pfaffen und spricht:

O lieber Herr, es ist mein Bitt,
Ihr wollt helfen und retten mit.
Ich hab gemarket in der Stadt;
so ich nun heim kumm wieder spat
ins Haus mit Schnauden und mit Schwitzen,
so find ich meinen Mann da sitzen
in einem Korb hie auf der Dielen,
treibt so seltsam Egel und Grillen.
Was ich ihn frag, sprich: lieber Hans,
speut er mich an, wie ein Brutgans:
Pff! pff! pff! pff! und tut auch schattern,
mit Armen sam mit Flügel flattern,
ich kann ihm gar kein Wort abgwinnen.
Ich fürcht, er sei kummen von Sinnen.
Ich bitt Euch, helft ihm wiederum,
daß er zu seinen Sinnen kumm.

Der Pfaff spricht:

Mein Gret, in all meinem Bedunken
hat er sich voll Branntweins getrunken,
derselbig geht ihn um im Schopf.

Die Bäurin spricht:

Ei, trinkt er kein', der heillos Tropf,
aber den unbranntn trinkt er gern,
des kann er oft nit voll gnug wern.

Der Pfaff spricht:

Nun ich will gehn zu deinem Mann,
mit guten Worten sprechen an.
Glück zu, mein lieber Nachtbaur Hans.

Der Baur:

Ch! ch! pff! pff!

Pfaff spricht:

Sieh, pfeufst du mich an wie ein Gans!

Der Baur:

Ch! ch! pff! pff!

Pfaff spricht:

Sag an, was fehlt dir in dem Hirn,
daß du also tust phantasiern?

Der Baur:

Pff! Pff!

Pfaff spricht:

Mein Nachtbaur Hans, das taug gar nicht,
was fehlt dir doch? du mir bericht.

Baur:

Pff! Pff!

Pfaff spricht:

Sag, hat dich ein Gespenst erschreckt?
Aber was hat dich doch bewegt,
daß du treibst so seltsam Gebär?

Baur:

Pff! Pff!

Der Pfaff spricht:

Kannst nit reden, so deut doch her,
ob du vielleicht durch Zauberei
bezaubert, oder wie ihm sei,
mich dünkt, du seist deinr Sinn beraubt.
Ist dem also, so neig dein Haupt!

Der Baur:

Pff! Pff!

Der Pfaff wend't sich zum Weib und spricht:

Gret, ich kann anderst nicht vermessen,
denn daß dein Mann sei gar besessen.

Die Bäurin spricht:

Mein Herr, so helft ihm durch Eur Bschwerung!
Will Euch darum tun ein Verehrung.

Pfaff spricht:

Gret, du sagst wohl: beschwert mein Mann!
Wiewohl ich wohl beschweren kann,
so tu ich's doch wahrlich nit gern,
fürcht, er würd mir ein Platten schern.
Sichst nit, wie sicht dein Mann so heunisch,
tückisch, hämisch und wetterläunisch?
Sein' Augn gleißen ihm wie einr Katzen,
so er etwan auf mich tät platzen
und tät mir an dem Leib ein Schaden,
so ließt du mich schwimmen und baden;
wann der Teufel ist grausam stark.

Die Bäurin spricht:

Ach, mein Herr, es wird nit so arg.
Drum bschwert ihn und seid Sorgen frei,
für ihm steh ich Euch treulich bei.
Hehn, Hans, du wirst dich doch nit wehrn?
Unser Pfarrer will dich beschwern.

Baur:

Pff! pff! ch! ch!

Der Pfaff zeucht sein Buch herfür und liest:

Ich beschwer dich auf diesen Tag,
du Teufl, bei aller Bettlers Plag,
bei aller Pfaffen Reinigkeit,
bei Schwieger- und Schnureinigkeit
und bei aller Ehbrecher Treu,
bei aller schwarzen Magd Nachreu,
bei aller Münich Geistlichkeit
und bei aller Landsknecht Frümmkeit
und bei aller Spieler Unfall
und bei aller Juden Irrsaal,
bei aller schönen Frauen Huld,
bei aller Beguinen Geduld,
bei aller Kaufleut wahrhaft Schwörn!
Du wollst von diesem Mann ankehrn
in ein wild Röhrich im Behmrwald,
und fahr bald aus durch diesen Spalt!

Der Bauer ruckt mit dem Arm, spricht:

Pff! pff! pff! pff! ch! ch! ch! ch!

Der Pfaff wirft ihm den Stol an Hals, zeucht, schreit der Bäurin, die fällt hinten an Pfaffen, ziehen ihn aus dem Korb und fallen alle drei auf ein Haufen.

Der Baur schreit:

Was macht ihr hie? Daß euch Bock schänd
und euch Roßhoden schänd und blend!
Ihr bringt mich heut um Ehr und Gut,
daß ihr mich ziecht von meiner Brut.
Wie sehr ich mich verbarg dahinten,
vermeint, kein Mensch würd mich da finden,
hat euch der Teufel bracht ins Haus.

Der Pfaff spricht:

Mein Hans, was wollst du brüten aus?

Der Baur schreit, zeigt ihm ein Käs und spricht:

Kälbr! Kälbr! Da secht ihr's Wahrzeichn wohl,
der Käs der stecket Maden voll,
untn und oben, hinten und vorn;
das wären eitel Kälber worn,
hätt' ihr mich nit davon gerissen.

Pfaff spricht:

Hans, ich wollt geren von dir wissen,
wer dich die Kunst gelehret hätt.

Der Bauer spricht:

Forcht, Sorg und Angst mich lehren tät,
welche ich hätt zu meiner Frauen.

Der Pfaff spricht:

Sag uns die Wahrheit her auf Trauen,
wie sich solchs alles hab verloffen.

Der Baur spricht:

Die Sach mach ich euch geren offen,
doch daß ich sicher vor dir sei.

Die Bäurin spricht:

Ja, du sollt sein quittledig, frei,
ich muß doch sein mit dir erschlagen.

Der Baur spricht:

Ach, soll ich nit von Unglück sagen?
Ich verschlief heint des Schultheßn Blasen;
als ich das Viech erheim hab g'lassen,
schlug ich's einweil in unsern Garten:
und als ich wollt zum Essen warten,
ward zu eim Ungelück uns allen
einweil das Kalb in Brunnen gfallen;
als ich das fand darin ertrunken,
da war ich schier vor Leid versunken
vor dir: und in solchem Gedens
da fiel mir ein, Hühner und Gäns
brüten Junge aus Eiren nur,
so wär es auch der Käs Natur,
daß man Kälber daraus möcht brüten;
darum ausklaubt ich diese guten
Käs und hab mich darüber gsetzt,
Kälbr zu brüten. Hätt ihr zuletzt
micht nit irr gmacht in meiner Brut,
ich hätt überkummen groß Gut.

Die Bäurin spricht:

Du bist ach der allergrößt Narr,
so er ist in der ganzen Pfarr.
Kei naus, hack Holz, du fauler Tropf,
odr ich gib dir ein Drischl an Kopf.
Ich will dir's Kalb vom Hals noch schlagen.

Pfaff spricht:

Nein, Gred, du tätst ihm Gleit zusagen,
darbei wirst du ihn lassen bleiben.

Bäurin spricht:

Wöllt Ihr das Gspött auch aus mir treiben,
den unhilflichen Mann verteidigen,
der mich täglichen tut beleidigen
mit ungeratner Arbeit viel?

Baur spricht:

Herr, mischt Euch nit in unser Spiel!
Mein Weib tut ahn das auf Euch zieln,
sie möcht mit Euch des Rüpfleins spieln.

Bäurin spricht:

Geh hin, hack Holz, und halt dein Maul!

Pfaff spricht:

Gred, du bist ein grobr Ackergaul,
weil deim Mann so übel mitfährst.

Bauer spricht:

Mein lieber Herr, und wißt Ihr's erst,
ihr Scheltwort ich ihr gern vertrüg,
wenn sie mich nur nit rauft und schlüg.

Pfaff spricht:

Gred, solchs hab ich eh nit erfahrn.

Bäurin spricht:

Ja, ich tu ihm der Streich nit sparn,
wenn er mir etwan tut ein Schaden.
Sollt ich ihn erst darzu genaden?
Tu ihn oft in mein Kammer sperrn
und tu ihn als ein Laubfrosch kerrn.

Pfaff spricht:

Ei, Gred, das tu ins Herz dich schamen,
du schändest aller Frauen Namen;
der Mann soll ie sein Herr im Haus.

Bäurin zuckt die Faust und spricht:

Pfaff schweig, und troll dich bald hinaus!
Du hast gar nichts hinnen zu schaffen,
allers lausing, stinketen Pfaffen!
Fetsch dich, eh ich dir geb den Segen.

Der Pfaff wendt sich und spricht:

Ich bin hinnen von Friedes wegen,
du findst kein Hadermann an mir.
Ich mein, der Teufel steck in dir,
ich glaub, Gred, ich muß dich beschwörn.

Die Bäurin eilt auf ihn zu und spricht:

Kumm, Pfaff, laß uns einander bern!

Der Pfaff lauft ab und spricht:

Nein, nein, ich scheid dahin mit Wissen.

Die Bäurin spricht zum Bauren:

Hat mich der Teufel mit dir bschissen,
du loser Mann, in Hof naus lauf!
Haust du mir heint das Holz nit auf,
so will ich dir nit z'fressen geben
und zahl dir eins zum andern eben,
wenn der Pfaff auf dem Kopf dir säß.
Lang mir her den gebrüten Käs!
Ich wollt dir 'n schier ins Maul neinstoßen.
Was hilft, daß ich mich tu erbosen,
dieweil gar nichtsen hilft an dir,
den größten Schaden tu ich mir,
muß doch mit dir behangen sein.
Geh gleich ins Wirtshaus, hol uns Wein,
wölln das heutig Markgeld verzechen,

zusamm sitzen, am Wein uns rächen
und vergessen alls Ungemachs.
Glück bringt alls wieder, spricht Hans Sachs.

Komödie und Tragödie

Die ungleichen Kinder Evä, wie sie Gott der Herr anredt. Comedia, hat neunzehn Personen und fünf Actus.

Die Person' in die Comedi:

Gott der Herr.	
Gabriel,	*zween Engel.*
Raphael,	
Adam.	
Eva.	
Abel,	*sechs gehorsam Sühn Evä.*
Set,	
Jared,	
Enoch,	
Matusalach,	
Lamech,	
Cain,	*sechs ungeraten Sühn Evä.*
Datan,	
Achan,	
Nabal,	
Esau,	
Nimrod,	
Satan.	
Herold.	

Der Herold tritt ein, neigt sich und spricht:

Heil und Genad von Gott dem Herren
sei all den', so von nah und ferren
versammlet seind an dieses Ort,
zu hören da von Wort zu Wort
ein Comedi und lieblich Gdicht,
das ursprünglich hat zugericht
im Latein Philipps Melanchthon,
und nun zugut dem gmeinen Mann
auch in deutsche Sprach ist gewendt
und hält in kurz das Argument:

[Folgt eine Erzählung des Inhalts.]

Eva tritt ein und spricht:

Ich bin das armutseligst Weib
beide an Seel und auch an Leib,
seit daß ich folget an den Orten
den schmeichelhafting süßen Worten
der hellisch satanischen Schlangen,
die mich hat listig hintergangen,
sam hab uns Gott aus Neid und Haß
die Frücht verboten und auf daß
wir nicht ihm gleich auch Götter werden.
Es hab auf ihm gar kein Gefährden,
ob wir gleich dies Gebot verbrächen;

Gott der werd es nicht an uns rächen,
er sei nicht so grausam und streng.
Macht mit den Worten nach der Läng,
daß ich aß der verboten Frucht;
derhalb ich forthin bin verflucht
von Gott und hab sein Gnad verlorn.
Ich bin auch nun austrieben wor'n
vom Paradeis, muß auf der Er'n
mit Schmerzen mein Kinder gebärn,
mich auch ducken vor meinem Mann.
Ach Gott, groß Übel hab ich tan!

Adam kommt und spricht:

Grüß dich Gott, Eva, mein liebs Weib.
Ich bin ganz müd und matt von Leib;
ich hab draus graben und gehauen,
das unfruchtbar Erdreich zu bauen,
das ist mir also sauer worn,
wann es trägt nur Distel und Dorn,
auf daß ich nach Gottes Geheiß
in meines Angesichtes Schweiß
das hartselig Brot hab zu essen.
Wie bist so traurig auf d' Tür gsessen,
mein liebes Weib, was liegt dir an?

Eva spricht:

Ach, was fragst du, mein lieber Mann?
Ich bin ein Ursach dieser Not,
daß wir essen hartselig Brot,

als ich im fronen Paradeis
hab gessen die verboten Speis.
Dardurch lieg' wir, auch nit dest minder
all unser Nachkommen und Kinder,
in Gottes Fluch und Ungenaden,
in immer ewiglichem Schaden,
unterworfen dem ewing Tod,
darein uns hat gestoßen Gott.
Derhalb mag ich auf dieser Erden,
dieweil ich leb, nicht fröhlich werden,
sonder leben in Reu und Klag.

Adam spricht:

Ach mein Eva, nicht gar verzag,
ob wir gleich viel leiden auf Erden.
Unser Fall muß gebüßet werden
durch mancherlei Kreuz und Trübsal
allhie in diesem Jammertal;
aber von dem ewigen Sterben
wird uns lösen und Huld erwerben
des Weibs gebenedeiter Sam.
Drum ist uns Gott nit feind noch gram,
sonder wird sich bald unser Armen
durch sein Güt und Milde erbarmen.
Ich hab von Gabriel vernommen,
der Herr werd morgen zu uns kommen,
bei uns halten ein hohes Fest
und uns solichs verkünden läßt
und will schauen, wie wir haushalten,

auch wie wir unser Kinder walten,
wie wir sie den Gelauben lehrn,
auch wie sie Gott fürchten und ehrn;
nach dem wird er uns leicht begnaden.
Darum so tu die Kinder baden,
strähl ihn' und schmück sie allesant
und leg ihn' an ihr Feiergwand;
kehre das Haus und streu ein Gras,
auf daß es hierin schmeck dest baß,
wenn Gott der Herr kommt morgen rein
mit den lieben Engelen sein.

Eva spricht:

O Adam, mein herzlieber Mann,
soliches will ich alles tan,
weil Gott der Herr will kommen rein.
Ach Lob sei Gott, dem Schöpfer mein,
daß er doch noch an uns gedenket
und in dies Elend zu uns lenket
aus seinen väterlichen Gnaden!
So will ich heint die Kinder baden
und das Haus schmücken um und um,
auf daß, wenn morgen der Herr kumm,
daß es alls rein und sauber sei,
daß er uns segn und benedei.
Ich hoff und glaub, er werd es tun.

Adam spricht:

Wo ist Abel, mein lieber Suhn?

Eva spricht:

Er ist dauß und füttert die Schaf;
er ist fromm und gibt um die Straf
gottsfürchtig und sucht Gottes Ehr,
auch mit ihm andre Kinder mehr,
darob ich ganz erfreuet bin.

Adam spricht:

Wo ist denn unser Suhn Cain,
der Wüstling und bös Galgenstrick?

Eva spricht:

Ach, wenn ich sein denk, ich erschrick.
Was sollt das Belialskind tun?
Ich hieß den unghorsamen Suhn,
er sollt Holz tragen in das Haus,
da floch er nur und loff hinaus
und tät mir lang herwider murren,
tut etwan auf der Gaß umschnurren
und schlägt sich etwan mit den Buben,
kann ihn nicht bhalten in der Stuben;
vom Himmel so scheint auch kein Tag,
es kommt über ihn etlich Klag;
dasselbig quälet mir mein Herz.

Adam spricht:

Mich peinigt auch die Forcht mit Schmerz,
wir werdn nichts Guts an ihm erleben,
weil er wollt um kein Straf nie geben.
Er ist ganz gottlos und mutwillig,
handelt mit Wort und Werk unbillig,
die andern Kinder auch verführt
auf Schalkheit, das sich nicht gebührt;
er steckt aller Untugend voll.

Eva spricht:

O solichs weiß ich selber wohl.
Da kommt Abel, der liebe Suhn.
Hast du die Schäflein füttern tun?
Geh, such Cain, den Bruder dein,
und sag ihm, daß er komm herein.

Abel spricht:

Ja, liebe Mutter, das tu ich gern,
förcht doch, er werd mich schlagen wer'n,
wenn ich ihn heiß herheimer gahn.

Eva spricht:

Ei, er wird dir gar nichts nicht tan.
Wie habn von einem Engl vernommen,
der Herr werd morgen zu uns kommen.

Abel spricht:

Ach, des freu ich von Herzen mich,
daß den Herren soll sehen ich,
von dem mir viel gesaget hat
du und der Vater früh und spat.
Nun ich will suchen den Bruder mein.

Adam spricht:

So wöll wir in das Haus hinein,
das zieren auf das schönst und best
auf Gott und die englischen Gäst,
und wöllen das in allen Ecken
mit schön grünen Maien bestecken,
daß es wird lustig und wohl schmecken.

Sie gehen alle ab.

Actus 2.

Abel geht ein, redt mit ihm selb und spricht:

Wo soll ich nur den Cain finden?
Er ist etwan unter den Kinden;
hab ihn lang gesucht hin und her,
konnt nicht wohl wissen, wo er wär.
Schau, schau, wer lauft so gschwind herein?
Es wird wahrlich mein Bruder sein;

er ists, es ist nicht recht zugangen,
er hat abr ein Unglück angfangen.
Cain, Cain, wannher so gschwind?

Cain kommt und spricht:

Wer ruft mir? Schau, du Mutterkind,
bist dus? Ich hätt ein Lust zu wagen,
die Faust dir an den Kopf zu schlagen.

Abel spricht:

Cain, komm herein schnelliglich,
die Mutter die muß waschen dich.

Cain spricht:

Ich hab itzunder ein' gewaschen;
hättn mich die Buben tun erhaschen,
sie hätten wieder gewaschen mich.

Abel spricht:

Du fleißt allmal des Haders dich,
ich mein, du wöllst ein Mörder wer'n.

Cain spricht:

Ich wills einmal versuchn auf Er'n
an dir, du Schalk, hast dus vernommen?

Abel spricht:

Gott der Herr wird morgn zu uns kommen
mit den lieben Engelen sein;
drum mach dich auf und komm herein,
daß du dich badest, schmückst und zierest,
auf das Fest den Herren glorierest.

Cain spricht:

Das Fest sei gleich hoch oder nieder,
ficht mich nicht an, ich will gehn wieder
zum Spiel und meinen Spielgesellen.

Abel spricht:

Ei komm, du mußt dich auch darstellen
dem Herrn als ein gottselig Kind.

Cain spricht:

Ich will mich wohl listig und gschwind
stellen, sam ich gottsförchtig sei,
doch bleiben wohl ein Schalk darbei.
Wer sagts, daß Gott werd zu uns kommen?

Abel spricht:

Ich habs von der Mutter vernommen.

Cain spricht:

Der Herr blieb mir viel lieber daußen.

Abel spricht:

Ach, wie magst du so gottlos hausen?
Betn wir nicht, daß Gott zu uns kumm
und uns behüte um und um?

Cain spricht:

Hab wohl also bet heur und fert,
doch seiner Zukunft nie begehrt.
Ich nehm dies Lebn, das Gott hat geben,
und ließ Gott sein ewiges Leben;
wer weiß, wie es dort zu wird gehn!

Abel spricht:

Wie magst du also gottlos stehn,
förchtst du dich denn nicht vor der Hell?

Cain spricht:

Was Verdammnus? O lieber Gsell!
Der Vater sagt wohl viel darvon,
das ich doch nie geglaubet hon.

Abel spricht:

Du wirsts einmal wohl innen wer'n.

Cain spricht:

Du Lecker, willt du mich erst lehrn?
Ich weiß wohl, was ich glauben soll.
Will mich der Herr nicht haben wohl
im Himml, mich hat der Teufel gern.

Abel spricht:

Komm, Cain, wie magst so gottlos wer'n?
Der Vater sagt, du sollt bald kommen.

Cain spricht:

Ich hab es wohl von dir vernommen.
Wenn ich nicht förcht' die Ruten mehr
denn Gottes Ghorsam, Forcht und Ehr,
so blieb ich in der Gaß herunten,
käm noch nicht heim in zweien Stunden.

Sie gehen beide ab.
Adam und Eva kommen.

Adam spricht:

Wenn kommen unser Sühn herein?

Abel geht ein.

Eva spricht:

Da kommt unser Abel allein.

Adam spricht:

Abel, wo bist gewest so lang?

Abel spricht:

Ich hab getan ein weiten Gang
und sucht Cain, der loff daher
und brummet wie ein wilder Bär
und hätt sich mit den Buben gschlagen.

Eva spricht:

Ach lieber Gott, ich muß dirs klagen,
was soll' wir mit dem Lecker tun?

Adam spricht:

Wo ist der ungeraten Suhn?

Abel spricht:

Er sitzet daußen vor der Tür
und schauet gar tückisch herfür.

Adam schreit naus:

Cain, Cain, komm, wo bist du?
Komm rein zu mir und hör mir zu.

Cain redt mit ihm selb:

Du rufest noch wohl dreimal mir,
eh daß ich gib ein Antwort dir.

Adam spricht:

Wo bleibst, Cain? Komm rein zu mir!

Eva spricht:

Komm, Cain, der Vater ruft dir.

Cain spricht:

Ich sitz allhie, wo sollt ich sein?

Adam der spricht:

Laß baden dich und komm herein,
kämmen und putzn auf den Festtag,
dich zieren nach des Herren Sag,
zu opfern, betn und Predig hörn.

Cain spricht:

Ach, was willt mich damit betörn!
Ich wollt, daß Opfer, Predig und Bet
nie wär erdacht, wann ich wollt spät
viel lieber Füchs und Hasen jagen,
denn hören viel vom Glauben sagen,
oder mit bösen Buben laufen,
spielen und mit ihn' schlagn und raufen.

Adam spricht:

Ach, du läßt von deinr Schalkheit nicht,
du bist gottlos und gar entwicht.
Gott wird morgn komm, verhören fast,
was du Gutes gelernet hast.

Cain spricht:

Des Guten wird nicht gar viel sein,
ich will dem Herren wohl allein
opfern ein große Garben Stroh
für mein Gebet, des wird er froh.

Adam spricht:

Unserm Herren ist mehr allwegen,
viel mehr an dem Gehorsam glegen
denn an Opfer wahrhaftiglich;
drum laß auf das best baden dich,
daß d' erscheinst vor dem Herren rein.

Cain spricht:

Ich will wohl ungewaschen sein.
Wenn mich die Buben tun erhaschen,
werd ich wohl um den Kopf gewaschen,
daß mir rinnt übers Maul das Blut.

Eva spricht:

Hör, was der Lecker sagen tut!
Weil er nicht will gebadet sein,
so bleib er ein Unflat allein.

Cain spricht:

Ja, Mutter, du redst recht darvon,
auf die Weis will ich bleiben nun.

Eva spricht:

So komm, Abel, laß waschen dich
samt andern Kinden ghorsamlich,
wenn der Herr morgen ein wird gahn,
daß ihr sauber vor ihm tut stahn.
So wird der Herr den Cain finden
mit andern unghorsamen Kinden
unlustig, zottet wie die Säu,
sam sind sie glegen in der Streu,
ein wüste, zerhaderte Rott.

Abel spricht:

Ja, Mutter, ich will dir und Gott
gar willig und gehorsam sein,
dieweil ich hab das Leben mein,
samt andern frommen Kinderlein.

Sie gehen alle ab.

Actus 3.

Adam und Eva gehen ein, und Abel selbsechst,
und Cain auch selbsechst.

Adam spricht:

Eva, ist das Haus auch geziert,
auf daß, wenn der Herr kommen wird,
daß es alls schön und lustig steh,
wie ich dir hab befohlen eh?

Eva spricht:

Alle Ding war schon zubereit
ja nächten um die Vesperzeit.

Adam spricht:

Ihr Kinderlein, ich sich den Herrn
mit sein Engeln kommen von fern.
Nun stellt euch in die Ordnung fein,
und bald der Herre tritt herein,
neigt euch und bietet ihm die Händ.
Schau zu, wie stellt sich an dem End
der Cain und sein Galgenrott,
sam wöllen sie fliehen vor Gott!

Der Herr geht ein mit zweien Engeln, gibt den Segen und spricht:

Der Fried sei euch, ihr Kinderlein.

Adam hebt seine Händ auf und spricht:

O himmelischer Vater mein,
wir danken in unsrem Gemüt,
daß du uns Sünder durch dein Güt
heimsuchst in unser Angst und Not.

Eva hebt ihr Händ auf und spricht:

Ach du treuer Vater und Gott,
wie soll wirs verdienen um dich,
daß du kommst so demütiglich
zu uns Elenden an dies Ort!
Dieweil ich hab veracht dein Wort
und gefolgt der hellischen Schlangen,
da ich die größt Sünd hab begangen
wider dich, drum wird mein Gewissen
bekümmert, geängst und gebissen.

Der Herr spricht:

Mein Tochter, sei zufrieden eben,
deine Sünde seind dir vergeben,
wann ich bin barmherzig und gütig,
genädig, treu und gar langmütig,
ein Vater der trostlosen Armen.

Ich wird mich über euch erbarmen,
so ich euch send in meinem Namen
des verheißenen Weibes Samen.
Der wird von Übel euch erlösen,
zertreten die hellischen bösen
Schlangen; doch mittlet Zeit und fort
sollt ihr euch halten an mein Wort
mit eim festen und starken Glauben,
und laßt euch des niemand berauben.
Das soll dieweil euer Trost sein.

Adam spricht:

O himmelischer Vater mein,
des sei dir Lob, Dank, Preis und Ehr
itzund, ewig und immer mehr.
Nun, ihr Kinder, euch hieher macht,
mit Reverenz den Herrn entpfacht.
Sich, sich, wie sich der Cain stellt,
mit seiner Rott so ungschickt hält
und wendt unserm Herrgott den Rück!
Wendt euch und habt euch alls Unglück,
entpfacht ihn nach einander rum.

Cain entpfächt den Herrn mit der linken Hand und spricht:

Herre, nun bis mir willekumm.

Eva spricht:

Ei, reicht ihr denn an diesem End
unserm Herrgott die linken Händ?
Ziecht auch eure Hütlein nicht ab,
wie ich euch vor gelehret hab,
ihr groben Filz ohn Zucht und Ehr!
Mein Abel, kumm zum Herren her
samt den ghorsamen Brüdern dein,
entpfahet Gott den Herren fein.

Abel beut dem Herrn die Hand, samt den frommen Kindern, und spricht:

O Herrgott, du himmlischer Vater,
ich dank dir, du höchster Wohltater,
der du dich unser so gnädiglich
annimmst, wer kann voll loben dich?

Der Herr spricht:

Abel und diese fünfe sind
gehorsam wohlgezogne Kind.
Kommt, tut näher zu mir hertreten.
Saget mir her, wie könnt ihr beten?

Sie legen die Händ zusammen.

Abel spricht:

O Vater in dem Himmelreich,
wir bitten dich andächtigleich,
du wöllst uns senden allermeist
dein heiligen himmlischen Geist,
der uns erleucht mit der Lieb Flammen,
daß wir heiligen deinen Namen
und den in Nöten rufen an.
Laß uns kein falsche Zuflucht han
zu irgend einer Kreatur,
dardurch dein Nam gelästert wur.

Set, der ander Bruder, spricht:

Himmlischer Vater, wir bittn gleich,
laß uns zukommen auch dein Reich
durch dein heilig tröstliches Wort,
daß uns dasselb regiere fort;
laß das unser Lucerne sein,
darnach wir wandlen allgemein.

Jared, der dritt, spricht:

Laß dein Willen gschehen auf Erden,
wie bei den Engln im Himmel werden,
daß wir ganz leben nach deim Willen;
hilf unser böse Natur stillen,
durch Kreuz und Leiden täglich dämpfen,
daß unser Geist mög freidig kämpfen,

dem Fleisch und Blut mög angesiegen,
daß es sich muß ducken und schmiegen
samt der Vernunft, daß nur allein
in uns gschech der gut Wille dein.

Enoch, der viert, spricht:

Auch bitt wir, allmächtiger Gott,
Vater, um unser täglich Brot
und alle Notdurft über Tag,
daß alles uns durch dein Zusag
zufällt gnädig zu aller Zeit.
Herr, bhüt uns vor der Geizigkeit,
die ein Wurzl alles Übels ist,
und vergib uns in dieser Frist
unser Schuld, wie und wir vergeben
unsern Schuldnern von Herzen eben.

Matusalach, der fünft, spricht:

Ach himmlischer Vater, ich bitt,
führ uns auch in Versuchung nit,
sonder stärk uns durch deinen Geist,
zu überwinden allermeist
beständiglich alle Anfechtung
in aller Trübsal und Durchächtung,
und uns genädiglich ernähr
vor Ketzerei und falscher Lehr
des Satanas und seiner Glieder;
da hilfe uns, Herr, kämpfen wider.

Lamech, der sechst, spricht:

Auch bitt ich, Herr, tu uns erlösen
von allem Übel und dem Bösen
beide an Leib und auch an Seel,
in aller Angst, Not, Pein und Quäl
durch den gebenedeiten Samen,
den du uns hast verheißen, Amen.

Der Herr spricht:

Abel, was heißt das Wort Amen?

Abel spricht:

Daß wir darbei erkennen denn
ungezweifelt, du werdsts alls tan,
was wir von dir gebeten han.

[Es folgen einige Fragen über Gebetserhörung.]

Der Herr spricht:

Könnt ihr auch die zehen Gebot?

Lamech spricht:

Ja, himmlischer Vater und Gott.
Hilf, daß wir sie verbringen tunt,
wie wirs bekennen mit dem Mund.

Der Herr spricht:

Abel, wie heißt das erst Gebot?

Abel spricht:

Du sollt glauben an einen Gott,
nicht fremde Götter nebn ihm han.

Der Herr spricht:

Wie verstehst du das? Zeig mir an.

Abel spricht:

Wir solln auf Gott übr all Ding schauen,
ihn fürchten, lieben und vertrauen.

Der Herr spricht:

Set, wie heißt das ander Gebot?

Set spricht:

Du sollt den Namen deines Gott
nicht unnützlich und spöttlich nennen.

Der Herr spricht:

Was ist das gsagt? Tu mir bekennen.

Set spricht:

Wir solln Gott förchten, liebn und ehrn,
bei seim Namen nit fluchn und schwern,
zauberen, liegen noch betriegen,
sonder ihn loben unverschwiegen.

Der Herr spricht:

Jared, wie heißt das dritte? Sag.

Jared spricht:

Du sollt heiling den Sabbattag.

Der Herr spricht:

Was gebeut Gott an diesem Ort?

Jared spricht:

Daß wir solln hören Gottes Wort
und uns Gott gänzlichen ergeben
mit Gedanken, Wort, Werk und Leben.

Der Herr spricht:

Enoch, was tut das vierte lehrn?

Enoch spricht:

Du sollt Vater und Mutter ehrn.

Der Herr spricht:

Wie verstehst das Gebot allein?

Enoch spricht:

Wir solln den Eltern ghorsam sein,
ihn' dien', sie halten lieb und wert,
so werd wir lang leben auf Erd.

Der Herr spricht:

Matusalach, zeig das fünft Gbot.

Matusalach spricht:

Du sollt niemand schlagen zu tot.

Der Herr spricht:

Was ist das gsagt? Du mich bescheid.

Matusalach spricht:

Wir solln dem Nächsten tun kein Leid,
sonder vor Schaden bhütn auf Er'n,
ihm tun, wie wir von ihm begehrn.

Der Herr spricht:

Lamech, tu mir das sechst aussprechen.

Lamech spricht:

Das heißt: du sollt nich ehebrechen.

Der Herr spricht:

Wie tust du das Gebot verstahn?

Lamech spricht:

Wir solln ein züchtig Leben han
in Gedanken, Werken und Worten
im Ehstand und an allen Orten.

Der Herr spricht:

Abel, wie heißt das siebent Gbot?

Abel spricht:

Du sollt nicht stehlen, so spricht Gott.

Der Herr spricht:

Sag, wie man das vernehmen tut?

Abel spricht:

Da soll wir dem Nächsten sein Gut
nicht entfremden oder abliegen
mit Wucher, Raub oder Betriegen.

Der Herr spricht:

Set, wie heißt das acht? Sag mir eben.

Set spricht:

Du sollt kein falsche Zeugnus geben
wider den Nächstn aus Neid und Haß.

Der Herr spricht:

Sag mir her, wie verstehst du das?

Set spricht:

Mit Nachred sollt niemand verliegen,
verraten, versagn noch betriegen,
nicht verkleinern an Grücht und Ehrn.

Der Herr spricht:

Jared, was tut das neunte lehrn?

Jared spricht:

Sollt nicht begehrn deins Nächsten Haus.

Der Herr spricht:

Sag mir, was lehrest du daraus?

Jared spricht:

Wir sollen nicht begehrn im Land
des Nächsten Wird, Ehr oder Stand,
ihm nicht gefährlich darnach stelln.

Der Herr spricht:

Enoch, das zehent tu erzähln.

Enoch spricht:

Sollt nicht begehrn, das zehent sagt,
deins Nächsten Weib, Knecht oder Magd,
Viech oder deines Nächsten Gut.

Der Herr spricht:

Sag, was dasselb gebieten tut?

Enoch spricht:

Daß wir Weib und Gsind nit verführn
dem Nächsten, das nicht tut gebührn,
abspännen und abwendig machen.

[Es folgt eine Katechisation über die drei Artikel
des Glaubens.]

Der Herr spricht:

Ihr Kindlein, ihr kennt meine Wort.
Nun fahret darin immer fort;
darzu will ich geben mein' Geist,
der euch lehret, tröstet und speist,
daß ihr kommt zum ewigen Leben.
Will auch in dieser Zeit euch geben
Glück unde Heil auf dieser Erden,

daß groß Leut aus euch sollen werden,
als Kün'g, Fürsten und Potentaten,
Gelehrt, Prediger und Prälaten,
auf daß in Ehren werd erkannt
euer Nam ruhmreich in all Land.
Darzu so habt euch meinen Segen,
der bleib auf euch iezt und allwegen.

Raphael, der Engel, spricht:

Zu Lob wöllen wir Gott hofieren
mit Saitenspiel, Singen, Quintieren,
dieweil sein Gnad steht ganz aufrecht
zu dem ganzen menschlichen Gschlecht,
wie ers zum ewing Leben brächt.

Sie gehen alle ab.

Actus 4.

Cain geht ein mit seiner bösen Rott, samt dem Satan, und spricht:

Wie wöll wir armen Schlucker tan,
wenn uns der Herr auch redet an,
daß wir ihm sollen Antwort geben
vom Glaubn, Gebet, Gebot und Leben?
Ich weiß ihm zu antworten nicht.

Datan, der Aufrührisch, spricht:

Solch Disputiern mich nicht anficht.
Hätt ich darfür Würfel und Karten,
der wollt ich fleißiger auswarten,
oder zu spielen in dem Brett,
wär lieber mir denn das Gebet,
da mir etwan geriet ein Schanz.
Mit dem Glauben ich gar und ganz
den meinen Kopf nicht brechen will.

[Die andern Brüder sprechen sich in gleicher
Weise aus.]

Satan, der Teufel, spricht:

Ihr seid all unter meinem Fahnen;
darum kehrt euch nur nit an Gott,
veracht seine Wort und Gebot.
Ich bin ein Fürst der ganzen Welt,
kann schaffen euch Gwalt, Ehr und Geld;
da mögt ihr allm Wollust nachlaufen,
spielen, buhlen, fressen und saufen
und euch der jungen Tag wohl nieten.
Tut unserm Herrgott den Trotz bieten.
Seid auch unghorsam Muttr und Vater.
Ich will wohl sein euer Wohltater,
euch genug schaffen hie auf Erd,
alls was nur euer Herz begehrt.

Der Herr gehet ein mit Adam und Eva, der Satan verbirgt sich.

Der Herr spricht:

Cain, komm her mit deiner Rott,
sag mir an, wie bet ihr zu Gott?

Cain spricht:

Ach Herr, wir haben sein vergessen.

Der Herr spricht:

Bei deiner Red kann ich ermessen,
daß ihr sein nicht viel habt gelehrt,
sonder eur Sinn auf Schalkheit kehrt.
Nun, was du kannst, das bet mir her.

Cain spricht:

O Vater Himmel unser,
laß uns dein Reich geschehen,
in Himmel und in Erden sehen,
gib uns Schuld und täglich viel Brot
und alles Übel, Angst und Not. Amen.

Der Herr spricht:

Wer lehrt dich das verkehrt Gebet?

Eva spricht:

Ach lieber Herr, ich lehrt ihn stet.
Es hilft kein Straf; was ich tu sagen,
er tut es alls in den Wind schlagen
samt denen, so hie bei ihm stahn,
nahmen kein Zucht noch Straf nie an,
tunt aller Hoffnung mich berauben.

Der Herr spricht:

Du, Datan, sag mir her den Glauben.

Datan spricht:

Ich glaub an Gott, Himmel und Erden,
und auch des Samens Weib muß werden
und des heiligen Geistes Namen,
die Sünde, Fleisch und Leben. Amen.

Der Herr spricht:

Ist so kurz deines Glaubens Grund?

Datan spricht:

So viel ich kaum behalten kunnt.

Der Herr spricht:

Nabal, sag her die zehn Gebot.

Nabal spricht:

Herr, ich dacht nie, daß es tät not,
daß ich sie lehrt, ich kann ihr keins.

Der Herr spricht:

Achan, du aber sag mir eins:
Gedenkst du auch selig zu werden?

Achan spricht:

Ich weiß wohl, wie es steht auf Erden,
wies dort zugeht, das weiß ich nicht;
doch wenn mich Gott darzu versicht,
daß ich auch selig werden söll,
so wird ich selig, tu was ich wöll.

Der Herr spricht:

Esau, was hältst vom Opfer du
in deim Herzen? Des sag mir zu.

Esau spricht:

Ich halt, Gott werd das ewig Leben
uns von des Opfers wegen geben,
darmit wir es Gott kaufen ab,
daß er uns darnach mit begab,
wo anderst ein ewigs Lebn ist.

Der Herr spricht:

Nimrod, sag mir zu dieser Frist,
was hältst du von dem ewing Leben?

Nimrod spricht:

Das will ich dir gleich sagen eben.
Was mein Augn sehen, glaubt das Herz;
nicht höher schwing ich es aufwärts,
ich nehm Ehr, Gut, Reichtum dermaßen
und wollt dir deinen Himmel lassen.

Der Herr spricht:

O wie gar ein glaublose Rott,
die ganz und gar nichts hält von Gott,
weder vom Glauben noch Gebet,
hängt nur an dem Irdischen stet,
was wohltut ihrem Fleisch und Blut
und der Satan einblasen tut!
Derhalben so müßt ihr auf Erden
hart und armutselig Leut werden,
als Baurn, Köbler, Schäfer und Schinder,
Badknecht, Holzhackr und Besenbinder,
Taglöhner, Hirten, Büttl und Schergen,
Kärrner, Wagenleut unde Fergen,
Jakobsbrüder, Schustr und Landsknecht,
auf Erd das hartseligst Geschlecht,
und bleiben grob und ungeschicket,
hergehn zerhadert und geflicket
hin und herwider in dem Land,
vor iedermann zu Spott und Schand.
Wo ihr euch nicht zu mir tut kehren,
Glauben, Gebot und Bet tut lehren,
werdt ihr auch endlich gar verdammt.
Darum, Abel, hab dir das Amt,
dein Brüder basser unterricht.

Abel spricht:

Herr, mein Fleiß will ich sparen nicht,
wo sie anderst mir folgen wöllen,
von mir sie all wohl lehren söllen
dich allein fürchten, liebn und ehrn.

Gabriel, der Engel, spricht:

Auf daß die Sünder sich bekehrn,
kommt her, ihr engelischen Krön,
mit eurem lieblichen Getön
zu Lob göttlicher Maiestat,
die all Ding wohl geordnet hat.

Sie gehen alle ab.

Actus 5.

Cain geht ein mit dem Satan und spricht:

Mein Brudr Abel ist wohl zu Hof,
er ist worden unser Bischof.
Der Herr treibt mit ihm großen Pracht,
uns sonst all verspott und veracht.
Söll wir uns alle vor ihm biegen
und ihm unter den Füßen liegen,
es wird uns gar hart kommen an.

Der Satan spricht:

Warum wollt ihr dasselbig tan?
Ihr seid doch gleich als gut als er,
kommt ihr doch all von Adam her;
darzu bist du der Erstgeborn,
dir soll die Schmach tun billig Zorn.

Cain spricht:

Ja, mir ist mein Gemüt und Herz
mit hässigem, neidigen Schmerz
erfüllt, daß es gleich übergeht.

Der Satan spricht:

Wenn er dir denn sträflich zuredt
und aus dir treibet seinen Spott,
so schlag du ihn einmal zu tot,
so kommst du sein mit Ehren ab.

Cain spricht:

Langst ich das ausgesunnen hab.
Jtzt wirds gleich gut, so wir all zween
aufs Feld naus zu dem Opfer gehn.
Will ich ihn erschlagen und eingraben,
daß wir darnach Ruh vor ihm haben.

Abel kommt und spricht:

Bruder, wöll wir ein Opfer tan?

Cain, sein Bruder, spricht:

Ja wohl, fach du am ersten an.

Sie opfern beid.

Der Herr kommt und spricht:

Cain, warum ergrimmst auf Erd,
warum verstellt sich dein Gebärd?
Ists nicht also? Wenn du wärst frumm,
so wärst du angnehm, und darum,
bist aber bös, so glaube mir,
die Sünd bleibt nicht verborgn in dir.
Du sollt die Sünde in dir stillen
und ihr nicht lassen ihren Willen.

Der Herr geht ab.

Abel kniet bei seinem Opfer, Cain, sein Bruder, spricht:

Bruder, mein Garb hab ich ausdroschen,
darum mein Opfer ist erloschen;
dein Feists vom Schaf das flammet sehr.

Abel spricht:

In allen Dingen Gott die Ehr,
der uns Seel, Leib, Ehr, Gut und Leben
umsonst aus Gnaden hat gegeben!

Satan zeigt Abel zu töten; Cain schlägt ihn nieder,
der Satan hilft ihn zudecken und fleucht.

Der Herr kommt und spricht:

Cain, wo ist Abl, der Bruder dein?

Cain spricht:

Soll ich meins Bruders Hüter sein?
Was ficht mich wohl mein Bruder an?

Der Herr spricht:

O Cain, was hast du getan!
Die Stimm von deines Bruders Blut
Zu mir in Himmel rufen tut.
Die Erden die sei auch verflucht,
der' Mund deins Bruders Blut versucht,
das sie entpfing von deinen Händen,
soll unfruchtbar sein an den Enden
und ihr Vermögen dir nicht geben.
Auch so sollt du durch all dein Leben
auf Erd flüchtig und unstet sein.

Der Satan redt Cain in ein Ohr und spricht:

O Cain, itzund bist du mein.
Gelt, du wirst iezt von deim Gewissen
geängst, gemartert und gebissen,
daß dir die Welt zu eng will werden.
Du bist verfluchet samt der Erden,
Gott und Menschen ist wider dich
und all Kreatur auf Erdrich,
weil du dein Bruder hast erschlagen;
drum mußt verzweifeln und verzagen,
es wird kein Buß dir hilflich sein.

Cain spricht:

Viel größer ist die Sünde mein,
denn daß sie mir vergeben werd,
und du treibst mich von dem Angsicht dein,
ich muß flüchtig auf Erden sein.
So wird mirs gehn nach diesen Tagen;
wer mich findt, der wird mich erschlagen.

Der Herr spricht:

Nein, Cain, wer dich schlägt auf Erden,
soll siebenfalt gerochen werden;
da mach an dich ein Zeichen ich,
daß niemand soll erschlagen dich.

Der Satan führt Cain ab, spricht:

Cain, tu dich an ein Baum henken
oder in eim Wasser ertränken,
auf daß du kommst der Marter ab
und ich an dir ein Hellbrand hab.

Sie gehen beide ab.

Adam kommt weinend mit der Eva und spricht:

Ach Herr und Gott, laß dir es klagen,
Cain hat unsern Abl erschlagen,
das fromme gehorsame Kind,
des wir leider beraubet sind
von Cain, der mit Wort und Taten
war unghorsam und ungeraten
und uns auch nie kein Gut wollt tan,
kein Zucht noch Straf wollt nehmen an.
Ach lieber Herr, tröste doch uns
ob dem Tod unsers frommen Suhns!
Herr, da liegt das unschuldig Blut.

Der Herr spricht:

Ihr Engel, bald begraben tut
den Abel und bringt her den Set,
auf daß er von mir werd bestät'
für Abel, den sie habn verlorn.
Set soll nun sein der Erstgeborn.

Die Engel tragen Abel aus.

Eva spricht:

O lieber Herr, willt du das tun?
Set ist auch ein ghorsamer Suhn,
von dem ich werde getröst zuletzt
und alles Herzleids werd ergetzt.

Die Engel bringen Set.

Der Herr spricht:

Den Set sollt ihr annehmen tun
für Abel, euren lieben Suhn,
von dem ich wahrhaft kommen laß
des Weibes Samen fürebaß
auf einen nach dem andern her,
bis mit der Zeit doch kommet der
verheißen Sam und der Heiland,

der euch löst aus des Fluches Band,
auf daß ihr kommet allgeleich
zu mir in das himmlische Reich
und mit mir lebet ewigleich.

Sie gehen alle ab.
[Es folgt ein Epilog des Herolds.]

Ein Comedi, mit zehn Personen zu rezitiern, Doctor Reuchlins im Latein gemacht, der Henno.

Die Person' in die Comedi:
Ehrnhold
Henno, der Bauer
Elsa, die Bäurin
Dromo, der Baurenknecht
Gredta, die Nachbäurin
Alcabicius, ein Sternseher
Danista, der Gwandschneider
Petrucius, ein Procurator
Minos, der Richter
Abra, des Bauren Tochter

Der Ehrnhold tritt ein und spricht:

Gelück und Heil und alles Gut
wünsch ich euch aus fröhlichem Mut,
den ehrbarn Herrn und züchting Frauen.
Zu euch komm wir auf gut Vertrauen,
ein deutsch Comedi hie zu machen,
kurzweilig fein und gut zu lachen.
Schrieb im Latein der hochgelehrt
Doctor Reuchlin, der Rechtn Gelehrt,
von einem Bauren, genennt Henno.
Der findt ein heimlichn Schatz alldo,

der ist gewesen seiner Frauen,
den er gibt seinem Knecht auf Trauen,
daß er ihm in die Stadt soll laufen
und Tuch zu einem Rock ihm kaufen.
Da nimmt der Knecht das Tuch auf Borg,
behält ihm auch das Geld ohn Sorg,
verkauft dasselb Tuch wiederum,
behält ihm auch dieselbig Summ.
Darum er wird für Recht gestellt,
da er zum Fürsprech ihm erwählt
ein gar schalkhaftigen Juristen,
der ihn errett mit argen Listen,
daß er wird aller Sach gefreit.
Der Bauer ihm sein Tochter geit,
daß er ihm doch ansage frei,
wie alle Sach verloffen sei.
Nun schweiget still und habet Ruh!
Da tritt des Bauren Weib herzu.
Nun höret, was sie sagen tu!

Actus 1.

Elsa, die Bäurin, geht ein und spricht:

Ach wie ein armutselig Stand
ist, den wir arme Weiber hant,
welche sind mit der Eh verbunden!
Das hab ich Arme wohl empfunden,
die ich hab einen losen Mann.
Was ich erkratzet und gewonn

mit Kargheit und häuslichen Sorgen,
mit Spinnen Abend und den Morgen,
desselb mein Mann mir alls versäuft,
verspielt, wo er zun Gsellen schleuft.
Des geh ich her zerrissen gar.
Kein Zopf flicht ich mehr in mein Haar,
es ist ganz borstet, wie ein Igel.
Ich putz mich auch vor keinem Spiegel.
Ich weiß mich schier kaum zu ernähren,
wenn sich mein Narr nit will verkehren.

Henno, der Bauer, schleicht hinein und spricht:

Ich will gehn schleichen dahinum
und hören, was mein Weib doch brumm,
ob sie vielleicht sei innen worn,
daß ich ihrm Beutel hab geschorn
und ihn heimlich gemachet leer.
Aber es wundert mich, woher
das Weib so viel gesammlet hat,
weil ich auch arbeit früh und spat
und kann doch in eim ganzen Jahr
ein Pfund kaum drübring also bar.
Aber meim Weib hab ich gestohln
acht Gülden, die hätt sie verhohln
im Heu, unter der alten Krippen.
Der Ritt schütt meinem Weib die Rippen,
die mehr gewinnt mit ihrem Sparn,
denn ich mit Arbeit mag erfahrn!
Das mag ich zu meim Gwinn auch rechen

mein täglich Spielen und mein Zechen,
mein Buhlen, Badn und was ich tu.
Mir fällt ein altes Sprichwort zu:
Ein Sparer muß ein Zehrer han.
Nun will ich zu ihr an hingahn,
hören, was sie für Teidung treib.
Ein guten Abend, liebes Weib!

Elsa, die Bäurin, spricht:

Ja wohl, fürwahr, mir kommen tut
zu spat am Abend alles Gut,
daß ich mein Haut gar kaum ertrag.
Zu Nacht ich oft kaum ödnen mag
vor Arbeit, die mirn Tag zusteht.

Henno, der Bauer, spricht:

Über uns alle Arbeit geht.
Noch habn wir beide nichts darvon.
Ein Jahr ich kaum erobern konn
von Arbeit ein zwilchene Joppen.
Stroh muß ich in mein Stiefel schoppen.
So sind mein Hosen all geflicket,
daß ich mich schäm, wer mich anblicket.
So ich ehrbarn Leuten bring
Käs, Milch, Schmalz und ander Ding.
Des hab ich fürgenommen mir,
den Gwandschneider zu bitten schier
um Tuch; du weißt wohl, wen ich mein.

Elsa, die Bäurin spricht:

Ich weiß wohl in der Stadt, der ein
sehr karger Gwandschneider ist,
der unser Tochter zu der Frist
zu einer Dienstmagd haben wollt.

Henno spricht:

Du redest recht. Ich glaub, er sollt
mir borgen zehn Elln Tuch.
Was schadts, ob ichs mit ihm versuch
und schick Dromone, unsern Knecht,
in d' Stadt, ob er das Tuch mir brächt?

Elsa, die Bäurin:

Versuchs, ob er dir wölle borgen!
Ich muß hinaus, mein Viech versorgen.

Sie geht ab. Henno schreit:

Hör, Dromo, Dromo! komm her zu mir!

Dromo, der Knecht, spricht:

Jetzt komm ich! was gebricht doch dir?

Henno, der Bauer spricht:

Zu einer Sach bedarf ich dein,
da mußt du gar verschwiegen sein.
Du weißt: mein Weib zu keiner Zeit
kein Haller an ein Zech mir geit,
und ich teil ihr mein Arbeit mit,
sie aber tut dergleichen nit.
Des hab ich gester ihr zu Tratz
auch nachgesuchet ihrem Schatz
und hab in ihrem Beutel funden
acht Gülden in der Krippen unten,
die sie erspart hat hinter mir.
Das will ich offenbaren dir.
Nimm hin das Geld und bring es spat
dem Gewandschneider in der Stadt,
welcher Danista ist genannt,
der mir lang Zeit ist wohl bekannt!

Dromo, der Knecht, spricht:

Ich kenn ihn, als ich billig soll.
Dargegen kennt er mich auch wohl.
Sag weiter an, was dir noch fehlt!

Henno, der Bauer, spricht:

Ei, daß er mir für dieses Geld
ein fünfzehen Ellen Tuchs schicket,
daß ich nit geh so gar geflicket,
wo ich wollt zechen oder baden

oder sonst etwan würd geladen.
Darum so richt es fleißig aus
oder komm mir nit in das Haus!

Dromo, der Baurenknecht spricht, nachdem der Bauer abgeht:

Ach lieber Herr, sag nur mitnichten!
Die Sach weiß ich frei auszurichten,
nämlich, daß ich mich selbs versorg
und bring das Tuch heraus auf Borg
und die acht Gülden mir behalt.
Gott gäb, wie halt das Tuch werd zahlt!
Und darnach will ich weiter laufen
und das Tuch um bar Geld verkaufen,
dasselbig Geld mir auch behalten.
Der Jahrritt soll des Bauren walten!
Ob er gleich wird der Schalkheit innen,
wird ich etwan ein Ausred sinnen.

Der Knecht geht ab. Elsa, die Bäurin, kommt und spricht:

Mein Mann allzeit groß Armut klagt,
verschlemmt doch alls, was er erjagt,
unnützlichen, als wärens Spreuer.
Sooft mir Geld ist worden heuer,
nahm ich darvon den Zehent mein.
Darnach ich wechslet Gülden ein
und hab zsammbracht acht Gülden alt,

die ich in der Krippen behalt.
Das ist meins Herzen Lust und Gier.
Ich schau sie oft den Tag wohl zwier.
Ich zähls ein Tag oft siebenmal,
ob ich noch hab mein alte Zahl.
Jetzund ich aber darzu maus,
weil Mann und Knecht sind beide aus.

Sie zeucht den Beutel herfür, spricht:

Liebs Beutelein, laß sehen dich!
Sag mir bald! wie gehabst du dich?
O weh! hat dich alls Unglück troffen?
Wie stehn dir all dein Fächer offen?
O weh! das ist mein Beutel nicht.
Jo, jo, mich trieg denn mein Gesicht.
Weh des Unglücks, das mir zusteht!
O mein liebe Nachbäurin Gred,
kommt mir zu Hülf in meiner Angst!
Im Grund ich bin verdorben langst.

Gredta, die Nachbäurin, kommt gelaufen und spricht:

Ach, Nachbäurin, gesegnet seist!
Was ist dir, daß du also schreist?

Elsa, die Bäurin, spricht:

Ach, ich bin in den Grund verdorben.
Mein Leben ist wohl halb erstorben.
Mein Nahrung die ist mir entwendet.

Gredta, die Nachbäurin, spricht:

Sag mir! wie hat sich das geendet?

Elsa, die Bäurin, spricht:

Ich hätt wohl acht Gülden gesammlet,
heimlich hinter meim Mann verdammlet,
in der Krippen im Heu vergraben;
und so ich ietzt das Geld will haben,
so find ich einen leeren Beutel,
ohn allen Schatz, ganz leer und eitel,
und alles Geld; mir Armen!
Ihr Götter, laß euch das erbarmen!

Gredta, die Nachbäurin, spricht:

Ich weiß wohl, was wir sollen tan.

Elsa, die Bäurin, spricht:

Ach, liebe Nachbäurin, sag an!

Gredta, die Nachbäurin:

In der Stadt sitzt ein glehrter Mann,
der den Leuten wahrsagen kann.
Zu dem wöllen wir gehn hinein,
um ein Schilling erfahren fein,
daß er uns anzeig deinen Dieb.

Elsa, die Bäurin, spricht:

O Nachbäurin, das ist mir lieb.
Der Schillinger wird nützer sein
und besser, dann der Zoll am Rhein.

Gredta, die Nachbäurin, spricht:

Wohlauf, so wöll wir hinein gahn.

Elsa, die Bäurin, spricht:

Ja, gleich, weil abwegs ist mein Mann.

Sie gehen alle beid ab.

Actus 2.

Alcabicius, der Sternseher, gehet ein mit eim Instrument, spricht:

Der Ptolomäus beschreiben tät
ein Buch Alarmacabalet,
und welcher tut darin studiern,
der lehret die Kunst in dem Gstirn
Der Planetn und der zwölf Zeichen,
die schweren Aspect dergeleichen.
Aus dem ist ihm zu wissen ring
auf Erden ein iegliches Ding
zukünftig oder angefangen,
gegenwärtig oder vergangen.

Gredta und Els kommen. Gred spricht:

Hörst, was der Sternseher kann
aus seinem Zirkel zeigen an?
Soll ich von deinem Schatz ihm sagen?

Elsa, die Bäurin, spricht:

Ja wohl, wir wöllen darnach fragen.

Alcabicius, der Sternseher, spricht:

Wer ist dahinten, der da redt?

Gredta, die Nachbäurin, spricht:

Ein dürftig Weib, mich recht versteht!

Alcabicius, der Sternseher, spricht:

Das Haus liebet gar nit die Armen,
allein die Reichen und die Warmen,
und treibt die Armen allzeit aus.
Ihr Armen, weichet aus dem Haus!

Gredta, die Nachbäurin, spricht:

Ach, diese Frau wär reich genug,
wo nit wäre der Dieb Betrug,
die ihr das Geld gestohlen haben,
das sie heimlichen hätt vergraben.

Alcabicius, der Sternseher, spricht:

Zu welcher Zeit dasselbig? sag!

Gredta, die Nachbäurin, spricht:

Heut ist geleich der ander Tag.

Alcabicius schaut sein Polum, spricht:

Das muß man eben wissen; schau!
Stier, Ochs, Zwilling, Löw, Krebs, Jungfrau,
Wag und der Scorpion dergleichen,
der bedeutet ein böses Zeichen.

Elsa, die Bäurin, spricht:

Ja freilich, bös, bös überaus.

Alcabicius, der Sternseher, spricht:

Schweig, Weib! darnach das sechste Haus
ist wiederum ganz bös darbei.
Weib, sag, wo das geschehen sei!
In welcher Stund und welchem Punkt
ist das gschehen, wie dich bedunkt?

Elsa, die Bäurin, spricht:

Fürwahr, das kann ich wissen nicht,
weil unser Meßner ungleich richt.
Nach dem er trinkt, richt er die Uhr.
Wir richtn uns nach der Sonnen nur.

Alcabicius, der Sternseher, spricht:

Wer gar nichts weiß, von dem ist schwer
etwas zu forschen. Rat ohngefähr!

Elsa, die Bäurin, spricht:

Es ist um mittle Zeit geschehen.

Alcabicius, der Sternseher, spricht:

Nun wir das dritte Teil ansehen,
Mercurii auf diesen Tag,
der ist ein Herre dieser Frag.
Nun rührt euch nit und schweiget still!
Die Sach ich überschlagen will
mit Rechenpfenning nach der Kunst
und will es blad recht finden sunst.
Halt, halt, halt, halt! ich weiß es schon.
Der Dieb, der ist ein alter Mann,
ein Baur, und trägt auf seinem Kopf
ein roten Hut; derselbig Tropf
ist haarig an die Brust hinan.

Elsa, die Bäurin, spricht:

Das ist fürwahr geleich mein Mann.

Gredta:

Ei, schweig still!

Alcabicius, der Sternseher, spricht:

Der Dieb trinkt auch ahn Maßen gern
und kann auch nit voll Badens wer'n.

Elsa, die Bäurin, spricht:

Wahrlich, wahrlich, es ist mein Mann.

Gredta:

Ei, Liebe, schweig still!

Alcabicius, der Sternseher, spricht:

Darzu er auch wohl buhlen kann.

Elsa, die Bäurin, spricht:

Mein Mann ist aber dieser nicht.
Mit Buhlerei ist er entwicht.
Er liegt bei mir wie ein Hackstock,
unfreundlich wie ein Säutrog,
der nichts denn farzn und grölzn kann,
rührt mich oft in eim Jahr nit an.

Alcabicius spricht:

Er hat auch vor etlichen Jahrn.
freundlicherweis mit dir gefahrn.

Elsa, die Bäurin, spricht:

Der sagt von alten Dingen heint;
doch weiß ich noch nit, wen er meint.

Gredta spricht:

Schweig! schweig!

Alcabicius, der Sternseher, spricht:

In Summa, in dem Dorf er ist,
darinnen du wohnhaftig bist.
Nit weiter darf ich sagen dir.
Gib den verdienten Schilling mir!

Elsa gibt ihm den Schilling und spricht:

Meister, nimm hin verdienten Lohn!
O wie steck ich so voll Argwohn!

Alcabicius geht ab.

Nun ich hab ein Schillig erloffen.

Elsa, die Bäurin, spricht:

Fürwahr, er hat mein Mann troffen.

Gredta, die Nachbäurin, spricht:

Du findst viel Männer dergeleichen,
die an ihn' haben solich Zeichen.
Meinst, daß dein Mann dein' Beutel leer,
der dir ihn lieber machet schwer?

Elsa, die Bäurin, spricht:

O Gred, du weißt nit mein Anliegen.
Soll ich meins Geldes sein verziegen?
Schau, was hat Dromo und mein Mann
dort miteinander beid zu tan!

Gredta, die Nachbäurin, spricht:

Sie zanken sich beid miteinander.

Elsa, die Bäurin, spricht:

Wann kommt das Unglück alles sander.

Henno und Dromo kommen, und Dromo, der Knecht, spricht:

Der Tuchgwänder behältet beid
das Tuch und Geld mit dem Bescheid,
du sollst morgen zu ihm nein kommen.

Henno, der Baur, spricht:

Weil du das Tuch nit hast genommen,
sollt du dich han baß bedacht,
das Geld mir haben wiederbracht.
Sich! mein Frau geht her übers Feld.
Schweig! sag nit weiter von dem Geld!
Sag! was hat Danista geredt?

Dromo, der Knecht, spricht:

Dich er gar fleißig grüßen lät
und auch gar geren haben wollt,
daß ihm dein Tochter dienen sollt.

Henno, der Baur, spricht:

Dasselbig kann noch wohl geschehen.

Elsa, die Bäurin, spricht:

Der Dromo würds nit geren sehen,
weil sie einander haben lieb.
Jetzt kommt mir in mein Sinn der Dieb.

Henno, der Baur, spricht:

Wer ist der Dieb, darvon du sagst?

Elsa, die Bäurin, spricht:

Schweig! nur kein Ehr du hie erjagst.

Dromo spricht:

Wer ist der Dieb? du meinst leicht mich.

Elsa, die Bäurin, spricht:

Was sagt Danista? red für dich!

Dromo, der Baurenknecht, spricht:

Er wünscht viel Glück euch allen beeden.
Aufm Markt so wird er mit euch reden.

Henno, der Baur, spricht:

Es ist genug. Gott geb ihm Heil!

Elsa, die Bäurin, spricht:

Und aller Seligkeit ein Teil!

Sie gehen alle ab.

Actus 3.

Henno, der Baur, kommt mit der Bäurin und Dromo, spricht:

All Ding hab ich geordnet fein,
zu tragen in die Stadt hinein
Frücht, so mir sind gewachsen heuer,
ob ichs auch möcht verkaufen teuer.

Elsa, die Bäurin, spricht:

Was sollen wir denn mit uns tragen?

Henno, der Bauer, spricht:

Soll ich euch das denn also sagen?
Nehmt Rüben, Kraut, Zwiebel, Knoblach,
Milch, Käs und Schmalz und folgt mir nach!
Du, Dromo, nimm zween Büschel Heu
und folg mir nach über das Gäu!

Dromo kommt mit dem Heu, spricht:

Da komm ich; geh vor mir nur hin!
Dein treuer Knecht ich allzeit bin.

Sie gehen alle drei ab. Danista, der Gwandschneider, spricht:

Ich bin heint glegen und hab gesorgt,
hab gester eim Baurnknecht Tuch borgt.
Der sagt, sein Bauer würd heut kommen,
mich zahln; hab ihn doch nit vernommen.
Ich fürcht, der Bauer brauch Gefähr.
Dort geht er eben gleich daher.

Danista begegnet Henno, spricht:

Henno, bringst mir ietzt das Geld?

Henno, der Bauer, spricht:

Nein, Danista! du hast gefehlt.
Warum hast mir kein Tuch gesendt
bei meinem Knecht, Dromo genennt,
welcher dir hat geben die alten
acht Gülden, die du hast behalten?
Wo ich nit baß vertrauet dir,
würdst du verdächtlich sein bei mir.

Danista, der Gwandschneider, spricht:

Hast du doch das Geld und ich nit,
und ich hab dir vertrauet mit.

Henno, der Bauer, spricht:

So schwör ich, daß ich dir kurzab
die acht Gülden geschicket hab,
kein Tuch dargegen hab empfangen.

Danista spricht zornig:

Du leugst und daß du wärst gehangen!
Das Tuch hab ich geschicket dir,
und ist kein Pfenning worden mir.

Henno, der Bauer, schreit:

Dromo, komm her und sag mir eben?
Hat dieser Mann das Tuch dir geben?

Dromo spricht:

Nein.

Henno spricht:

Schau!

Danista, der Gwandschneider, spricht:

Sag! hast du mir acht Gülden bracht?

Dromo:

Nein.

Danista:

Schau!
Das hab ich mir wohl gedacht.

Henno, der Bauer, spricht:

Dromo, hab ich ein Tuch empfangen
an dem gestrigen Tag vergangen?

Dromo:

Nein.

Henno:

Schau!

Danista, der Gwandschneider, spricht:

Ja, glaub, ich hab dem frommen Gsellen
auf Borg geben fünfzehen Ellen,
ein blaues Tuch, daß er dirs brächt.

Henno, der Bauer, spricht:

Auf Borg? Hab ich doch meinem Knecht
acht Gülden in die Hand gezählt,
daß er dasselb dir bringen söllt!

Dromo, der Knecht, spricht:

Nein, Herr, dasselb besteh ich nit.

Henno, der Bauer, spricht:

Ei, daß schütt dich der Jahrritt!

Danista, der Gwandschneider, spricht:

Dir, Henno, hab ichs Tuch nit geben,
sonder deim Knecht, der steht hie neben.

Dromo spricht:

Dasselb gsteh ich auch nit also.

Danista, der Gwandschneider, spricht:

O, o du frummer Knecht Dromo!
Ein Mensch dreier Buchstaben scharf!
Ein Dieb ich nit wohl sagen darf.
Du bist mir noch nit übern Graben.

Dromo, der Knecht, spricht:

Was ist ein Mensch dreier Buchstaben?
Mich dünkt, du redst mir an mein Ehr.
Schweig stiller! Ich sag dir nit mehr,
weil ich nichts Unehrlichs hab tan.
Du mußt sunst für den Richter gahn.

Danista, der Gwandschneider, spricht:

Verheiß du mir, dich frei zu stelln
für das Gricht, ein Urteil zu fälln!

Dromo spricht:

Ja.

Danista spricht:

So verheiß mirs! Willt du das tan?

Dromo gibt ihm die Hand, spricht:

Ja, geh hin! Ich will nach hingahn.

Sie gehn beide ab.

Actus 4.

Petrucius, der Jurist, geht ein, redt wider sich selbs und spricht:

Man wird ietzt sitzen zu Gericht.
Bin doch von niemand bstellet nicht,
dem ich daran soll prokuriern!
Will niemand heut mein Händ mir schmiern?

Dromo, der Baurenknecht, kommt, neigt sich und spricht:

Du Rechtsprecher, gegrüßet seist!
Ein Vater der Armen du heißt,
ein Beschirmer und ein Ratgeb,
ein Redner, des geleich nit leb,
und ein Erfahrner der Gesetz.
Ich bitt: erbarm dich mein zuletz!

Petrucius, der Jurist, spricht:

Ich bin nit ein Vater der Armen.
Der Reichen tu ich mich erbarmen.
Die tragen mir Helküchlein zu.
Derselben ich mich nähren tu.
Der Armen hab ich keinen Gwinn.
Darum, du Armer, geh nur hin!

Dromo spricht:

Wie, wenn dir auch von meiner Sach
etwan zustünd ein Lohn zwiefach?

Petrucius, der Jurist, spricht:

Das wär ein Wort ohn allen Wandel.
Sag mir bald her! Was ist dein Handel?

Dromo, der Baurenknecht, spricht:

Kennst du Danista, den Gwandschneider?

Petrucius, der Jurist, spricht:

O ja, ein arger Wuchrer leider.

Dromo, der Baurenknecht, spricht:

Derselb mich fordert für Gericht
und mich für einen Dieb anspricht.

Petrucius, der Jurist, spricht:

Warum? Tu mir die Wahrheit sagen!
All Umständ muß man wohl erfragen.

Dromo, der Knecht, spricht:

Ich sollt ein Tuch meim Herren holen.
Der gab acht Gülden mir verstohlen.
Die behielt ich ohn alle Sorg
und nahm das Tuch von ihm auf Borg,
verkauft dasselb Tuch wiederum,
dasselbig Geld auch zu mir nuhm.
Nun sie mich beid darum anreden.
Ich aber laugn ihn' allen beeden,
weil ihr keiner beweisen kann,
von ihm etwas empfangen han.

Petrucius, der Jurist, spricht:

Du hast fürwahr ein gute Sach,
so du der acht Gülden hernach
die viere mir willt stellen zu.
Willt du nit, so verleurst du.

Dromo, der Knecht:

Wem sollt ich die vier Gülden geben?

Petrucius, der Jurist, spricht:

Mir, deinem Fürsprecher (merk eben!),
weil du durch mein Hilf wirst erledigt
von dem Wuchrer, bleibst unbeschädigt.

Dromo, der Knecht, spricht:

Ich will dir geben gleich die zween.
Erbarm dich mein und laß hingehn!

Petrucius, der Jurist, spricht:

Es soll sein (merk mich, was ich sag!),
sooft ich und der Richter frag,
daß du nichts anders sprichst denn Bläh
auf alle Frag, wie das geschäh.

Dromo, der Knecht, spricht:

Ich merk es wohl; ich will es tun.

Petrucius, der Jurist, spricht:

Verheiß mir die zween Gülden nun!

Dromo, der Knecht, spricht:

Ja, doch daß ich die Sach gewinn!

Petrucius, der Jurist, spricht:

Die Sach ist gewiß; geh du nur hin!
Der Richter sitzet zu Gericht.
Geh hin und hab kein Zweifel nicht!

Der Richter kommt, setzt sich:

Scherg, nun heiß schweigen bald die Leut!
Wo sind die Widersacher heut?

Danista kommt, neigt sich, spricht:

Herr Richter, da vernehmt mein Sach!
Über Dromonem ich hie klag.
Der ist in mein Gwandladen kommen,
hat fünfzehn Ellen Tuch genommen
auf Borg; den zwinget hie zumal,
daß er mir die acht Gülden zahl!

Minos, der Richter, spricht:

Was schweigst so lang auf die Anklag?
Hörst nit, was dieser auf dich sag?

Dromo spricht:

Bläh!

Petrucius, der Jurist, spricht:

Der arm Mensch gehört nit wohl.

Minos, der Richter, spricht:

Geh (den Armen man helfen soll)
und nimm ihn zu dir auf ein Ort
und tu getreulich ihm sein Wort!
Ihr Advokaten, tret herbei!
Schaut, daß ihr all bereitet sei!
Seins Vertrags keiner nit vergeß,
daß ihr nit werdt irr im Prozeß!
Aber ietzt komm Petrucius,
den ich alsbald verhören muß.

Petrucius kommt mit seinem Dromone und spricht:

Herr Richter, der stumme Mann
nie laugnen noch bekennen kann,
noch reden; darum ich begeht,
daß Danista sein Klag bewähr
und Zeugen für Gerichte stell,
so er anderst gewinnen wöll.

Danista spricht:

Schweig oder red! Geht mich nit an,
weil ich das Tuch ihm geben han
einig allein in mein Gwandladen.
Beweisen kann ich nit den Schaden,
aber von ihm ich doch begehr,
daß er ein Eid schwör für Gefähr.

Minos, der Richter, spricht:

Petruci, führ den Armen her,
daß ich ihn auch mit Frag bewerr!
Mensch, was meinst du, daß man doch wohl
dem Danista antworten soll?

Dromo:

Bläh!

Minos spricht:

Willt nit zu Schand werden den Tag,
so widersprich ihm sein Anklag!

Dromo:

Bläh!

Minos spricht:

Fragt man die Wahrheit an dem Ort,
so laugen sie mit keinem Wort!

Dromo:

Bläh!

Minos spricht:

Dergleich durch etlich List und Tück
gebrauch dich hie nit fauler Stück!

Dromo:

Bläh!

Minos spricht:

Schau, daß du niemand diese Wochen
mit eim Helküchlein habst gestochen!

Dromo:

Bläh!

Minos spricht:

Mach auch nit, daß hie mit Gefährd
das Recht lang aufgezogen werd!

Dromo:

Bläh!

Minos spricht:

Reck auf zween Finger mir und schwör,
hie nit zu handlen wider Ehr!

Hie reckt Dromo zween Finger auf und spricht:

Bläh!

Minos spricht:

Weil er nun hie nit anderst mag
denn Bläh reden auf diesen Tag,
Danista, ich dir raten will,
weil du nit kannst gewinnen viel,
du lassest diesen Menschen gahn.
Kein Urteil mag dir hie zustahn.

Danista spricht:

Ich will dir folgen wie ein Engel.
Er heb sich, dieser Galgenswengel,
der naß, verschlagen, diebisch Knecht!
Gen ihm ich fallen laß das Recht.

Danista, der Gwandschneider, gehet ab. Minos, der Richter, spricht:

Und ich, Minos, will auch den
ledig zählen und lassen gehn.

Sie gehn alle ab.

Actus 5.

Petrucius tritt zu Dromone, spricht:

Uns hat gar wohl gewöllt das Glück
vor dem Gericht in diesem Stück.
Was vor dem Richter ist gehandelt,
hat sich gar glücklichen verwandelt,
daß du der Anklag schwer und groß
bist worden frei, ledig und los
und daß durch meinen Fleiß und Rat
nun für die obgemeldt Wohltat
ich mein verdienten Lohn begehr,
die zween Gülden; gib mir sie her!

Dromo:

Bläh!

Petrucius spricht:

Jetzt darfst mich nit mehr reden an
mit Bläh, wie du vor hast getan.

Dromo:

Bläh!

Petrucius spricht:

Jetzt magst du frei reden hernach
mit deiner angebornen Sprach.

Dromo:

Bläh!

Petrucius spricht:

Ei, hörst du nit? Jetzt magst du reden
ohn alles Bläh zwischen uns beeden.

Dromo:

Bläh!

Petrucius spricht:

Du Narr, gib End! Laß mich verstahn!
Ich muß ietzt zu dem Rechten gahn.

Dromo:

Bläh!

Petrucius spricht:

Ich halt dich für ein argen Lecker.
Ich wollt, du lägest in dem Necker,
du undankbarer, grober Büffel,
du unverstandner Filz und Schlüffel,
weil ich von dir nit bringen konn
mein wohlverdieneten Liedlohn,
nämlichen die zween Gülden noch.
Willt du mirs geben? Sag mirs doch!

Dromo:

Bläh!

Petrucius spricht:

Sichst dus, du Schalk? Ich sag dirs zu.
Ich will nit habn Rast noch Ruh,
bis ich das Geldlich von dir bring
und dich noch mit dem Henker zwing.
Will ietzt nit weiter mir dir balgen.
Heb dich zum Teufel an den Galgen!

Dromo spricht:

Bläh!

Und geht darmit ab. Petrucius spricht:

Ich hab auch manchen Mann betrogen
bei der Nasn am Recht umzogen;
betreugt mich gleich der Baurenknecht,
dünkt mich, mir gscheh nit gar unrecht.

Petrucius geht ab. Elsa, die Bäurin, kommt mit ihrer Nachbäurin Gredta und spricht:

Liebe Nachbäurin, ich bin betrübet
und weiß nicht, was mich darzu übet,
und wart meins Mannes aus der Stadt,
der mit Danistam zanket hat.
Mein Mann ist ein hämischer Tropf.
Danista hat ein listing Kopf.
Ihr Zanken ahndet mich keins Guten.
Ich sich mein Mann dort ungemuten

herlaufen übers Felde nieder
und wirft sein Hände hin und wieder.
Ich weiß nit, wie es um sie steht.
Die Sorg mir fast zu Herzen geht.

Gredta, die Nachbäurin, spricht:

Sich, Elsa, sei du sorgenfrei,
ob gleich Fried oder Unfried sei!

Elsa, die Bäurin, spricht:

O Gredta, du weißt nichts darvon,
wie sehr Lieb an einander hon
Dromo und auch mein Töchterlein,
welches ich noch dem Hauswirt mein
in keiner Weis hab dörfen sagen,
die ich hab beide nach den Tagen
wöllen ehlich zusammen geben.
So kummt darein das Unglück eben,
wann mein Mann sich heut in der Stadt
mit meinem Knecht gezanket hat.
Derhalben sorg ich ietzt so sehr.
Des Beutels acht ich nichts nit mehr,
ob ich ihn schon zum Geld verlür.
Wenn nur meim Knecht nichts widerführ!

Gredta, die Nachbäurin, spricht:

Schweig lieber! Jtzund kommt dein Mann,
ich selber will ihn reden an
und will ihn auch so zahm wohl machen,
daß du sein selber noch mußt lachen.

Henno kommt, klopft an, spricht:

Wer ist dinn? läßt mich klopfen an?

Elsa tut auf und spricht:

Ich, dein Weib, du herzlieber Mann!

Henno, der Bauer, spricht:

Ich bin so zornig als ein Schaf,
daß ich verspottet werd mit Straf.
Danista hält mich gar verdächtlich
für untreu, los und gar verächtlich.

Elsa, die Bäurin, spricht:

Wieso, mein herzenlieber Mann?

Henno, der Bauer, spricht:

Da klaget der Dromonem an,
er hab viel Tuch auf Borg genummen.
So lauget Dromo wiederumen.
Schelten einander beid Böswichter.
Sind also kommen für den Richter.

Gredta geht zu ihm und spricht:

Henno, sei grüßt, mein Nachbaur frumm!

Henno, der Bauer, spricht:

Und du, mein Gredta, wiederum!

Gredta, die Nachbäurin, spricht:

Was hört man Neues in der Stadt?

Henno, der Bauer, spricht:

Mein Weib dies ietzt vernommen hat,
daß man den Dromonem verklagt
und ihn gleich einem Dieb versagt.
Doch tröstet mich, daß er der Pflicht
frei, ledig warde vor Gericht.

Elsa, die Bäurin, spricht:

Ei Lieber, ist er worden frei?
Er hat uns ie gewohnet bei
mit guten Sitten all sein Tag.
Noch eins ich nit verbergen mag;
er hat unser Tochter begehrt
zu einem Weib heuer und fert,
das ich dir nie hab wöllen sagen.

Henno, der Baur, spricht:

Dromo ist frei von dem Anklagen.
Das verdreußt Danistam darbei.
Wer unter ihn' der frommste sei,
das laß ich urteilen den Richter.
Vielleicht sind sie all beid Böswichter.

Gredta, die Nachbäurin, spricht:

Ach Lieber, was mags dir geschaden?
Nimm Dromonem wieder zu Gnaden!
Und wo du ihn willt wieder dingen,
so weiß ich dir ihn bald zu bringen.

Henno, der Bauer, spricht:

Ja, will mir treulich dienen er,
wie vor, so heiß ihn kommen her!

Gredta schreit:

Komm, Dromo! komm! die Sach steht wohl.

Dromo, der Knecht, spricht:

Was ist es, daß ich kommen soll?

Henno, der Bauer, spricht:

Heut ist gewest ein groß Gezänk
unter uns; wenn ich dran gedenk,
weiß nit, welch zween unter uns dreien
die größten Schälk gewesen seien.
Doch wenn du öffnen wolltst die Tat,
wie sich all Sach verlaufen hat,
so verheiß ich dir und mein Weib
mein Tochter mit ihrem stolzen Leib
zu eim ehlichen Weib zu geben.
Darum sag bald! ist es dir eben?

Dromo spricht:

Dein Tochter?

Henno:

Ja, mein Tochter.

Dromo spricht:

So will ich alle Sach erklärn.
Du, Henno, sollt es hören gern.
Erstlich hat dir dein Weib abtragen
acht Gülden, in die Kripp verschlagen.
Die hast du deinem Weib gestohln.
Die gabest mir heimlich verhohln,
ich sollt sie dem Gwandschneider bringen.
Da besann ich in diesen Dingen,
daß er ein großer Wuchrer was,
viel Leut betrogen hätt dermaß
und mit dem Judenspießlein g'rennt.
Darum ich ihn mit Borg anwendt,
verkauft das Tuch, wie obgemeldt,
behielt mir auch dasselbig Geld,
laugnet darnach euch allen beeden.
Als ihr vor Recht mich an tät reden,
sucht ich ein listigen Juristen,
der durch sein Schalkheit mich tät fristen,
welchem ich zween Gülden verhieß.
Darum ich ihn auch frei beschiß,
betrog ihn mit eignem Betrug,
daß Untreu ihren Herren schlug.
Welches nun aus uns fünfen frei
das allerfrömmst gewesen sei,

da laß ich dich selbs Richter sein.
Gib mir nur her die Tochter dein!
Es ist gleich das Viech wie der Stall
zwischen uns allen überall.

Elsa, die Bäurin, spricht:

Mein Willen gib ich auch darzu,
wiewohl meins Gelds ich manglen tu.
Doch ist mir ietzt mein Herz ganz ring,
weil ich mein Tochter zu Ehren bring.

Gredta, die Nachbäurin, spricht:

Henno, ich bitt dich: gib auch du
den deinen Willen bald darzu!
Ob er gleich arbeit nit fast gern,
hilft er doch große Schüssel leern.
Ums Trinken darfst ihn auch nit strafen.
Zwölf Stund kann er ungessen schlafen.
Ist lang gewest dein treuer Knecht.

Henno, der Bauer, spricht:

Fürwahr, die Sach die ist gar schlecht.
Doch muß ich ihn fragen allein:
Begehrst du auch der Tochter mein?

Dromo spricht:

Ja, mir gefällt die weidlich Dirn
für gfrorn Rüben und Holzbirn,
für Hutzelwasser und Öpfelwein.
Wie möcht sie mir denn lieber sein?

Henno, der Bauer, spricht:

Geh her, Abra! sag auch mir!
Gfällt Dromo zu eim Gmahel dir?

Abra, des Baurn Tochter, spricht:

Ja, Vater, aus der Maßen wohl.
Mein Herz steckt gen ihm Liebe voll,
Geleich wie ein Esel mit Fürzen.
Bitt, wöllst die Heirat nit verkürzen.

Henno, der Bauer, spricht:

Weil ihr seid beid also willig,
so gib ich euch zusammen billig.
Hab dir mein Tochter in dein Hut
und behalt dir zum Heiratgut
die acht Gülden! du merkst mich wohl.
Einmal dir noch mehr werden soll.

Elsa, die Bäurin, spricht:

Glück zu, glück zu, mein lieber Eiden!
Glück zu, glück zu euch allen beiden!

Gredta, die Nachbäurin, spricht:

Glück zu, mein Bräutgam und mein Braut!
Wer hätt des Dinges heut getraut,
daß sich so seltsam Zäng begaben?
Rat zu! wenn wöll wir Hochzeit haben?

Henno, der Bauer, spricht:

Die Hochzeit wöll wir haben heut,
weil bei uns sind viel ehrbar Leut.
Nun seid geladen all gemein,
fröhlichen heut mit uns zu sein.
Auf daß werd unser Freude ganz,
mach auf, Spielmann, ein Baurentanz!

[Es folgt die moralisierende Schlußrede des Ehrenholds.]

Aus der Comedi Die Judith.

[Die beiden ersten Akte schildern die Rüstungen auf beiden Seiten, die Gefangennahme des Ammoniterfürsten Achior und den Entschluß der Judith.]

Actus 3.

Judith gehet ein mit ihrer Magd und spricht:

Abra, faß in ein Sack die Speis,
Feigen, Mehl und Brot, gleicherweis
Öl in ein Krug, ein Bulgen mit Wein,
solchs alles auf vier Tag allein!
Wann wir wöllen, ob Gott will, heint
ins Läger naus unter die Feind.

Die Magd gehet aus, Judith spricht:

Herr Gott, auf dich allein ich trau;
gib Gnad, daß ich arme Witfrau
mag stürzen deinen Feind entwicht,
der dich veracht und dir Hohn spricht!
Herr, gib mir ein, in allen beeden
vor ihm zu denken und zu reden,
daß er in meiner Schön werd gfangen
und in meinem Strick bleib behangen,

daß ihm sein hochmütig Gebärd
durch ein schwach Weib geleget werd,
auf daß dein Haus, Herr, mög bestehn
und daß all Heiden erfahren denn,
daß du allein seist Gott und Herr
und sonst keiner auf Erden mehr!
Nun stärk mich, Herr und Schöpfer mein!
Dein Ehre such ich hie allein.

Die Magd kommt und spricht:

Frau, hie hab ich gefasset ein
allerlei Speis, Brot, Öl und Wein.

Judith:

Nun walt sein Gott! wir gehn dahin.
Herr Gott, in deiner Hand wir sin.

Da stehet Carmi und Osias, spricht:

Schau, Judith! willt du ietzund gehn?
Gott der Herr, wöll dir beistehn,
zu Ehren seim heiligen Namen!

Judith spricht:

Nun sein Will der geschehe! Amen.

Sie gehen alle aus.

Holofernes kommt mit Pagoa und spricht:

Die Belägerung verzeucht sich lang.
Ich dacht des nit in dem Anfang,
daß sich die Stadt so fest würd halten.
Wir müssen andrer Ratschläg walten.

Pagoa spricht:

Wenn mans erschrecket auf dem Land
ringweis herum mit Mord und Brand,
das würd ihn' einen Schrecken machen.

Holofernes spricht:

Es ist wohl wahr; doch in den Sachen
könnt wir doch gar kein Kundschaft hon,
wie es drin in der Stadt sei stohn,
weil ich vorher in diesem Krieg
mit Verrätrei erlangt all Sieg.
Kein Jud will um Geld und Dukaten
sein eigen Vaterland verraten,
wie andre Völker haben tan.
Ich weiß nit, wie wirs greifen an.

Kein Kundschafter wagt sich hinein.
So könn wir ie auch fahen kein',
der uns doch sagt heimliche Mär,
wie diese Stadt zu zwingen wär.

Die Trabanten bringen Judith.

Durchleuchtiger Fürst, heint in der Nacht
Hab wir ergriffen in der Wacht
dies hebräisch Weib samt der Maid.
Sie aber gab uns den Bescheid,
wie sie heimlich zwischen euch beeden
hätt mit dir allein zu reden.

Holofernes spricht:

Weib, sag, von wann du bürtig bist!

Judith spricht:

Bethulia mein Heimat ist.
Aus dem ich gflohen bin zu dir.

Holofernes spricht:

Sag! was hast du zu tun bei mir?

Judith fällt ihm zu Fuß und spricht:

Großmächtiger Fürst, ich bitt dich,
wöllst mich hören genädiglich.
Gott geb Glück Nebukadnezar,
dem König des ganzen Landes gar,
der dich hat ausgeschickt mit Waffen,
die Ungehorsamen zu strafen,
das du wohl kannst mit deinen Handen!
Es ist berühmt in allen Landen
dein hohe Weisheit und Vernunft.
Du weißt, was vor meiner Zukunft
Achior hat mit dir geredt
und dir wahrhaft verkünden tät.
Bald das jüdisch Volk sich versündet,
so würd Gottes Zoren anzündet,
daß wir gleich Gott das Volk alsant
ietz gleich dir geben in dein Hand.
Weil es in Sünden tut erstocken,
ist es gleich alls ob dir erschrocken,
wann sie sind auch, o strenger Fürst,
schier gar erhungert und erdürst.
Sie tötens Viech, trinken das Blut,
darab Gott größlich zürnen tut,
und essen auch das Opfer heilig.
Daß ich nit werd ihr' Sünd mitteilig,
so bin ich geflohen zu dir,
bitt dich, wöllest erlauben mir,
im Läger zu gehn aus und ein,

auf daß ich Gott, den Herrn mein,
anbet, der mich zu dir hat gsandt,
daß ich dir all Ding mach bekannt,
wie du die Stadt und auch nach dem
gewinnen sollt Jerusalem.
Folgst mir, so wirst in allem Stück
haben Sieg, Wohlfahrt und Gelück.

Holofernes hebt die Judith auf und spricht:

Steh auf! sei keck und förcht dir nicht
und hab zu mir dein Zuversicht!
Hätt sich dein Volk willig ergeben
ohn Gegenwehr und Widerstreben,
so wär niemand kein Leid geschehen.
Bleib bei mir! ich will dich versehen.
Geh aus und ein bei Tag und Nacht!
Dich sollt rechtfertigen kein Wacht.
Auch sollt dich speisen von meim Tisch
mit Wein und Brot, Vögel und Fisch.

Judith neigt sich und spricht:

Ich sag Dank dein fürstlichen Gnaden,
die mich gar halten will ohn Schaden.
Wöllst in keim Übel mir zumessen.
Ich hab mit mir selb bracht mein Essen,
daß ich erzürnet nit mein' Gott.

Holofernes spricht:

Judith, um das hat es kein Not.
Wo aber hie End nähm dein Speis,
wo nähmst du mehr in gleicher Weis?

Judith spricht:

Ich würd mit der Speis sein begnügt,
bis daß Gott die Sach durch mich fügt,
darum er mich hat ausgesandt.

Holofernes spricht:

Gibt Gott durch dich mir in die Hand
die Stadt und auch das Volke dein,
so soll dein Gott mein Gott auch sein.
Nun geh in die Schlafkammer du!
Sei frei, sicher und hab dein Ruh!

Sie gehet ab.

Pagoa spricht:

Das ist ein adeliges Weib
beide an Gemüt und an Leib,
vernünftig und sehr weiser Red.

Holofernes spricht:

Ich will s' bei mir behalten stet
und sie zu eim Schlafbuhlen haben
und sie als ein Fürstin begaben,
weil sie uns auch gut Kundschaft gibet.
Derhalb sie uns im Herzen liebet.

Sie gehent alle aus.

Judith und ihr Magd kommt und spricht:

Herr Gott, ich will gehn, mein Gebet
zu dir tan. Du erhalt mich stet
und beschütz mir mein weiblich Ehr,
daß ich in dem heidnischen Heer
mög ohn Sünd, unvermaligt leben,
bis daß du Heil durch mich wöllst geben!
Wann ich such ie allhie nichts mehr,
dann meins Volks Hülf und, Herr, dein Ehr.

Sie gehet wieder ab.

Holofernes kommt und spricht zum Pagoa:

Pagoa, geh! laß mir nach Wahl
zurichten ein köstlich Nachtmahl
mein' Hauptleuten! bitt auch darum
das hebräisch Weib, daß es kumm!
Zu der ich hab Lust und Begier,
auf daß ich heint auch schlaf bei ihr,
wann in dem assyrischen Land
wärs einem Mann ein große Schand,
ein solch Weib unbeschlafen lassen,
wenn sie ihn narret solchermaßen.

Pagoa gehet, so bekommt ihm Judith; er spricht:

Judith, Euch läßt er Herr aus Gnaden
Euch heint zu seinem Nachtmahl laden,
da Ihr essen und trinken söllt
mit ihm und andern Gästen; wöllt
fröhlich und gutes Mutes sein!

Judith spricht:

Ach, wie könnt ich dem Herrn mein
ein solich ehrlich Bitt versagen?
Wann ich will ihm bei allen Tagen
all seiner Bitt von Herzen geren
allzeit gutwilliglich gewähren.

Holofernes gehet ihr entgegen und spricht:

Judith, ich hab geschickt nach dir,
wann du hast Gnad funden bei mir,
mit mir zu essen das Nachtmahl
mit andern Herrn in großer Zahl.
Ich hoff, du wer'st dich nit beschwern.

Judith spricht:

Du teuer Fürst, von Herzen gern.
Größer Ehr ward mir nie antan.
Wie könnt ich größer Freude han?
Alls, was dir lieb ist, will auch ich
mit allem Willen fleißen mich.

Holofernes spricht:

Das will ich dich genießen lassen.
Komm! Jetzt tut man gleich zu Tisch blasen.
Wir wöllen in das Zelt hinein,
essen, trinken und fröhlich sein
mit den andern Hauptleuten mein.

Sie gehen aus.

Actus 4.

Pagoa gehet ein mit den zween Trabanten und spricht:

Geht, schaut, daß die Wach sei versehen,
daß uns die Feind nit heimlich nähen,
uns überfallen in dem Läger!
Die Hauptleut sind heint trunken weger
samt den Obersten und Kriegsräten.
Richt das wohl aus und seid gebeten!

Pagoa gehet aus. Lisias, der erst Trabant:

Ich mein, wir haben heint Faßnacht ghabt,
mit kühlem Wein uns wohl erlabt.
Ich glaub, kein Hauptmann auch darbei,
kein Befelchsmann nüchtern bliebn sei.
Unser Oberster war auch trunken
in sein Gezelt nach mein Gedunken.
So hab ich hinein führen schauen
die schönen hebräischen Frauen,
die aus der Stadt ist zu uns gfallen.

Periander, der ander Trabant, spricht:

Nun laß uns beide gehn, vor allen
die Wach besetzen diese Nacht!
Was geht uns an der Hauptleut Pracht?
Sie machens geleich wie sie wölln!
Unsers Amts wir auswarten sölln.

Komm, gehe! die Nacht fällt daher,
daß wir nit kommen in Gefähr,
auf daß wir uns denn legen nieder,
daß wir morgen erwachen wieder,
dem Obersten warten auf den Dienst.

Lisias, der erst Trabant:

Ja komm! allmal mich willig fin'st.

Sie gehen beid aus. Judith kommt mit ihr' Magd und spricht:

Herr, Gott Israel, stärke mich
und hilf du mir genädiglich
das Werk verbringen, das ich mir
aus großem Vertrauen zu dir
fürnahm, daß du erlöst nach dem
die heilig Stadt Jerusalem
samt andern Städten in dem Land,
samt deinem Volke allesant,
weil gleich der Tyrann diese Zeit
trunken in seinem Bette leit!
Abra, du bleib raus vor dem Zelt,
bis ich vollbring die obgemeldt
unerhört wunderliche Tat,
darzu mich Gott verordnet hat.

Judith gehet ab ins Zelt. Abra, ihr Magd, spricht:

Herr Gott, gib Kühnheit diesem Weib,
daß sie straf des Tyrannen Leib,
der so viel Unrats hat angricht,
Gott noch Menschen verschonet nicht,
die Städt gewunnen und zustört,
viel Volks unschuldiglich ermördt,
Jungfrau geschwächt, Frauen geschändt,
viel hingeführt in das Elend.
Wo Gott das nit selb wenden tut,
vergeußt er mehr unschuldig Blut
und austilgt Gottes Volk zuletz,
sein heilig Wort und göttlich Gsetz
mit seiner tyrannischen Händ.
Ach Gott, mach des Wütrichs ein End!

Judith kommt mit bloßem Schwert und dem toten Haupt und spricht:

Seh, Abra! nimm das Totenhaupt!
Der Tyrann ist seins Lebens b'raubt.
Stoß es so blutig in den Sack
und nehm auch zu dir auf dein Nack
die Deck, darunter der Wüterich
lag trunken, als ihn enthauptet ich!
So wöll wir durchs Läger austreten,
als geh ich aber aus zu beten.
Dann wöll wir uns beid durch das Tal
auflenken zu der Stadte Wall

und den Bürgern die Freud verkünden.
Kein größer Freud möchtens auf Erd finden.

Sie gehent aus. So kommt Osias und Carmi und Achior. Osias spricht:

Judith ist aus an vierten Tag.
Gott steh ihr bei, ders alls vermag,
daß ihr Anschlag ihr wohl gerat!
Hört, hört! wer klopfet an der Stadt?

Carmi lauft und spricht:

Es kommt Judith und ihr Maid.

Osias spricht:

Das sind wir all wohl erfreut.

Sie laufen ihr entgegen, Judith spricht:

Nun seid getröst! freut euch in Gott!
Unser wütender Feind ist tot.
Secht an! das ist des Feldmanns Haupt
von Assyrien (mir gelaubt!),
welichen ich heint diese Nacht
mit seinem eignen Schwert umbracht.
Secht! das ist auch die seiden Decken,
darunter sich der Voll tät strecken,
der sich setzt' wider unsern Gott
und trieb aus seinem Volk den Spott.

Nun hat sein blutig Regiment
und Tyrannei ein traurig End,
wann Gott ist barmherzig und gütig,
genadreich, mild und gar sänftmütig,
der sein armes Volk nit verlat,
das auf ihn hoffet früh und spat,
der mir auch hat behüt mein Ehr
in der gottlosen Feinde Heer.
Dem danket mit fröhlichem Geist!

Osias spricht:

O Judith, du gesegnet seist
von dem mild barmherzigen Gott,
weil du ins Volks Trübsal und Not
gar nit verschont hast deinem Leben,
sonder in Gefährlichkeit geben,
den Hauptmann töt't, dein Volk erlöst
durch Gottes Hülf! Nun sei getröst,
wann dein Nam wird sehr herrlich werden
für alle Weiber auf der Erden!

Achior spricht:

Weil der Gott Israel so mächtig
erlegt hat diesen Hauptmann prächtig
durch Weibes Hand in dieser Nacht,
der doch Gott so höhnisch veracht,
so will ich auch glauben an ihn,
mein heidnischn Glauben legen hin

und ammanitisch Abgötterei
als lauter Gespenst und Phantasei,
und will mich auch lassen beschneiden,
vom wahren Gott nit mehr abscheiden.

Judith spricht:

Hört! morgen, bald die Sonn aufgaht,
so hängt das Haupt naus für die Stadt!
Alsdenn fallt hinaus für das Tor
und machet ein Lerman darvor!
Wenns denn die Feind im Läger sehen,
werden sie dem Feldhauptmann nähen.
Den werdens finden in dem Zelt
tot, ohn ein Haupt, wie obgemeldt.
Denn wird ihr Heer verzaget fliehen.
So mögt ihr in Ordnung nachziehen,
sie schlagen und euch an ihn' rächen
und bis aus euer Grenzen stechen.
Ihr Läger plündert und verbrennt!
Wann Gott hat geben in eur Händ
beide ihr Leib und auch ihr Gut,
zu zahlen das unschuldig Blut,
das sie vergossen in dem Land.
So wird sie strafen Gottes Hand.

Carmi spricht:

Judith, wir wöllen deinen Worten
folgen und ietzt an allen Orten
der ganzen Gmein zusammen blasn

und sie zum Ausfall rüsten lassen.
Lang mir nur her das tote Haupt,
das uns hätt aller Freud beraubt,
daß man es zu der Stadt ausreck
samt dieser seiner seiden Deck,
daß man die Feind damit erschreck!

Sie gehent alle aus.

[Der fünfte Akt schildert die Schlacht und das Siegesfest.]

Aus der Comedi Juditium Salomonis.

[Der Anfang enthält Nathans Sendung und Salomons Bitte um Weisheit.]

Actus 3.

Der König Salomo gehet ein mit Mathan und Ahitophel, seinen zwei Räten.

Der König spricht:

Heut wöllen wir halten Gericht.
Darum tut nur hie euer Pflicht,
daß ihr verhören wollt geleich
beide jung, alt, arm unde reich
ohn Lieb, ohn Neid, ohn Forcht und Schenk,
ohn all Aufzug und Einklenk,
ohn all Ansehen der Person,
was ieder Teil beweisen kann,
mit fleißiger Experienz
ihn' fällen wollt einen Sentenz!
Nun wer allhie auf diesen Tag
zu klagen hab, der komm und klag!

Die zwo Frauen kommen. Thamar spricht:

Cleopatra, gib mir mein Kind wieder!

Cleopatra spricht:

Ja, ja, setz dich ein Weile nieder!
Das Kind, das ich hab, das ist mein.

Thamar spricht:

Das lebendig Kindlein ist nit dein,
sonder mein; dein Kind ist tot.

Cleopatra spricht:

Ich gib gar nichts um dein Gebot,
dein Weinen mich auch nichts anficht.

Thamar spricht:

Willt mir mein Kindlein geben nicht,
so will ich dich beim Kön'g verklagen.

Cleopatra spricht:

Da tu ich eben nichts nach fragen.
Verklag mich oder laß es sein!
Willt dus nit g'raten, so geh hinein!

Ahitophel lauft ihn' entgegen und spricht:

Geht naus! was wollt ihr hinnen ton!

Thamar spricht:

Ich wollt zum König Salomon
und ihm mein schwer Anliegen klagen.

Ahitophel spricht:

Kommt etwan wieder nach acht Tagen!
Der König hat heut nit der Weil.

Cleopatra spricht:

Ja wohl; unser Sach hat kein Eil.
Acht Tag könnt wir noch warten wohl.

Thamar spricht:

Nun bin ich ie Herzleid so voll,
der Hülf bei dem König verhoffen,
sein Ohren finden allzeit offen,
zu erhören die elend Armen,
und geb' ihn' Urteil mit Erbarmen,
hilft ihn' aus der Gottlosen Zänk.

Ahitophel spricht:

Fräulein, willt du mir tun ein Schenk?
Ich hilf dir für den König dort
und will dir auch selb tun dein Wort.

Thamar spricht:

Ach Herr, da ist kein Geld noch Gut,
allein Unschuld und Armut.
Der hoff ich Arme zu genießen.

Ahitophel stößt sie und spricht:

Tret't ab! laßt mich die Tür beschließen!
Geht hin an das unter Gericht!
Der König kann euch hören nicht
mit eurem Zank, unnützen Klaffen.
Er hat wohl Nötigers zu schaffen.

Salomon spricht:

Mathan, geh! schau und was dort sei
bei der Tür für ein groß Geschrei!
Will iemand herein für Gericht,
das soll man ihm abschlagen nicht.

Mathan gehet hin und spricht:

Ahitophel, was ist die Sach?
Des Gschreis da fragt der König nach.

Ahitophel spricht:

Die Weiber mit unnützen Sachen
wöllen den König unruhig machen.
Die will ich lassen nit herein.

Thamar spricht:

Ach lieber Herr, erbarmt Euch mein
und helft mir für den König dort!
Ich will mir selbert tun mein Wort
mit der pur lauteren Wahrheit,
ob mir durch die Gerechtigkeit
mein lebend Kind möcht wieder wer'n.
Nichts anders will ich hie begehrn.

Mathan spricht:

Ei so komm! verzeuch länger nicht!
Der König sitzt schon zu Gericht.
Klag ihm dein Not! was du hast recht,
das wird dir zugesprochen schlecht.

Sie gehent beid ein, neigen sich. Mathan spricht:

Durchleuchtiger König, die zwo Frauen
die kommen her zu dir auf Trauen,
ein Urteil zu holen bei dir;
auf, beide klag und antwort ihr.

Der König spricht:

G'lobt beid an, daß ihr in dem Klagen
wöllt ohn Arglist die Wahrheit sagen!

Sie g'loben an. Thamar spricht:

Ach mein Herr König, erhör mein Klag!
Ich hab gewohnet Jahr und Tag
in einem Haus mit diesem Weib.
Nun war wir beid schwanger von Leib.
Als ich nun meines Kinds gelag,
darnach aber am dritten Tag
diese Frau auch ihr Kind gebar.
Als etlich Zeit vergangen war,
da wohnt wir also beidesander
einig in dem Haus bei einander,

daß niemand Fremdes bei uns was.
Nun auf ein Nacht begab sich das,
daß dies Weib hin und wieder rücket
im Bett und ihr Kindlein erdrücket
im Schlaf, und sie stund auf zu Nacht
und ihren toten Sohn mir bracht,
legt' mirn also tot an mein Arm,
weil ich noch schlief, und also warm
so nahm sie mir von meiner Seiten
mein lebendigen Sohn von weiten
an ihren Arm und schlich darvon.
Als ich nun früh vor Tag aufstohn,
den meinen jungen Sohn zu säugen,
wollt sich kein Leben an ihm eigen.
Als aber der hell Tag aufbrach,
ich erst wahrhaftiglich ersach,
daß es nit was mein rechter Suhn,
sonder des Weibs. Darauf ich nun
begehr, Herr König, wöllst schaffen du,
daß dies Weib mir stell wieder zu
mein lebendigen Sohn geschwind
und nehm wieder ihr totes Kind.

Salomon spricht:

Weib, gib Antwort auf diese Klag!

Cleopatra spricht:

Herr König, auf mein Treu ich sach,
daß der lebendig Sohn ist mein
und ist das tote Kindlein dein.
Wie du dasselb in dieser Nacht
erdrücket hast oder umbracht,
frag ich nit nach, weiß das auch nit.
An Euch, Herr König, ist mein Bitt:
Wöllt von der Anklag mich quittiern,
das Weib kann wohl heucheln und schmiern.

Salomon spricht:

Ihr Rät, ratschlaget beide wohl,
wie man ein Urteil fällen soll.

Cleopatra stößt Ahitophel etwas in die Händ, er spricht:

Herr König, soll ich die Wahrheit sagen,
so ist hie dieser Frauen Klagen
ganz schlecht, verzaget und einfaltig;
aber die ander hat gewaltig
ein kecke Antwort darauf geben.
Darauf so tu ich schließen eben,
daß des lebendig Kind ist ihr!
Auch gibt ein gwaltig Zeugnus mir
in dieser Tat der Augenschein.
Wie künnt sie aufgestanden sein
und der gnommen haben ihr Kind?

Das zwo gewaltig Ursach sind,
daß Cleopatra ist gerecht.

Mathan spricht:

Der Handel ist nit also schlecht,
sonder gar heimlich und verwirret,
darin menschlich Vernunft leicht irret,
wo man nit hat darauf gut acht
und allen Umständen nachtracht,
bis man kommt auf den wahren Grund.
Darum, Herr König, weil dein Mund
Gott Weisheit gab ohn alln Gebrechn,
so wird er hie auch wohl aussprechn
ein Urteil nach Gerechtigkeit,
das mir und dir verborgen leit.

Salomon spricht:

Eure Gezänk allhie nur sind
um dieses lebendige Kind.
Ein iegliche die will es han.
Ist dem also, so zeigt mirs an!

Die Weiber sprechen:

Ja, ja.

Salomon spricht:

So gebt mir her ein bloßes Schwert,
daß in zwei Teil geteilet werd
das lebendige Kind durchab,
daß jede Frau ein Halbteil hab!

Thamar fällt ihm zu Füßen und spricht:

Ach mein Herr Kön'g, tu dich erbarmen
über mich verlassene Armen
und töte dieses Kindlein nit!
Laß es leben (das ist mein Bitt)
und laß es gleich eh dieser Frauen!
Sein Sterben mag ich nit anschauen.

Cleopatra spricht:

Nein, nit also, Herr König mein!
Das Kind sei weder mein noch dein!
Man soll es teilen mit dem Schwert,
daß jeglicher ein halb Teil werd.
Nach dem Urteil da bleib es bei,
obs gleich lieb oder leid dir sei!

Salomon beschleußt:

Das Kindlein, das noch ist im Leben,
das soll man jener Frauen geben!
Das ist die rechte Mutter sein.
Das ist das endlich Urteil mein.
Nun wöll wir auf den Saal hinein.

Sie gehent alle aus.

[In den weiteren Akten gibt das Urteil zu einem Streich des Dieners Markolph Anlaß.]

Aus der Tragedia von der strengen Lieb, Herr Tristrant mit der schönen Königin Isalden.

[Die ersten Akte schildern die Feindschaft zwischen Cornwallis und Irland. Tristrant tötet in Irland einen Drachen, worauf die Hand der Königstochter als Preis steht.]

Actus 3.

Der König Wilhelm aus Irland geht ein, setzt sich und spricht:

Ihr lieben Getreuen, es ist die Sag,
wie ein Ritter den gestring Tag
erschlagen hab den großen Drachen.
Den Ritter bringt vor allen Sachen,
daß wir ihm unser Tochter geben!

Tristrant geht ein mit den Seinen.

Peronis, der Kämmerling spricht:

Da kommt der Ritter selbert eben
mit seim Hofgsind, der das hat tan.

König Wilhelm spricht:

Hie sag du uns die Wahrheit an!
Hast du den großen Drachen erschlagen?

Herr Tristrant spricht:

Durchleuchtiger Kön'g, hie tu ich tragen
mit mir des toten Drachen Haupt.
Derhalb mir billig wird gelaubt.

Der König schaut das Drachenhaupt und spricht:

Begehrst du auch der Tochter mein?
Die soll der Lohn deins Kämpfens sein.
Da geht sie auch gleich eben her.

Frau Isald kummt mit Brangel, ihrer Hofjungfrau.
Herr Tristrant sicht sie an und spricht:

Ja, von Herzen ich ihr begehr.
Doch bin ich ihr zu schlecht am Adel.
Daß sie an dem auch hab kein Zadel,
so will ich sie nehmen zu Hand
Kön'g Marxen in curnewelsch Land,
meim Vettern, mit dem wahrhaft Ihr
seid baß versehen, denn mit mir,
mit kön'glich Gmahel sunderlich.

König Wilhelm aus Irland:

Nun, weils Gott schickt so wunderlich,
soll die Feindschaft sein tot und ab,
die ich ihm lang getragen hab.
Soll mir nun zu eim Eiden gfallen.
Nun wöll wir uns schicken vor allen
die Braut aufs baldst auf die Heimfahrt.
Isald, mein Tochter schön und zart,
willt mit in curnewelisch Land?

Isald, des Königs Tochter:

Mein Herr Vater, es wär ein Schand,
daß ich deim Willen widersprech.
Ach, was du willt, dasselb geschech!
Nie anderst so hab ich begehrt,
dieweil ich hab gelebt auf Erd.

König Wilhelm in Irland:

Nun wöll wir alls verordnen frei,
was zu der Hinfahrt notdurft sei,
auch zu der kön'glichen Hochzeit
in curnewelisch Landen weit.

Sie gehen alle ab.

Die Königin Hildegart kummt mit dem Buhltrank, gibt es der Brangel, ihr Hofjungfrauen, und spricht:

Brangel, dies Buhltrank behalt du!
Das ist mit Kunst bereitet zu.
Das hat die Kraft: wenn es selbander
zwo Person trinken mit einander,
so müssens einander haben lieb
vier Jahr lang so in starken Trieb,
daß eins ohn das ander kein Tag
beleiben oder leben mag.
Schau! Das Trank gib zu trinken du
König Marxen und auch darzu
Isalden an der Hochzeitnacht,
wenn mans zulegt mit großem Pracht!
Mittlerzeit halt das Trank verborgen!

Brangel, die Hofjungfrau, nimmt das Fläschlein und spricht:

Ich will das Trank fleißig versorgen,
weil ich mein Sinn und Vernunft hab.

Hildegart, die alt Königin:

Nun, ietzund werdt ihr fahren ab.
Laß dir mein Isald befohlen sein,
weil sie ist in der Fremd allein!
Funfzig Dukaten hab dir zur Schenk
und sei meiner Tochter ingedenk!
Sei ihr getreu, als ich dir trau!

Brangel, die Hofjungfrau, nimmt die Dukaten und spricht:

Ach, durchleuchtig gnädige Frau,
ich dank Eur gnadenreiche Schenk.
Eur Gnad nit anderst von mir denk,
denn aller Treu und alles Guts!

Die alt Königin spricht:

Nun, Gott halt euch alle in Schutz!
Ich will mit naus, das Gleit euch geben.
Das Schiff ist zubereitet eben.

Sie gehen beide aus. Herr Tristrant und Isald kummen, Tristrant spricht:

Nun fahrn wir dahin auf der See.
O wie tut mir der Durst so weh,
weil so überheiß scheint die Sunn!

Isald, die Braut, spricht:

Kein größern Durst ich auch nie gwunn.
Ich glaub auch, es mach die groß Hitz.
O hätten wir zu trinken ietz!

Herr Tristrant:

Ich weiß: zu trinken hat kein Mangel.
In einem Fläschlein hat die Brangel
in ihrem Watsack; das muß sein
der allerbeste Plankenwein.
Das hab ich gnummen Euch und mir.
Darmit wöllen uns tränken wir.

Herr Tristrant trinkt und gibt es Isalden, die trinket auch, und Tristrant spricht:

Was ist das gewest für ein Wein?
Wie springt und tobt das Herze mein?
Mein Gmüt ist in ganzer Unruh
und setzt mir länger härter zu.
Ich bin mit Schmerzen groß umfangen,
sam hab ein Pfeil mein Herz durchgangen.

Isald spricht:

Es ist mir wahrlich auch nit recht.
Mein Herz jammert und seufzet schlecht,
und all mein Kräft tun sich bewegen.
Ich woll ein Weil zu Ruh mich legen.

Isald gehet aus. Herr Tristrant spricht:

Ich will auch gehn in mein Gemach,
bin gleich vor Lieb und Sehnen schwach.

Herr Tristrant gehet ab. Curnefal und Brangel gehen ein. Curnefal spricht:

Ach Brangel, Herr Tristrant ist krank
und gibet die Schuld dem Getrank.
Er liegt und seufzet immerzu,
ißt noch trinkt nit, hat gar kein Ruh.
Ich weiß gar nit, was ihm gebricht.

Brangel, die Hofjungfrau:

Mein Curnefal, sag! weißt du nicht,
was für ein Trank er trunken hat?
Um Isald es auch übel staht.
Die ist auch dergeleichen krank.
Was habens trunken für ein Trank?

Curnefal, sein Hofmeister:

Herr Tristrant sagt nach meim Gedunken,
hab aus eim silbern Fläschlein trunken,
das hat er im Watsack genummen.
Nit weiß ich, wies darein ist kummen.
Von dem Trank sind sie beide krank.

Brangel schlägt ihr Händ zusammen ob dem Kopf und spricht:

So habens trunken das Buhltrank.
Weh mir und weh ihn' immerdar!
Nun müssen sie vier ganzer Jahr
einander liebhaben allein,
und keins kann ohn das ander sein.
Wir müssens zsamm lassen beide,
es treff gleich an Ehr oder Eide.
Sunst müssen sie beide verderben,
in heißer Brunst der Liebe sterben.
Sunst ist da weder Hülf noch Rat.

Curnefal spricht:

Brangel, wenn es die Meinung hat,
ist besser, ihr Ehr zu begeben,
denn zu verliern ihr beider Leben.
Aus zwei Bösn (dies Sprichwort erzähln)
muß man das minder Bös erwähln.
So müß wir sie halt lassen zsammen
und uns länger nicht darmit saumen,
ihr Lieb zu öffnen und zu büßen.

Brangel, die Hofjungfrau:

Ich will sagn, Isald laß ihn grüßen,
daß Tristrant kumm in ihr Gemach.
Isald sei seinthalb etwas schwach.

Sie gehen beide ab. Brangel geht wieder ein, redt mit ihr selber und spricht:

Ich bin schuldig an diesem Stück,
aus dem mag noch groß Ungelück
kummen hernach ohn Unterlaß.
Ach, ich sollt habn verwahret baß
das Buhltrank! wie wird es mir gahn?
Ach, wie wird denn die Braut bestahn
bei königlicher Maiestat,
wenn sie ihr Ehr verscherzet hat?
Nun morgen man zuländen soll
bei der Hauptstadt Thintariol.
Vielleicht wird es geraten wohl.

Brangel geht ab.

Anhang, Selbstzeugnisse

Summa all meiner Gedicht vom 1514. Jahr an bis ins 1567. Jahr.

Als man zählt vierzehundert Jahr
und vierundneunzig Jahr fürwahr
nach des Herren Christi Geburt,
ich, Hans Sachs, gleich geboren wurd
Novembris an dem fünften Tag,
daran man mich zu taufen pflag,
eben geleich grad in dem herben,
grausam und erschrecklichen Sterben,
der regiert in Nürnberg, der Stadt.
Den Brechen auch mein Mutter hatt'
und darzu auch der Vater mein,
Gott aber verschont' mein allein.

Siebenjährig darnach anfing,
in die lateinisch Schule ging;
drin lehrt ich Puerilia,
Grammatica und Musica
nach ringem Brauch derselben Zeit;
solchs alls ist mir vergessen seit.
Neunjährig aber dreißig Tag
ich an dem heißen Fieber lag.
Nach dem ich von der Schule kam
fünfzehnjährig und mich annahm,
tät der Schuhmacher Handwerk lehrn,

mit meinr Handarbeit mich zu nährn;
daran da lehret ich zwei Jahr.

Als mein Lehrzeit vollendet war,
tät ich meinem Handwerk nach wandern
von einer Stadte zu der andern,
erstlich gen Regnsburg und Braunau,
gen Salzburg, Hall und gen Passau,
gen Wels, Münichen und Landshut,
gen Ötting und Burghausen gut,
gen Würzburg und Frankfurt, darnach
gen Coblenz, Cölen und gen Aach;
arbeit' also das Handwerk mein
in Bayern, Franken und am Rhein.
Fünf ganze Jahr ich wandern tät
in diese und viel andre Städt.
Spiel, Trunkenheit und Buhlerei
und andre Kurzweil mancherlei
ich mich in meiner Wanderschaft
entschlug und war allein behaft
mit herzenlicher Lieb und Gunst
zu Meistergsang, der löblichn Kunst,
für all Kurzweil tät mich aufwecken.
Ich hätt von Lienhart Nunnenbecken
erstlich der Kunst einen Anfang;
wo ich im Land hört Meistergsang,
da lehret ich in schneller Eil
der Bar und Tön ein großen Teil;
und als ich meines Alters war

fast eben im zweinzigsten Jahr,
tät ich mich erstlich unterstahn,
mit Gottes Hülf zu dichten an
das Bar in dem langen Marner:
„Gloria patri Lob und Ehr" –
zu Münichen, als man zählt zwar
fünfzehundert vierzehen Jahr;
half auch dasselb die Schul verwalten,
tät darnach auch selber Schul halten
in den Städten, wo ich hinkam,
hielt die erst zu Frankfurt mit Nam,
und nach zwei Jahrn zog ich mit Glück
gen Nürnberg, macht mein Meisterstück.

Nach dem ward mir vermähelt drin
mein Gmahel Küngunt Kreuzerin
geleich an Sankt Egidientag;
am neunten Tag der Hochzeit pflag,
als man gleich fünfzehundert Jahr
und neunzehen Jahr zählen war;
welche mir gebar sieben Kind,
die all mit Tod verschieden sind.
Und als man fünfzehundert Jahr
und auch sechzig Jahr zählen war,
am sechzehentn Martii im Fried
mein erster Gemahel verschied.
Als man zähl einundsechzig Jahr
am zwelften Augusti fürwahr
wurd mir wieder verheirat da

mein andre Gmahel Barbara
Harscherin, und am Erichtag
nach Sankt Egidien, ich sag,
war mein Hochzeit fein schlecht und still;
mit der leb ich, solang Gott will.

Als man aber zählet fürwahr
geleich fünfzehenhundert Jahr
und siebenundsechzig, ich sag
Januarii am ersten Tag,
meine Gedicht, Sprüch und Gesang,
die ich hätt dicht vor Jahren lang,
so inventiert ich meine Bücher,
ward gar ein fleißiger Durchsücher
der Meistergsangbücher zumal,
der warn sechzehen an der Zahl;
aber der Spruchbücher der was
siebenzehen, die ich durchlas;
das achtzehent war angefangen,
doch noch nit vollendt, mit Verlangen.
Da ich meine Gedichte fand
alle gschrieben mit eigner Hand,
die vierunddreißig Bücher mit Nam,
darinnen summiert ich zusamm
erstlich die Meistergsang fürwahr:
der von mir sind gedichtet Bar
in diesen dreiundfünfzig Jahrn,
darin viel schriftlicher Bar warn
aus Alt und Neuem Testament,

aus den Büchern Mose vollendt,
aus den Figurn, Prophetn und Gsetz,
Richter, Künigbüchern, zuletz
den ganzen Psalter in der Summ,
die Bücher Machabeorum
und die Sprüch Salomon hernach
und aus dem Buch Jesus Sirach,
Epistln und Evangelion,
auch aus Apokalypsis schon –
aus den ich allen viel Gedicht
in Meistergsang hab zugericht
mit kurzer Gloß und ihr Auslegung
aus guter christlicher Bewegung,
einfältig nach meinem Verstand,
mit Gottes Hülf nun weit erkannt
in deutschem Land bei Jung und Alten,
darmit viel Singschul werdn gehalten
zu Gottes Ruhm, Lob, Preis und Glori;
auch viel wahrhaft weltlich Histori,
darin das Lob der Gutn erhaben
und der Argen Lob tief vergraben,
aus den Gschichtschreibern zugericht;
auch mancherlei artlich Gedicht
aus den weisen Philosophi,
darin ist angezeiget, wie
hoch die Tugend zu loben sei
bei menschlichm Gschlecht, und auch darbei,
wie schändlich sind die groben Laster,
alles Unglückes ein Ziehpflaster;

dergleich viel poetischer Fabel,
welche sam in einer Parabel
mit verborgen, verblümten Worten
künstlich vermelden an den Orten,
wie gar hochlöblich sei die Tugend
beide bei Alter und der Jugend,
dergleich, wie Laster sind so schändlich;
darnach sind auch begriffen endlich
Schulkünst, Straflehr, Logica, Ränk
auch mancherlei kurzweilig Schwänk,
zu Fröhlichkeit den Trauring kommen,
doch alle Unzucht ausgenommen.
In einer Summa dieser Bar
der Meistergesang aller war
eben gleich zweiundvierzig hundert
und fünfundsiebnzig ausgesundert,
waren gsetzt in zweihundert schönen
und fünfundsiebnzig Meistertönen;
darunter sind dreizehen mein.
Solichs war alls geschrieben ein
in der sechzehn Gsangbücher Summ.

Die achtzehen Spruchbücher nuhm
ich auch her in die Hände mein.
Drin durchsucht die Gedicht allein,
da fund ich fröhlicher Comedi
und dergleich trauriger Tragedi,
auch kurzweiliger Spiel gesundert,
gerade acht und auch zweihundert,

der man den meisten Teil auch hat
gespielt in Nürenberg, der Stadt,
auch andern Städten, ferr und weit,
nach den man schicket meiner Zeit.

Nach dem fand ich darinnen frei
geistlich und weltlich mancherlei
Gespräch und Sprüch von Lob der Tugend
und guten Sitten für die Jugend,
auch höflicher Sprüch mancherlei
aus der verblümtn Poeterei
und auch von manchen weisen Heiden,
von der Natur artlich, bescheiden,
auch mancherlei Fabel und Schwänk
lächerlich Possen, seltsam Ränk,
doch nit zu grob noch unverschämt,
darob man Freud und Kurzweil nehmt
und doch das Gut darbei versteh
und alles Argen müßig geh.
Dieser Gedicht ich allersant
Tausend und siebenhundert fand;
doch ungefährlich ist die Zahl
aus den Gedichten überall.

Vor drei Bücher ausgangen sind
im Druck, darinnen man ihr' findt
achtundachzg Stück und siebenhundert,
darob sich manich Mann verwundert.
Auch ists viert und fünft Buch zu drucken

bstellt, die bei etlich hundert Stucken
halten, auch spruchsweis mein Gedicht,
werdn in der Zeit kommen ans Licht.
Auch fand ich in mein Büchern gschrieben
artlicher Dialogos sieben,
doch ungereimet, in der Pros,
ganz deutlich, frei, ohn alle Gloß.
Nach dem fand ich auch in der Meng
Psalmen und ander Kirchengsäng,
auch verändert geistliche Lieder,
auch Gassenhauer hin und wieder,
auch Lieder von Kriegesgeschrei,
auch etlich Buhllieder darbei:
der allersammen ich vernuhm
dreiundsiebenzig in der Summ,
in Tönen schlecht und gar gemein;
der Tön sechzehn mein eigen sein.

Als ich mein Werk hätt inventiert,
mit großem Fleiß zusamn summiert
aus den Spruchbüchern um und um,
da kam mir Summa Summarum
aus Gsang und Sprüchen mit Gelück
sechstausend achtundvierzig Stück
aus allen Büchern überall,
eh mehr denn minder in der Zahl,
ohn der, so waren kurz und klein.,
der ich nicht hätt geschrieben ein.
Aber hie anzeigte Gedicht,

die sind alle dahin gericht,
soviel mir ausweist mein Memori,
zu Gottes Preis, Lob, Ruhm und Glori
und daß sein Wort werd ausgebreit
bei christlicher Gmein ferr und weit
gesangweis und gereimten Worten,
und im Deutschland an allen Orten
bei Alter und auch bei der Jugend
das Lob aller Sitten und Tugend
werd hoch gepreiset und berühmt,
dargegen veracht und verdümt
die schändlichen und groben Laster,
die alls Übels sind ein Ziehpflaster,
wie mir das auch nach meinem Leben
mein Gedicht werden Zeugnus geben.

Wann die ganz Summ meiner Gedicht
hab ich zu eim Bschluß zugericht
in meinem Alter, als ich war
gleich alt zweiundsiebenzig Jahr,
zwei Monat und etliche Tag;
darbei man wohl abnehmen mag,
daß der Spruch von Gedichten mein
gar wohl mag mein Valete sein,
weil mich das Alter hart vexiert,
mich drückt, beschwert und karzeriert,
daß ich zu Ruh mich billig setz
und meine Gedicht laß zuletz
dem gutherzign gemeinen Mann,

mit Gotts Hülf sich besser' darvon.
Gott sei Lob, der mir sandt herab
so mildiglich die schonen Gab
als einem ungelehrten Mann
der wedr Latein noch Griechisch kann.
Daß mein Gedicht grün', blüh' und wachs
und viel Frücht bringt – das wünscht Hans Sachs.

Die Werk Gottes sind alle gut,
wer sie im Geist erkennen tut.

Als ich in meinr kindlichen Jugend
wurd zogen auf gut Sittn und Tugend
von mein Eltern, auf Zucht und Ehr,
dergleich hernach auch durch die Lehr
der Praeceptori auf der Schul,
so saßen auf der Künsten Stuhl,
der Grammatica, Rhetorica,
der Logica und Musica,
Arithmetica, Astronomia,
Poetrei, Philosophia,
da mein sinnreich Ingenium
die Lehr mit hohem Fleiß annuhm,
da lehrt Griechisch und Latein,
artlich wohl reden, wahr und rein;
rechnen auch lehrt ich mit Verstand,
die Ausmessung mancherlei Land;
auch lehrt ich die Kunst der Gestirn,
der Menschen Geburt judiciern,
auch die Erkenntnus der Natur
auf Erden, mancher Kreatur
im Luft, Wasser, Feuer und Erden;
darzu mit herzlichen Begehrden
begriff Gesangeskunst subtil,
manch süß liebliches Saitenspiel;
lehrt auch endlich die Poetrei,

darin an Tag zu geben frei
maniches höfliches Gedicht,
sonderlich auch darin aufricht
manch schöne wunderbar Histori,
wohl zu behalten in Memori.
Auch macht ich ein deutsche Comedi,
doch nicht ungleich einer Tragedi
mit scharpf artlichen Argumenten,
geistlich und weltlichen Regenten,
von dem rein klaren Gotteswort,
alls ich die vollendt an dem Ort
zu Nutz der ganzen Christenheit.
Auch fiel mir zu in dieser Zeit
groß Wohlfahrt in mancherlei Stück,
als Reichtum, Ehr, Lob und groß Glück,
wohlzogen Kind, ein treu Ehweib
voll Schön und mit gesundem Leib,
iedermann hielt mich hoch und herrlich,
auch hielt ich mich tapfer und ehrlich.

All solch Gab ich annehmen tät,
als ob ichs von mir selber hätt,
von Natur und Geschicklichkeit,
durch Kunst und sinnreiche Weisheit,
und fiel also mein Fleisch und Blut
in ein Stolz und prächting Hochmut.
In solch gottloser Hoffart schwebet,
in pharisäischen Werken klebet,
darin mein Leben ich zubracht.

Gar wenig ich an Gott gedacht,
daß ich all Gaben, wie vor steht,
von Gott allein entpfangen hätt;
ich höret wohl das göttlich Wort
und Evangeli an dem Ort,
doch half von Gott kein freundlich Locken,
die Hoffart tät mein Herz verstocken,
daß es meim Gwissen nicht einging,
und lag verblendet aller Ding.
Kein Forcht Gottes wohnet in mir,
sicher war mein Herz und Begier,
daucht mich fromm und gerecht fürwahr
wie der Gleißner im Tempel gar,
und mein sündig Leben elend
ich in dem Grund nie recht erkennt,
bis mich endlich der Herre gar
zu ihm zoge bei meinem Haar,
nämlich durch einen schweren Fall
stürzet mich Gott herab zu Tal.

Erst ich von meim sünding Gewissen
ward hart genaget und gebissen,
sam mir die Welt zu eng wollt wer'n;
in solch gar ängstlichen Beschwern
mich daucht wahrlich, auf Erderich
all Kreatur wär wider mich;
all Freud und Trost waren verschwunden,
Ehr und Gut mich nicht trösten kunnten,
Essen, Trinken und Saitenspiel

erfreut mein traurig Herz nicht viel.
Auch war all mein Hoffnung verlorn,
wünscht mir oft, ich wär nit geborn.
Mich daucht in solcher Angst und Quäl,
ich wär schon im Abgrund der Hell
und wär von Gott gänzlich verlassen;
die Verzweiflung verzagtermaßen
die focht mit mir Nacht unde Tag.
In solcher Anfechtung ich lag,
mir war verdrießlich all mein Kunst,
auch guter Freunde Lieb und Gunst.
Mit solch großer Schwermütigkeit
lag ich im Gwissen lange Zeit,
dacht: wenn mein Fall wird offenbar,
wird ich beim Volk verachtet gar;
endlich dacht ich an Küng David,
wie er dergleichen Fall erlitt
mit Batseba, wie uns denn sagt
der Psalm, drin er so herzlich klagt
sein Sünd, bitt Gott ihm zu verzeihen
so lang, bis Gott ihn täte freien,
sein guten Geist ihm wiedergab.
Erst fing ich an, ließ auch nicht ab
mit meim Gebet in Reu und Leid
zu Gott, hofft, sein Güt mich erfreit,
wiewohl sein Gnad mir lang aufzug,
sam mein Hoffnung oft gär abschlug.
Erst erkennt ich mein Nichtigkeit,
daß nichts Guts wär in mir allzeit

von Natur dann Sünd, Schad und Schand,
weil Gott von mir abzüg sein Hand,
erkennet erst mein elend Leben.
Gott hätt all gute Gab mir geben,
geistlich und leiblich, doch darob
ihm nicht Dank sagt hätt, Preis und Lob,
wie ich Gott schuldig wär gewesen;
derhalb hätt er mit der Straf Besen
mich züchtigt als ein stolzen Suhn,
darmit demütig machen tun.
Da erkennt erst mein Herz und Mut,
daß mir der Fall wär nütz und gut,
weil ich sein Güt im Anfang floch;
nun er beim Haar mich zu ihm zog
mit Strafen, Plagen, Sünd und Schand,
doch alls mit väterlicher Hand.

Nun ich erkenn sein milde Güt,
dargegen mein gottlos Gemüt,
das nur zu Bösem ist geneiget,
wie unser Wandel täglich zeiget,
dem Fleisch und Blut ist untergeben,
tut Gottes Willen widerstreben
und den Tag wohl siebenmal fällt,
wo Gottes Hand nicht ob uns hält,
durch Kreuz und harten Fall uns stürzt,
daß unser Stolz uns werd abkürzt,
daß wir erkennen gründlich recht,
daß wir alle sind unnütz Knecht

und arme Sünder diese Zeit,
den' Gott durch sein Barmherzigkeit
vom Himmel hat herabgesandt
Jesum Christum, unsern Heiland,
der für uns an dem Kreuze starb,
ewig Huld und Genad erwarb
bei dem himmlischen Vater sein.
Unser Fürsprech ist er allein,
unser Mittler in aller Not
zwischen uns Sündern und auch Gott,
da er täglichen für uns bitt,
versöhnt und uns treulich vertritt,
wer von Herzen zu ihm aufschreit;
dem sei Lob, Ehr in Ewigkeit,
da ewig Freud uns blüh und wachs,
das begehrt auch herzlich Hans Sachs.

Ein Gespräch. Die neun Gab-Musä oder Kunstgöttin betreffend.

Als man zählt fünfzehundert Jahr
und dreizehene, als ich war
zu Wels in ganz blühender Jugend,
mein Sinn sich hin und wieder wugent,
auf was Kurzweil ich sollt begeben
forthin durchaus mein junges Leben
neben meiner Handarbeit schwer,
die doch nützlich und ehrlich wär,
weil ich in kurz verschiednen Jahrn
hätt als ein Jüngeling erfahrn
in Gsellschaft mancherlei Untreu,
in Buhlerei Schand und Nachreu,
in Trunkenheit Schwächung der Sinn,
in Spiel Hader und Ungewinn,
in Fechten, Ringen Neid und Haß,
in Saitenspiel Verdruß dermaß.
Was Kurzweil menschlich Herz erfreut,
darin sich üben junge Leut,
iedes sein Nachkreis mit ihm bracht,
des wurdens all von mir veracht.
In solchen schweren Phantasieren
ging ich hin für das Tor spazieren
über ein Wasser (heißt die Traun)
und kam für ein runden Lichtzaun,
der umfing des Kaisers Tiergarten.

Darin liefen nach allen Arten.
Viel Künlein sach ich geilend hupfen,
aus und ein ihr Höhlen schlupfen,
aller Farb, rot, grau, weiß und schwarz.
An dem Wasser ging ich aufwarts
durch ein Gesträuß, da ich mit Wunnen
erfand den allerkühlsten Brunnen
aus eim Fels fließen in ein Märbel,
darin das Wasser macht ein Werbel.
Um den Brunnen war ein Gehäus
selb gewachsen mit dem Gesträuß.
Das gab darum ein dunkel Schatten.
Das Gras mit Blümlein, Klee und Schlaten
lustig gezieret hatt das Plönlein.
Da hört ich manich süßes Tönlein
von dem Geflügel hin und wieder.
Ich legt mich zu dem Brünnlein nieder,
in den Gedanken tief entzucket,
gleichsam in einem Traum entnucket.
Als ich nun lag in dem Getrecht
hört ich um mich ein leis Gebrächt
mit Wechselworten rund und scharf.
In dem mein Augen ich aufwarf,
da stunden zirkelrund um mich
neun Weiblein, zart und adelig,
in fliegender subtiler Seiden
bekleidt, in Farben unterscheiden,
mit rotem Golde durchflorieret,
nach heidenischer Art gezieret.

Jede hätt auf ihrem Haupt ganz
von Laurea ein grünen Kranz,
mit drei gülden Heftlein geätzet,
köstlich mit edlem Gstein versetzet,
darob ein Seiden weiß durchsichtig.
Ihr Schmuck war ganz köstlich und wichtig.
Mit scharfen Augen, spähen Sinnen
und bleicher Farb sie all erschienen.

Mein Herz in Wunder war durchfeuert.
Mein Haupt in die recht Hand ich steuert,
bedorft ihr keine mehr ansehen.

Ihr eine ward sich zu mir nähen.
Sprach: „O Jüngling, was bist bekümmert?
Wer hat dein Gmüt so har zertrümmert?
Was liegt dir an für Ungemach?“

Schamrot ein klein ich sie ansach.
als ich hört ihr Anred so gütig,
fing ich ein Herz und ward großmütig,
sprang auf mein Füß und neiget ihn’
und sprach: „Ich hab Herz, Mut und Sinn
von allen Freuden abgewendt,
weil sie bringen ein bitter End,
und hab mich einsam hinterdacht
nach einer Kurzweil hochgeacht,
die mir doch Nutz und Ehre brächt.“

Die erst antwort: „O Jüngling recht,
ist diese Ursach dein Beschwerden,
von uns mag dir geholfen werden.“

Ich sprach: „Ihr engelischen Bild,
sagt, wer ihr seid, durch euer Mild!“

Sie sprach: „Hast du bei deinen Tagen
von den neun Musä hören sagen
in Griechen beim Berg Pernaso?
Die seien wir.“

Erst ward ich froh,
bog ihn’ meine Knie züchtiglich,
sprach: „Ihr Göttinn’, es wundert mich,
was ihr hie sucht im deutschen Land.“

Die erst sprach: „Uns hat ausgesandt
Apollo und Pallas die Zeit,
die hohen Götter der Weisheit,
ihn’ etlich Diener zu bestellen.
Ob du nur selber willt, so wöllen
wir dich zu eim Diener aufziehen,
weil du tust ander Kurzweil fliehen,
so du ihr Eitelkeit empfindst.“

Ich sprach: „Ernennet mir den Dienst,
wo ich Armer darzu wär tüglich!
Was mir denn wär zu tun vermüglich,

verbrächt ich mit dem höchsten Fleiß
den Göttern der Weisheit zu Preis.
Ich fragt weder nach Müh noch Lohn."

Die Göttin sach mich freundlich an
und sprach: „O Jüngling, dein Dienst sei,
daß dich auf deutsch Poeterei
ergebst durchaus dein Lebenlang,
nämlichen auf Meistergesang,
darin man fürdert Gottes Glori,
an Tag bringst gut schriftlich Histori,
dergleichen auf traurig Tragedi,
auf Spiel und fröhliche Comedi,
Dialogi und Kampfgespräch,
auf Wappenred mit Worten späch,
der Fürsten Schild, Wappen plesmieren,
Lobsprüch, die löblich Jugend zieren,
auch aller Art höflich Gedicht
von Krieg und heidnischer Geschicht,
dergleich auf Tön und Melodei,
auf Fabel, Schwänk und Stampanei,
doch alle Unzucht ausgeschlossen,
daraus Schand und Ärgernus brossen.
Das wird für dich ein Kurzweil gut,
die dir gibt Freud und hohen Mut.
Dardurch wirst du in deinen Jahrn
still, eingezogen und erfahrn,
bewahret vor viel Ungemach.
Auch folgt der Kunst die Ehre nach,
die ihr' hat viel gekrönt mit Lob."

Ich sprach: „Ihr Göttinn', viel zu grob
ich bin, ein Jüngling bei zweinzig Jahrn,
der Poeterei ganz unerfahrn,
hab keiner Kunst mich angenommen.
Die Poeten von Himmel kommen,
wie von ihn' sagt Ovidius.
Derhalb ich mich verzeihen muß
der Kunst. Gott dank euch aller Ehren!"
Neigt mich und tät von dannen kehren
mit seufzendem Herzen und Mund.
Sie aber stunden zirkelrund
zusamm, hätten ein kurz Gespräch.

Mir widerruft die Göttin weg
und sprach: „O Jüngeling, ob dir
haben ein groß Mitleiden wir.
Willt du, so wöll wir dich begaben
mit den neun Gaben, die wir haben,
darmit wir vor begaben täten
griechisch und lateinisch Poeten,
dergleich viel deutscher im Deutschland.
Ist Meister Hans Folz dir bekannt
und etlich mehr bei deiner Zeit?
Willt annehmen die Dienstbarkeit,
so tritt ein wenig uns näher baß!
Empfach die Gab nach deiner Maß!"

Bald trat ich mitten unter sie
und fiel nieder auf meine Knie
und sprach: „Ihr Göttinn' auserwählt,
nun tut an mir, was euch gefällt!
In euren Dienst bin ich ergeben."
Mein Herz ward hoch in Freuden schweben,
ward all meins Herzenleids beraubt.
Mir legt zween Finger auf mein Haupt
Klio, die Göttin, sprach: „Nimm hin!
Ich gib dir in den Mut und Sinn
ein beständig, vollkummen Willen
zu diesen löblichen, subtilen
Künsten gemeldter Poeterei,
der dir forthin wohnt allzeit bei."

Euterpe, die ander, zu mir
sprach: „Ich gib dir Lust und Begier,
Wohlgefallen, Lieb, Freud und Gunst
zu dieser hochgelobten Kunst,
darin du dich forthin erfreust,
darmit all Traurigkeit zerstreust."

Melpomene, die dritt, in Weiß,
sprach: „So gib ich dir hohen Fleiß
zu dieser Künsten Grunderfahrung,
an Müh und Arbeit gar kein Sparung,
anhalten mit Hören und Lesen,
bis du ergreifst ihr ganzes Wesen."

Thalia, die viert, sprach: „So dir
die Annehmung des Werks von mir.
Greifs kecklich an! Hab kein Betrübung!
So du bringst in tägliche Übung,
ein Stück dem andern beut die Händ,
wie du erfahren wirst am End."

Polimnia, die fünft, aus Lieb
sprach: „Ein Nachdenken ich dir gib,
ein Bewegen und Reguliern,
ein Austeilen und Ordiniern,
ein jeder Materien Summ,
wer, was, wie, wo, wenn und warum."

Erato, die sechst aus ihr Zunft,
sprach: „Ich gib dir Schärpf und Vernunft,
zu erfinden und spekuliern,
zu mindern und zu appliziern
nach rechter Art ieden Sentenz
durch vernünftig Experienz."

Therpsicore, die siebent Maid,
sprach: „So gib ich dir Unterscheid
eins ieden Dings wahre Erkenntnus,
durch ein klare, lautre Verständnus
alle Ding gründlich zu probiern,
all Materi zu judiziern."

Urania, die achte, sprach:
„Himmlisch Weisheit gib ich hernach,
das Gut aus Bösem zu erwähln,
das Unnütz vom Nützen zu schäln,
auf daß gut poetisch Gedicht
durch faul Sentenz nit werd vernicht."

Kalliope so sprach, die neunt:
„So gib ich dir, mein lieber Freund,
ein Stilum, den Weisen gefällig,
ein Aussprechen süß und holdselig,
verständig, deutlich, ohn alls Stammlen;
mit schönen, lustigen Preamlen
werden all dein Gedicht geziert,
frei springend, wo man die skandiert."

Nach dem fing Klio wieder an,
sprach: „O Jüngling, nun sollt aufstahn.
Nun hast unser neun Eigenschaft
empfangen ein Verschmack und Saft
und bist zu Diener aufgenommen.
Wo du dem treulich nach wirst kommen,
nämlich daß all deine Gedicht
zu Gottes Ehr werden gericht,
zu Straf der Laster, Lob der Tugend,
zu Lehre der blühenden Jugend,
zu Ergetzung trauriger Gmüt,
jedes nach Art, durch unser Güt
wöll wir dich endlichen belöhnen,

mit untödlichen Ehren krönen,
als einem Dichter tut gebühren.
Doch tu geloben und anrühren
ein treuen Dienst, als dir gebührt!“
Fröhlich stund ich auf und anrührt,
mich gutwillig gen ihn’ erzeiget.
Zu hohem Dank ich ihn’ fast neiget.
Ihr Häupter sie mir neigen gunnten,
und in dem Augenblick verschwunden
vor mir die auserwählten Tocken.
Mein Herz in Jubel ward frohlocken.
Lief heim und gar bald repetiert
die Gab der Musä ordiniert,
braucht die, wie sie mir geben warn,
durch die ich hernach in viel Jahrn
gemachet hab manich Gedicht,
auf allerlei Art zugericht,
bei fünf Tausenden oder mehr.
Gott sei allein Lob, Preis und Ehr,
welicher sein Geschenk und Gab
so wunderbarlich geußt herab
auf alles Fleisch mancherlei Weis,
auf daß sein göttlich Lob und Preis
bei allen Menschen auferwachs
durch seine Gab! Das wünscht Hans Sachs.

Der wunderliche Traum von meiner abgeschieden lieben Gemahel, Künigund Sächsin.

Als man nach Christi Geburt war
zählen fünfzehenhundert Jahr
und neunzehen (fürwahr ich sag),
eben an Sankt Egidi Tag
ward mir zu einer Gmahel geben
Jungfrau Küngunt Kreuzerin eben,
die einig Tochtr und Erb allein
Peter Kreuzers zu Wendelstein
am Berg, der vor siebenzehn Jahrn
samt seinr Gemahel verschieden warn,
den Gott genad in Ewigkeit!
Am neunten Tag hätt ich Hochzeit.
Von der mir in zwelf Jahrn sind worn
zween Sühn und fünf Töchter geborn,
welch alle sind mit Tod verschieden
und bei Gott ewig sind zufrieden.
Doch von meinr ersten Tochter eben
hab ich vier Enenklein im Leben.

Nun diese mein Gmahel fürwahr
hätt ich fast einundvierzig Jahr
ganz lieb und treu, ganz ehrenwert.

Wollt Gott, daß ich sie sollt auf Erd
gehabt haben bis an mein End!
Gott aber selb hat das gewendt.
Als man nach Christi Geburt war
zähln fünfzehnhundert sechzig Jahr,
da begab sich (leider ich sag)
an unser Fraun Verkündung Tag,
war der fünfundzweinzgst Tag des Märzen,
tät sie in einer Seiten schmerzen
ein Wehtag und darnach im Herzen.
Aber in solcher Wehtag Schmerzen
heimsuchten wir der Ärzte Rat.
Doch folgten nit der Gsundheit Tat.
Derhalb ward sie vor ihrem End
versehen mit dem Sakrament.
Der Schmerz nahm länger härter zu,
stund oft auf und hätt nirgend Ruh.
Jetzt wollt sie dort, ietzund da liegen.
Die Krankheit tät ihr angesiegen,
und in der dritten Nacht verschied.
Der Seel geb Gott dort ewig Fried.
Nach dem ward auch nach zweien Tagen
der Leib dahin gen Kirchen tragen
mit dem deutschen Psalmengesang.
Ach Gott, erst ward meim Herzen bang,
weil ich mein Gmahel nicht mehr hätt.
Wo ich ansach dieselben Stätt,
daran sie war gstanden und gsessen,
o so tät sich mein Herz denn fressen.

Dergleich, wo ich ihr Kleider sach,
wurd ich geleich von Herzen schwach,
daß ich mein Gmahel auserkorn
so schwind und gähling hätt verloren,
der ich erst gar notdürftig war,
weil ich ins sechsundsechzigst Jahr
ging, sie nur achtundfünfzig was
erst alt, derhalb ich übermaß
war im Herzen bekümmert hoch.
Oft daucht mich auch, sie lebet noch,
etwan bei ihren Freundinn' wär,
in ihren Gschäften hin und her.
Wenn ich mich denn bedacht, daß sie
gestorben wär und nicht mehr hie,
so wurd mein Herzenleid mir neu,
wann ich mich zu ihr alle Treu
versach, für all Menschen auf Erd,
besorgt mich vor ihr keinr Gefährd.
Recht Lieb und Treu ich von Anfang
bei ihr erfund ihr Lebenlang.
Sie war ganz häuslich früh und spat,
zug all Ding rechter Zeit zu Rat.
Doch etwan heftig war mit Worten
bei dem Gesind, das an viel Orten
fahrlässig war, nit arbeitsam;
in Summa, all ihr Ding das kam
dem ganzen Haushalten zugut.
Derhalb mein Herz war in Unmut,
weil ich die Treuen nit mehr hätt.

Mein Herz oft nach ihr seufzen tät.
Tag unde Nacht ich ihr nachdacht.

Nun begab sich in einer Nacht,
daß ich in den Gedanken tief
meinr verschieden Gmahel entschlief.
Da daucht mich, ich säch allerding,
wie zu mir in die Kammer ging
mein liebe Gmahel zu mir her
in Weiß, ganz züchtiger Gebär,
von der mein Herz erfreuet wur,
und gähling in dem Bett auffuhr
und wollt sie mit eim Kuß umfahen.

Als ich ihr aber wollte nahen,
wich sie von mir gleich einem Schatten
und sprach zu mir nach diesen Taten:
„Mein Hans, das mag nit mehr gesein.
Ich bin nit mehr wie vorhin dein."

Da fiel mir erst ein gwiß und klar,
daß sie mit Tod verschieden war.
Derhalb mich gleich ein Forcht durchschlich.
Jedoch ihr Treu die tröstet mich.
Gedacht: ihr Geist ist kommen her,
zu trösten mich in meiner Schwer,
und tät mich ihr' Zukunft erfreuen.
All mein Unmut tät sie zerstreuen,
und sprach: „O du seliger Geist,

vergangner Zeit du noch wohl weißt,
als dein Leib lag in Krankheit schwer,
tröst ich dich, sagt, wie Christus wär
für aller Menschen Sünd gestorben,
bei Gott Genad und Huld erworben
umsonst aus lautr Barmherzigkeit.
Auf diesen Heiland in der Zeit
solltst du dich herziglich verlassen.
Hoff, du habst das tun allermaßen."
Der Geist mir antwort an dem Ort:
„Ich hab auf das gwiß Gotteswort
in rechtem Glauben und Vertrauen
tun von Grund meines Herzen bauen.
Darin bin ich auch abgeschieden
vom Leib und bin auch wohl zufrieden
und bin schon in ewiger Ruh,
kein Zweifel setzet mir mehr zu,
leb nun in höchster Sicherheit
und wart ewiger Seligkeit
in Frohlockung und Sehnen groß
mit Lazaro in Abrams Schoß,
mit gewisser starker Hoffnung
auf die letzten Auferstehung
daß Seel und Leib denn wiederum
klarifiziert zusammenkumm,
da an uns gänzlich wird erstatt,
was Christus uns verheißen hat."

Mich daucht, ich fragt in Wunder groß:
„Sag mir! Wo ist Abrahams Schoß?
und was die Seelen darin tun,
was sie haben für Freud und Wunn
bis auf den letzten jüngsten Tag?"

Antwort der Geist: „O auf dein Frag
so kann ich dir kein Antwort geben,
wann kein Mensch in dem zeitling Leben
mitnichte die Ding kann verstohn,
noch weniger reden darvon,
was Gott mit sein Seligen tu,
welche sind in ewiger Ruh.
Sie berührt mehr kein Leiblichkeit,
sind ganz aus aller Statt und Zeit,
in Gott als auserwählte Geist,
in himmlischer Freud allermeist,
darin ihn' dann ist ewig wohl.
Nit weiter ein Mensch denken soll,
bis daß er nach seim zeitlichn Tod
auch dahin kommen wird durch Gott
aus Gnaden zu ewiger Ruh.
Auf solichs sollt auch warten du,
wann es wird dir das Ende dein
fort auch nit lang ausständig sein;
dann wirst mit geistlichn Augen sehen
Ding, die ich dir nit kann verjehen,
die kein Aug hat gesehen vor
und auch gehöret hat kein Ohr,

und ist in keins Menschen Herz kommen,
was den Gottseligen und Frommen
Gott hat dort ewiglich bereit
für Wonne, Freud und Seligkeit.“

In dem der Geist von mir verschwand.
Da auferwachet ich zuhand.
Groß Forcht und Freud mich da bestahn.
Ich lag und diesem Traum nachsann
in Freud und herzlich großem Wunder
und gedacht mir heimlich besunder
an Meister Lienhart Nunnenbecken,
mein Lehrmeister, der mich tät schrecken
vor Jahren mit dergleichen Traum
nach seinem Tod, des ich auch kaum
mich Lebenlang vergessen mag.
Da ich eins Nachts auch schlief vor Tag,
wie ich ihn bat in Traums Gesicht,
daß er mir geb klaren Bericht,
wie es zuging in jenem Leben,
tät er mir gleiche Antwort geben:
„Das du mich fragst, läßt sich nit reden
noch aussprechen zwischen uns beeden,
bis du einmal kommst selb dorthin
aus Gnaden, dann wirst du erst in,
was Gott sein' Auserwählten geit
nach dem Elend in Ewigkeit.“
Nach dem auch derselb Geist verschwund.
Ich erwacht auch und manich Stund

seither demselben Traum nachsann.
Denk gewiß, daß kein Mensch wissen kann
in diesem zergänglichem Leben,
was Gott dort ewiglich wird geben
den Auserwählten in seim Reich,
wie denn Christus selb saget gleich.
Drum soll' wir sein Wort herzlich glauben,
der Hoffnung uns nit lassen rauben
solch fürwitzig leiblich Gedanken,
Gott vertrauen ohn alles Wanken.
Derselb wird uns nach diesem Leben
durch unsern Heiland Christum geben
aus Gnad das himmlisch Vaterland.
Dahin helf uns Gott allensant,
da uns ewig Freud auferwachs
nach seinem Wort! Das wünscht Hans Sachs.

Nachwort

Die Person des Meistersingers HANS SACHS und die Tradition des Meistergesanges überhaupt ist nur verständlich vor dem Hintergrund der politisch-historischen Entwicklung seiner Epoche, dem Übergang vom Spätmittelalter zur Frühen Neuzeit.

Ende des 14. Jahrhunderts hatten die mittelalterlichen Burgen aufgrund des stetigen Wachstums der sie oft umgebenden Städte an Bedeutung verloren. Den Bürgern war es durch Fleiß und Geschicklichkeit gelungen, Handelsmonopole zu errichten und weitgehend den Geldumlauf zu kontrollieren. Es ist daher nicht verwunderlich, wenn viele deutsche Städte mit Kaiserlichen Privilegien ausgezeichnet wurden und eine sehr große wirtschaftlich Machtstellung erlangten, die teilweise der des monarchisch geprägten Feudaladels ebenbürtig war. Der urbane Reichtum hatte auch zur Folge, daß das aufstrebende Bürgertum auf die Entwicklung von Kunst und Wissenschaft erheblichen Einfluß nahm. So wurden private Unterrichtsanstalten und Universitäten gegründet, die den Lehrstoff, vor allem aufgrund des von Gutenberg um 1450 erfundenen Buchdrucks, einer breiten Öffentlichkeit zugänglich machen konnten. Es ist daher nicht verwunderlich, daß die Kirche teilweise und das Rittertum vollends aus ihren sozialen Funktionen als alleinige Hüter und Träger des Kulturwesens verdrängt worden sind.

Auf musikalischem Gebiet wurde der etwa ab 1150 nachweisbare, durch das Vorbild der ritterlichen Sänger Frankreichs und durch die Marienlyrik der Gregorianik geprägte Minnesang in posthumen Fassungen entsprechend den bürgerlichen Anschauungen abgeändert. Die „Große Heidelberger Liederhandschrift" (Manessische Handschrift), die Jenaer und Colmarer Handschriften sind heute noch Beweise dieser Entwicklung. Dem Beispiel des ersten bürgerlichen Minnesängers Heinrich von Frauenlob (auch Heinrich von Meißen genannt) folgend, der um 1280 in Mainz die erste Singschule der Gilden und Innungen gründete, fanden sich nun (2. Hälfte des 14. Jahrhunderts) in vielen deutschen Städten vor allem Handwerker zu poetischen Schulgenossenschaften und regelmäßigen Singübungen zusammen. Es entstand der Meistergesang, dessen wichtigste Zentren Breslau, Danzig, Regensburg, Ulm, Augsburg und Nürnberg waren. Die Handwerkszünfte stellten „Tabulaturen“ auf, die für die Meistersinger Gesetze enthielten, deren Einhaltung der „Merker“ gestreng überwachte. So konnte nur Meister werden, wer Schulfreund, Sänger und Dichter gewesen war. Der Sänger mußte nach den Regeln alte Weisen fehlerfrei wiedergeben. Der Dichter hatte neue Reime zu erfinden. Der Meister vermochte neben der handwerklichen Qualifikation zu neuen Reimen neue Weisen zu schaffen, und den „neuen Ton“ mit „Körnern“ und „Blumen“ (Koloraturen) entsprechend auszustatten.

Neben Michael Behaim (1416–1474), Hans Folz (gestorben um 1515) und Konrad Regenbogen, ist wohl der bis heute bekannteste Meistersänger der in Nürnberg am 5. November 1494 geborene und am 19. Januar 1576 ebenda verstorbene Hans Sachs. Schon während seiner zweijährigen Lehre bei einem Nürnberger Schuhmachermeister wurde der junge Sachs von dem Leinweber Lienhard Nunnenbeck in die Kunst des Meistergesangs eingeführt. Nach beendeter Lehrzeit begab sich der Schustergeselle auf die Wanderschaft, die ihn in viele Städte des süddeutschen Raums, des Rheinlands, aber auch Österreichs führte. Im Jahr 1513 hielt Hans Sachs sich in dem österreichischen Städtchen Wels an der Traun auf, wo er erstmals das Gefühl empfand, zum Dichter berufen zu sein, der von nun an kein gedankenloses Leben mehr führen wollte. Dreiundzwanzig Jahre später (25. August 1536) hielt er dieses Ereignis in dem autobiographisch-allegorischen Gedicht „Die neun Gab-Musae oder Kunstgöttin betreffend“ fest. Ende 1516 kehrte Hans Sachs in seine geliebte Geburtsstadt zurück. Die freie, mit vielen kaiserlichen Privilegien ausgestattete Reichsstadt war zu jener Zeit nicht nur eines der wichtigsten Handels-, sondern auch Kulturzentren Deutschlands. So wurden beispielsweise die humanistischen Ideen Italiens von Persönlichkeiten wie Hartmann Schedel, dem Stadtchirurgen und Verfasser der berühmten Weltchronik und von Wilibald Pirckheimer, dem städtischen Ratsherrn und Vertrauten Kaiser Maximilians erheblich gefördert.

Hans Sachs fand also in Nürnberg Verhältnisse vor, die sein

dichterisches und musikalisches Schaffen immer neu inspirierten. In der Nürnberger Meistersingerschule war es indessen nicht zum Besten bestellt. Neid und Konkurrenzkämpfe waren an der Tagesordnung. Hans Sachs bemühte sich während der nächsten Jahre die „Wogen zu glätten", und wußte auch eine Gebietserweiterung in der Meistersingerkunst dergestalt durchzusetzen, daß weltliche Stoffe als Tragödie, Kommödie, Drama und in Prosa bearbeitet wurden. Die Meistersinger entwickelten sich daher immer mehr zu Dichtern, die auch Musikstücke komponierten. Nachdem der junge Schustergeselle am 9. September 1519 Kunigunde Creutzer heiratete und 1520 zum Meister seines Handwerks ernannt wurde, erfaßte ihn ein besonderes Interesse an der reformatorischen Bewegung. Drei Jahre sammelte er Traktate und Sermone Luthers und setzte sich intensiv mit dessen Lehre auseinander. Seine neu gewonnene Überzeugung verkündete er in dem am 8. Juli 1523 verfaßten Spruchgedicht „Die Wittenbergische Nachtigall". Dieses, Martin Luther preisende Werk, fand in den reformatorisch gesonnenen Kreisen Deutschlands eine derartige Verbreitung, daß schon bald Nachdrucke erforderlich waren. Der Name Hans Sachs war nun in aller Munde, und seine Werke wurden weit über die Grenzen Nürnbergs hinaus bekannt.
Das weitere Schaffen des Meistersängers fand eine jähe Unterbrechung, als er Anfang 1527 in dem kleinen Buch „Eine wunderliche Weissagung vom Papsttum" zu dreißig alten Holzschnitten Erläuterungen in vierzeiligen, sehr einprägsamen Reimpaaren anfügte. Der Rat der Reichsstadt Nürnberg verbot, sich auf das Wormser Edikt vom 8. Mai 1521 berufend, jede weitere Veröffentlichung, da das Buch der „katholischen Sache" abträglich sei. Sämtliche Exemplare, deren der Rat habhaft werden konnte, wurden aufgekauft. Es erging an Hans Sachs die strikte Anweisung, bis auf Widerruf jede Publikation zu unterlassen, andernfalls er mit Strafe zu rechnen hätte. Die sich anschließende Zwangspause seines öffentlichen Schaffens ließ Hans Sachs nicht ungenutzt verstreichen. Neben gelegentlichen Auftritten in der Singschule komplettierte er in handschriftlich abgefaßten Folianten die bereits vor Jahren

begonnene Sammlung seiner Dichtungen sowie eigener und fremder Meisterlieder. Nach der Aufhebung des Veröffentlichungsverbots wandte sich Hans Sachs unter anderem wieder verstärkt dem traditionellen Nürnberger Fastnachtsspiel zu.

Etwa beginnend mit dem 15. Jahrhundert wurden in Nürnberg, wie in vielen Städten Süddeutschlands, zur Fastnachtszeit öffentliche Kostümfeiern und Schaustellungen abgehalten, deren Thematik sich fast ausschließlich mit dem Alltagsleben befaßte und oft in einer derben, komischen Art und Weise dargeboten wurde. Anfänglich traten einzelne Sprecher nacheinander vor das Publikum. Später entwickelten sich Dialoge und Streitgespräche zwischen den jetzt gemeinsam erscheinenden Mitspielern, deren Inhalte auf eine Bezugsperson oder Sache fixiert sein konnten. Im Laufe der Zeit entwickelte sich so das eine Geschichte erzählende Reihenspiel zu einem Handlungsspiel, welches durch die körperliche Darstellung die einzelnen Spielelemente miteinander verband und zu einem einheitlichen Ganzen werden ließ. Statt des oft obszönen Gehalts legte Hans Sachs in seinen Fastnachtsspielen Wert darauf, eine Synthese zwischen Heiterkeit, Spannung und sittlichem Wohlverhalten zu erreichen. In unnachahmlicher Weise schilderte er das kleinbürgerliche Leben jener Tage auch als ein leidenschaftlich-bewegtes, aufregendes Geschehen und läßt so neben der komischen Komponente auch dramatische Elemente in seine Fastnachtsspiele einfließen. Das weitere Schaffen des Dichters wurde jäh unterbrochen, als Ende März 1560 seine geliebte Gattin nach einundvierzigjähriger Ehe, in der es auch galt, den Tod aller sieben Kinder zu überwinden, verstarb. Ihr widmete er am 19. Juni 1560 das Spruchgedicht „Der wunderliche Traum von meiner abgeschiedenen lieben Gemahel, Kunigund Sächsin“, das eines seiner gefühlvollsten Werke ist.

In der folgenden Zeit schmerzte der Verlust der Ehefrau zwar noch sehr, doch konnte Hans Sachs andererseits die Einsamkeit in dem großen Haus nicht länger ertragen. Des Alleinseins müde heiratete er daher im September 1561 die siebenundzwanzigjährige Barbara Harscherin. Das „junge Eheglück“

wirkte sich äußerst positiv auf das weitere Schaffen des Dichters aus. Während in den Jahren 1550 bis 1560 die dramatische Schauspieldichtung im Vordergrund stand, wandte sich Hans Sachs nun mehr biblischen und historischen Spruchgedichten, Fabeln und Schwänken zu. Sein „poetisches Testament" hinterließ er in dem am 1. Januar 1567 verfaßten Werk „Summa all meiner Gedicht von 1514. Jahr an bis ins 1567. Jahr". In biographischen Zügen zieht er hier die Bilanz seines Lebens und Schaffens. Dem Poeten war es indes vergönnt, weitere neun Jahre zu leben, bis er am 19. Januar 1576 entschlief. Das schöpferische Vermächtnis von insgesamt 6048 Werken dokumentiert heute noch die fünfbändige Gesamtausgabe seines Schaffens, deren erster gedruckter Band bereits 1558 erschienen war. Der „Schuster und Poet" Hans Sachs ist daher zu Recht als der klassische Vertreter der bürgerlich-volkstümlichen deutschen Kunst seiner Zeit anzusehen.

Die vorliegende Auswahl aus dem Gesamtwerk soll dem Leser einen repräsentativen Querschnitt des Schaffens von Hans Sachs geben. Um möglichst viele verschiedene Stücke aufzunehmen, war es nötig, einige der längeren zu kürzen. Die Texte wurden in der Orthographie weitgehend dem heutigen Gebrauch angepaßt, besondere Lautungen und Schreibweisen jedoch beibehalten. Denn gerade diese Besonderheiten und scheinbaren Unregelmäßigkeiten sind ein wichtiges Merkmal der Literatur dieser Zeit, in der sich – nicht zuletzt durch das Wirken Martin Luthers – das Neuhochdeutsche als einheitliche Schriftsprache durchzusetzen beginnt. Somit ist das Werk des Hans Sachs nicht nur inhaltlich, sondern auch in seiner äußeren Form ein wichtiges literarisches Zeugnis seiner Zeit.

Heinrich von Braun